COLECCIÓN POPULAR

792

EXAMEN EXTRAORDINARIO

JUAN VILLORO

EXAMEN EXTRAORDINARIO
Antología de cuentos

FONDO DE CULTURA
ECONÓMICA

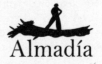

Almadía

Primera edición, 2020

[Primera edición en libro electrónico, 2020]

Distribución mundial

D. R. © 2020, Fondo de Cultura Económica
Carretera Picacho-Ajusco, 227; 14738 Ciudad de México
www.fondodeculturaeconomica.com
Comentarios: editorial@fondodeculturaeconomica.com
Tel.: 55-5227-4672

D. R. © 2020, Almadía Ediciones S.A.P.I. de C.V.
Avenida Patriotismo 165, Colonia Escandón II Sección,
Alcaldía Miguel Hidalgo, Ciudad de México, C.P. 11800
RFC: AED140909BPA

Diseño de portada: Alejandro Magallanes

ISBN 978-607-16-6796-0 (FCE, rústico)
ISBN 978-607-8667-65-9 (Almadía, rústico)
ISBN 978-607-16-6894-3 (electrónico-epub)
ISBN 978-607-16-6896-7 (electrónico-mobi)

Impreso en México • *Printed in Mexico*

ÍNDICE

EL AUTOR A PRUEBA

Un escritor se define menos por las ganas de escribir que por las ganas de reescribir. Los borradores y las hojas desperdigadas por el piso que a los demás les pueden parecer una condena o una vana manía son el placer de quien vive por escrito. ¿Significa esto que corregir una y otra vez mejore el resultado? No necesariamente. Con los textos pasa lo mismo que con las biografías: no sabes donde está el punto final y llegar ahí es ingrato pero inevitable. "Uno no se muere cuando debe, sino cuando puede", decía el coronel Aureliano Buendía.

Sólo por costumbre al último esfuerzo le llamamos "versión definitiva". Abandonar un texto equivale a perder un hábito. El que publica diez libros sabe lo que se siente dejar de fumar diez veces. Más que satisfacción ante el "deber cumplido", se experimenta un síndrome de abstinencia. El único remedio consiste en volver a escribir.

Mientras tanto, el libro emprende su camino; una vez publicado, adquiere peculiar autonomía. Al revisarlo años después, tienes la sensación de estar ante una voz desconocida. En mi opinión, esa extrañeza es la única prueba legítima de que el texto funciona, lo cual impide toda vanagloria, pues su mayor virtud es que parece ajeno.

El principal combustible del arte es la inseguridad. Aunque abundan los escritores felices de haberse conocido a sí mismos, conviene recodar que el inmejorable Kafka estaba inconforme con su trabajo. La pasión para escribir, o la dificultad de hacerlo, no son certificados de excelencia. He pasado horas de dicha pergeñando páginas que en la lucidez del día siguiente me parecieron espantosas. Uno de los grandes misterios del acto creativo es que se puede disfrutar haciéndolo mal.

Valorar el propio trabajo significa someterse a un examen para el que nadie está preparado, lo cual lleva al título de esta antología. Llama la atención que en México la última oportunidad de aprobar una materia reciba el nombre de "examen extraordinario". Se diría que se trata de algo estupendo, un desafío al que sólo llegan los excepcionales. La necesidad de mitigar fracasos en un país donde el descalabro es habitual ha logrado que un predicamento reciba un nombre tan ambiguo que parece un premio.

La pedagogía nacional decidió el título de este libro. Cuentos escritos en distintas épocas reciben una nueva oportunidad.

Una antología personal depende más de decisiones emocionales y asociaciones subjetivas que de un cálculo racional. Ningún autor es buen analista de sí mismo.

Quien vuelve a reunir sus textos es como el que se vuelve a casar, un optimista crónico. Ya lo dijo el incontrovertible doctor Johnson: quien reincide en el matrimonio demuestra "el triunfo de la esperanza sobre la experiencia".

Los cuentos de esta antología se someten a una prueba que acaso sea definitiva.

El autor enfrenta el desafío recordando que en México lo grave es "extraordinario".

Juan Villoro
Ciudad de México, 22 de febrero de 2020.

MARIACHI

—¿Lo hacemos? —preguntó Brenda.

Vi su pelo blanco, dividido en dos bloques sedosos. Me encantan las mujeres jóvenes de pelo blanco. Brenda tiene 43 pero su pelo es así desde los 20. Le gusta decir que la culpa fue de su primer rodaje. Estaba en el desierto de Sonora como asistente de producción y tuvo que conseguir 400 tarántulas para un genio del terror. Lo logró, pero amaneció con el pelo blanco. Supongo que lo suyo es genético. De cualquier forma, le gusta verse como una heroína del profesionalismo que encaneció por las tarántulas.

En cambio, no me excitan las albinas. No quiero explicar las razones porque cuando se publican me doy cuenta de que no son razones. Suficiente tuve con lo de los caballos. Nadie me ha visto montar uno. Soy el único astro del mariachi que jamás se ha subido a un caballo. Los periodistas tardaron 19 videoclips en darse cuenta. Cuando me preguntaron, dije: "No me gustan los transportes que cagan". Muy ordinario y muy estúpido. Publicaron la foto de mi bmw plateado y mi 4x4 con asientos de cebra. La Sociedad Protectora de Animales se avergonzó de mí. Además, hay un periodista que me odia y que consiguió una foto mía en Nairobi, con un rifle de alto poder. No cacé ningún león porque no le di a ninguno, pero estaba ahí, disfrazado de safari. Me acusaron de antimexicano por matar animales en África.

Declaré lo de los caballos después de cantar en un palenque de la Feria de San Marcos hasta las tres de la mañana. En dos horas me iba a Irapuato. ¿Alguien sabe lo que se siente estar jodido y tener que salir de madrugada a Irapuato? Quería meterme en un *jacuzzi*, dejar de ser mariachi. Eso debí haber dicho: "Odio ser mariachi, cantar con un sombrero de dos kilos, desgarrarme por el rencor acumulado en rancherías sin luz eléctrica". En vez de eso, hablé de caballos.

Me dicen El Gallito de Jojutla porque mi padre es de ahí.

Me dicen Gallito pero odio madrugar. Aquel viaje a Irapuato me estaba matando, junto con las muchas otras cosas que me están matando.

"¿Crees que hubiera llegado a neurofisióloga estando así de buena?", me preguntó Catalina una noche. Le dije que no para no discutir. Ella tiene mente de guionista porno: le excita imaginarse como neurofisióloga y despertar tentaciones en el quirófano. Tampoco le dije esto, pero hicimos el amor con una pasión extra, como si tuviéramos que satisfacer a tres curiosos en el cuarto. Entonces le pedí que se pintara el pelo de blanco.

Desde que la conozco, Cata ha tenido el pelo azul, rosa y guinda. "No seas pendejo", me contestó: "No hay tintes blancos". Entonces supe por qué me gustan las mujeres jóvenes con pelo blanco. Están fuera del comercio. Se lo dije a Cata y volvió a hablar como guionista porno:

"Lo que pasa es que te quieres coger a tu mamá".

Esta frase me ayudó mucho. Me ayudó a dejar a mi psicoanalista. El doctor opinaba lo mismo que Cata. Había ido con él porque estaba harto de ser mariachi. Antes de acostarme en el diván cometí el error de ver su asiento: tenía una rosca inflable. Tal vez a otros pacientes les ayude saber que su doctor tiene hemorroides. Alguien que sufre de manera íntima puede ayudar a confesar horrores. Pero no a mí. Sólo seguí en terapia porque el psicoanalista era mi fan. Se sabía todas mis canciones (o las canciones que canto: no he compuesto ninguna), le parecía interesantísimo que yo estuviera ahí, con mi célebre voz, diciendo que la canción ranchera me tenía hasta la madre.

Por esos días se publicó un reportaje en el que me comparaban con un torero que se psicoanalizó para vencer su temor al ruedo. Describían la más terrible de sus córnadas: los intestinos se le cayeron a la arena en la Plaza México, los recogió y pudo correr hasta la enfermería. Esa tarde iba vestido en los colores obispo y oro. El psicoanálisis lo ayudó a regresar al ruedo con el mismo traje.

Mi doctor me adulaba de un modo ridículo que me encantaba. Llené el Estadio Azteca, con la cancha incluida, y logré que 130 mil almas babearan. El doctor babeaba sin que yo cantara.

Mi madre murió cuando yo tenía dos años. Es un dato esencial para entender por qué puedo llorar cada vez que quiero. Me basta pensar en una foto. Estoy vestido de marinero, ella me abraza y sonríe ante el hombre que va a manejar el Buick en el que se volcaron. Mi padre bebió media botella de tequila en el rancho al que fueron a comer. No me acuerdo del entierro pero cuentan que se tiró llorando a la fosa. Él me inició en la canción ranchera. También me regaló la foto que me ayuda a llorar: Mi madre sonríe, enamorada del hombre que la va a llevar a un festejo; fuera de cuadro, mi padre dispara la cámara, con la alegría de los infelices.

Es obvio que quisiera recuperar a mi madre, pero *además* me gustan las mujeres de pelo blanco. Cometí el error de contarle al psicoanalista la tesis que Cata sacó de la revista *Contenido*: "Eres edípico, por eso no te gustan las albinas, por eso quieres una mamá con canas". El doctor me pidió más detalles de Cata. Si hay algo en lo que no puedo contradecirla, es en su idea de que está buenísima. El doctor se excitó y dejó de elogiarme. Fui a la última sesión vestido de mariachi porque venía de un concierto en Los Ángeles. Él me pidió que le regalara mi corbatín tricolor. ¿Tiene caso contarle tu vida íntima a un fan?

Catalina también estuvo en terapia. Esto le ayudó a "internalizar su buenura". Según ella, podría haber sido muchas cosas (casi todas espantosas) a causa de su cuerpo. En cambio, considera que yo sólo podría haber sido mariachi. Tengo voz, cara de ranchero abandonado, ojos del valiente que sabe llorar. Además soy de aquí. Una vez soñé que me preguntaban: "¿Es usted mexicano?". "Sí, pero no lo vuelvo a ser". Esta respuesta, que me hubiera aniquilado en la realidad, entusiasmaba a todo mundo en mi sueño.

Mi padre me hizo grabar mi primer disco a los 16 años. Ya no estudié ni busqué otro trabajo. Tuve demasiado éxito para ser diseñador industrial.

Conocí a Catalina como a mis novias anteriores: ella le dijo a mi agente que estaba disponible para mí. Leo me comentó que Cata tenía pelo azul y pensé que a lo mejor podría pintárselo de blanco. Empezamos a salir. Traté de convencerla de que se decolorara pero no quiso. Además, las mujeres de pelo blanco son inimitables.

La verdad, he encontrado pocas mujeres jóvenes de pelo blanco. Vi una en París, en el salón vip del aeropuerto, pero me paralicé como un imbécil. Luego estuvo Rosa, que tenía 28, un hermoso pelo blanco y un ombligo con una incrustación de diamante que sólo conocí por los trajes de baño que anunciaba. Me enamoré de ella en tal forma que no me importó que dijera "jaletina" en vez de gelatina. No me hizo caso. Detestaba la música ranchera y quería un novio rubio.

Entonces conocí a Brenda. Nació en Guadalajara pero vive en España. Se fue allá huyendo de los mariachis y ahora regresaba con una venganza: Chus Ferrer, cineasta genial del que yo no sabía nada, estaba enamorado de mí y me quería en su próxima película, costara lo que costara. Brenda vino a conseguirme.

Se hizo gran amiga de Catalina y descubrieron que odiaban a los mismos directores que les habían estropeado la vida (a Brenda como productora y a Cata como eterna aspirante a actriz de carácter).

"Para su edad, Brenda tiene bonita figura, ¿no crees?", opinó Cata. "Me voy a fijar", contesté.

Ya me había fijado. Catalina pensaba que Brenda estaba vieja. "Bonita figura" es su manera de elogiar a una monja por ser delgada.

Sólo me gustan las películas de naves espaciales y las de niños que pierden a sus padres. No quería conocer a un genio *gay* enamorado de un mariachi que por desgracia era yo. Leí el guión para que Catalina dejara de joder. En realidad sólo me entregaron trozos, las escenas en las que yo salía. "Woody Allen hace lo mismo", me explicó ella: "Los actores se enteran de lo que trata la película cuando la ven en el cine. Es como la vida: sólo ves tus escenas y se te escapa el plan de conjunto". Esta última idea me pareció tan correcta que pensé que Brenda se la había dicho.

Supongo que Catalina aspiraba a que le dieran un papel. "¿Qué tal tus escenas?", me decía a cada rato. Las leí en el peor de los momentos. Se canceló mi vuelo a Salvador porque había huracán y tuve que ir en *jet* privado. Entre las turbulencias de Centroamérica el papel me pareció facilísimo. Mi personaje contestaba a todo "¡qué fuerte!" y se dejaba adorar por una banda de motociclistas catalanes.

"¿Qué te pareció la escena del beso?", me preguntó Catalina. Yo no la recordaba. Ella me explicó que iba a darle "un beso de tornillo" a un "motero muy guarro". La idea le parecía fantástica: "Vas a ser el primer mariachi sin complejos, un símbolo de los nuevos mexicanos". "¿Los nuevos mexicanos besan motociclistas?", pregunté. Cata tenía los ojos encendidos: "¿No estás harto de ser tan típico? La película de Chus te va a catapultar a otro público. Si sigues como estás, al rato sólo vas a ser interesante en Centroamérica".

No contesté porque en ese momento empezaba una carrera de Fórmula 1 y yo quería ver a Schumacher. La vida de Schumacher no es como los guiones de Woody Allen: él sabe dónde está la meta. Cuando me conmovió que Schumacher donara tanto dinero para las víctimas del tsunami, Cata dijo: "¿Sabes por qué da tanta lana? De seguro le avergüenza haber hecho turismo sexual allá". Hay momentos así: Un hombre puede acelerar a 350 kilómetros por hora, puede ganar y ganar y ganar, puede donar una fortuna y sin embargo puede ser tratado de ese modo, en mi propia cama. Vi el fuete de montar con el que salgo al escenario (sirve para espantar las flores que me avientan). Cometí el error de levantarlo y decir: "¡Te prohíbo que digas eso de mi ídolo!". En un mismo instante, Cata vio mi potencial *gay* y sadomasoquista: "¿Ahora resulta que tienes un ídolo?", sonrió, como anhelando el primer fuetazo. "Me carga la chingada", dije, y bajé a la cocina a hacerme un sándwich.

Esa noche soñé que manejaba un Ferrari y atropellaba sombreros de charro hasta dejarlos lisitos, lisitos.

Mi vida naufragaba. El peor de mis discos, con las composiciones rancheras del sinaloense Alejandro Ramón, acababa de convertirse en disco de platino y se habían agotado las entradas para mis conciertos en Bellas Artes con la Sinfónica Nacional. Mi cara ocupaba cuatro metros cuadrados de un cartel en la Alameda. Todo eso me tenía sin cuidado. Soy un astro, perdón por repetirlo, de eso no me quejo, pero nunca he tomado una decisión. Mi padre se encargó de matar a mi madre, llorar mucho y convertirme en mariachi. Todo lo demás fue automático. Las mujeres me buscan a través de mi agente. Viajo en *jet* privado cuando no puede despegar el avión comercial. Turbulencias. De eso dependo.

¿Qué me gustaría? Estar en la estratosfera, viendo la Tierra como una burbuja azul en la que no hay sombreros.

En eso estaba cuando Brenda llamó de Barcelona. Pensé en su pelo mientras ella decía: "Chus está que flipa por ti. Suspendió la compra de su casa en Lanzarote para esperar tu respuesta. Quiere que te dejes las uñas largas como vampiresa. Un detalle de mariquita un poco cutre. ¿Te molesta ser un mariachi vampiresa? Te verías chuli. También a mí me pones mucho. Supongo que Cata ya te dijo". Me excitó enormidades que alguien de Guadalajara pudiera hablar de ese modo. Me masturbé al colgar, sin tener que abrir la revista *Lord* que tengo en el baño. Luego, mientras veía caricaturas, pensé en la última parte de la conversación: "Supongo que Cata ya te dijo". ¿Qué debía decirme? ¿Por qué no lo había hecho?

Minutos después, Cata llegó a repetir lo mucho que me convendría ser un mariachi sin prejuicios (contradicción absoluta: ser mariachi es ser un prejuicio nacional). Yo no quería hablar de eso. Le pregunté de qué hablaba con Brenda. "De todo. Es increíble lo joven que es para su edad. Nadie pensaría que tiene 43". "¿Qué dice de mí?". "No creo que te guste saberlo". "No me importa". "Ha tratado de desanimar a Chus de que te contrate. Le pareces demasiado ingenuo para un papel sofisticado. Dice que Chus tiene un *subidón* contigo y ella le pide que no piense con su pene". "¿Eso le pide?". "¡Así hablan los españoles!". "¡Brenda es de Guadalajara!". "Lleva siglos allá, se define como prófuga de los mariachis, tal vez por eso no le gustas".

Hice una pausa y dije lo que acababa de pasar: "Brenda habló hace rato. Dijo que le encanto". Cata respondió como un ángel de piedra: "Te digo que es de lo más profesional: hace cualquier cosa por Chus".

Quería pelearme con ella porque me acababa de masturbar y no tenía ganas de hacer el amor. Pero no se me ocurrió cómo ofenderla mientras se abría la blusa. Cuando me bajó los pantalones, pensé en Schumacher, un *killer* del kilometraje. Esto no me excitó, lo juro por mi madre muerta, pero me inyectó voluntad. Follamos durante tres horas, un poco menos que una carrera Fórmula 1. (Había empezado a usar la palabra "follar").

Terminé mi concierto en Bellas Artes con "Se me olvidó otra vez". Al llegar a la estrofa "en la misma ciudad y con la misma gente…", vi al periodista que me odia en la primera fila. Cada vez que cumplo años publica un artículo en el que comprueba mi homosexualidad. Su principal argumento es que llego a otro aniversario sin estar casado. Un mariachi se debe reproducir como semental de crianza. Pensé en el motociclista al que debía darle un beso de tornillo, vi al periodista y supe que iba a ser el único que escribiría que soy puto. Los demás hablarían de lo viril que es besar a otro hombre porque lo pide el guion.

El rodaje fue una pesadilla. Chus Ferrer me explicó que Fassbinder había obligado a su actriz principal a lamer el piso del set. Él no fue tan cabrón: se conformó con untarme basura para "amortiguar mi ego". Me fue un poco mejor que a los iluminadores a los que les gritaba: "¡Horteras del pp!". Cada que podía, me agarraba las nalgas.

Tuve que esperar tanto tiempo en el set que me aficioné al Nintendo. Brenda me parecía cada vez más guapa. Una noche fuimos a cenar a una terraza. Por suerte, Catalina fumó hashish y se durmió sobre su plato. Brenda me dijo que había tenido una vida "muy revuelta". Ahora llevaba una existencia solitaria, algo necesario para satisfacer los caprichos de producción de Chus Ferrer. "Eres el más reciente de ellos", me vio a los ojos: "¡Qué trabajo me dio convencerte!". "No soy actor, Brenda", hice una pausa. "Tampoco quiero ser mariachi", agregué. "¿Qué quieres?", ella sonrió de un modo fascinante. Me gustó que no dijera: "¿Qué quieres *ser*?". Parecía sugerir: "¿Que quieres *ahora*?". Brenda fumaba un purito. Vi su pelo blanco, suspiré como sólo puede suspirar un mariachi que ha llenado estadios, y no dije nada.

Una tarde visitó el set una estrella del cine porno. "Tiene su sexo asegurado en un millón de euros", me dijo Catalina. Brenda estaba al lado y comentó: "La polla de los millones". Explicó que ése había sido el eslogan de la Lotería Nacional en México en los años sesenta. "Te acuerdas de cosas viejísimas", dijo Cata. Aunque la frase era ofensiva, se fueron muy contentas a cenar con el actor porno. Yo me quedé para la escena del beso de tornillo.

El actor que representaba al motociclista catalán era

más bajo que yo y tuvieron que subirlo en un banquito. Había tomado pastillas de *ginseng* para la escena. Como yo ya había vencido mis prejuicios, ese detalle me pareció una maricona.

Por cuatro semanas de rodaje cobré lo que me dan por un concierto en cualquier ranchería de México.

En el vuelo de regreso nos sirvieron ensalada de tomate y Cata me contó un truco profesional del actor porno: comía mucho tomate porque mejora el sabor del semen. Las actrices se lo agradecían. Esto me intrigó. ¿En verdad había ese tipo de cortesías en el porno? Me comí el tomate de mi plato y el del suyo, pero al llegar a México dijo que estaba muerta y no quiso chuparme.

La película se llamó *Mariachi Baby Blues*. Me invitaron a la premier en Madrid y al recorrer la alfombra roja vi a un tipo con las manos extendidas, como si midiera una yarda. En México el gesto hubiera sido obsceno. En España también lo era, pero sólo lo supe al ver la película. Había una escena en la que el motociclista se acercaba a tocar mi pene y aparecía un miembro descomunal, en impresionante erección. Pensé que el actor porno había ido al set para eso. Brenda me sacó de mi error: "Es una prótesis. ¿Te molesta que el público crea que ése es tu sexo?".

¿Que puede hacer una persona que de la noche a la mañana se convierte en un fenómeno genital? En la fiesta que siguió a la premier, la reina del periodismo rosa me dijo: "¡Qué descaro tan canalla!". Brenda me contó de famosos que habían sido sorprendidos en playas nudistas y tenían sexos como mangueras de bombero. "¡Pero esos sexos son suyos!", protesté. Ella me vio como si imaginara el tamaño de mi sexo y se decepcionara y fuera buenísima conmigo y no dijera nada. Quería acariciar su pelo, llorar sobre su nuca. Pero en ese momento llegó Catalina, con copas de champaña. Salí pronto de la fiesta y caminé hasta la madrugada por las calles de Madrid.

El cielo empezaba a volverse amarillo cuando pasé por el Parque del Retiro. Un hombre sostenía cinco correas muy largas, atadas a perros esquimales. Tenía la cara cortada y ropas baratas. Hubiera dado lo que fuera por no tener otra obligación que pasear los perros de los ricos. Los ojos azules de los perros me parecieron tristes, como si quisieran que yo me los llevara y supieran que era incapaz de hacerlo.

Regresé tan cansado al Hotel Palace que apenas me sorprendió que Cata no estuviera en la *suite*.

Al día siguiente, todo Madrid hablaba de mi descaro canalla. Pensé en suicidarme pero me pareció mal hacerlo en España. Me subiría a un caballo por primera vez y me volaría los sesos en el campo mexicano.

Cuando aterricé en el DF (sin noticias de Catalina) supe que el país me adoraba de un modo muy extraño. Leo me entregó una carpeta con elogios de la prensa por trabajar en el cine independiente. Las palabras "hombría" y "virilidad" se repetían tanto como "cine en estado puro" y "cine total". Según yo, *Mariachi Baby Blues* trataba de una historia dentro de una historia dentro de una historia, donde todo mundo acababa haciendo lo que no quería hacer al principio y era muy feliz así. A los críticos esto les pareció muy importante.

Mi siguiente concierto —nada menos que en el Auditorio Nacional— fue tremendo: el público llevaba penes hechos con globos. Me había convertido en el garañón de la patria. Me empezaron a decir el Gallito Inglés y un club de fans se puso "Club de Gallinas".

Catalina había pronosticado que la película me convertiría en actor de culto. Traté de localizarla para recordárselo, pero seguía en España. Recibí ofertas para salir desnudo en todas partes. Mi agente se triplicó el sueldo y me invitó a conocer su nueva casa, una mansión en el Pedregal, dos veces más grande que la mía, donde había un sacerdote. Hubo una misa para bendecir la casa y Leo agradeció a Dios por ponerme a su lado. Luego me pidió que fuéramos al jardín. Me dijo que Vanessa Obregón quería conocerme.

La ambición de Leo no tiene límites: le convenía que yo saliera con la bomba sexy de la música grupera. Pero yo no podía estar con una mujer sin decepcionarla, o sin tener que explicarle la absurda situación a la que me había llevado la película.

Di miles de entrevistas en las que nadie me creyó que no estuviera orgulloso de mi pene. Fui declarado el latino más sexy por una revista de Los Ángeles, el bisexual más sexy por una revista de Ámsterdam y el sexy más inesperado por una revista de Nueva York. Pero no me podía bajar los pantalones sin sentirme disminuido.

Finalmente, Catalina regresó de España a humillarme con su nueva vida: era novia del actor porno. Me lo dijo en un restorán donde tuvo el mal gusto de pedir ensalada de tomate. Pensé en la dieta del rey porno, pero apenas tuve tiempo de distraerme con esta molestia porque Cata me pidió una fortuna por "gastos de separación". Se los di para que no hablara de mi pene.

Fui a ver a Leo a las dos de la madrugada. Me recibió en el cuarto que llama "estudio" porque tiene una enciclopedia. Sus pies descalzos repasaban una piel de puma mientras yo hablaba. Tenía puesta una bata de dragones, como un actor que interpreta a un agente vulgar. Le hablé de la extorsión de Cata.

"Tómala como una inversión", me dijo él.

Esto me calmó un poco, pero yo estaba liquidado. Ni siquiera me podía masturbar. Un plomero se llevó la revista *Lord* que tenía en el baño y no la extrañé.

Leo siguió moviendo sus hilos. La limusina que pasó por mí para llevarme a la gala de MTV Latino había pasado antes por una mulata espectacular que sonreía en el asiento trasero. Leo la había contratado para que me acompañara a la ceremonia y aumentara mi leyenda sexual. Me gustó hablar con ella (sabía horrores de la guerrilla salvadoreña), pero no me atreví a nada más porque me veía con ojos de cinta métrica.

Volví a psicoanálisis: dije que Catalina era feliz a causa de un gran pene real y yo era infeliz a causa de un gran pene imaginario. ¿Podía la vida ser tan básica? El doctor dijo que eso le pasaba al 90% de sus pacientes. No quise seguir en un sitio tan común.

Mi fama es una droga demasiado fuerte. Necesito lo que odio. Hice giras por todas partes, lancé sombreros a las gradas, me arrodillé al cantar "El hijo desobediente", grabé un disco con un grupo de hiphop. Una tarde, en el Zócalo de Oaxaca, me senté en un equipal y oí buen rato la marimba. Bebí dos mezcales, nadie me reconoció y creí estar contento. Vi el cielo azul y la línea blanca de un avión. Pensé en Brenda y le hablé desde mi celular.

"Te tardaste mucho", fue lo primero que dijo. ¿Por qué no la había buscado antes? Con ella no tenía que aparentar nada. Le pedí que fuera a verme. "Tengo una vida, Julián", dijo en tono de exasperación. Pero pronunció mi nombre como si yo nunca lo hubiera escuchado. Ella no iba a dejar nada por mí. Yo cancelé mi gira al Bajío.

Pasé tres días de espanto en Barcelona, sin poder verla. Brenda estaba "liada" en una filmación. Finalmente nos encontramos, en un restorán que parecía planeado para japoneses del futuro.

"¿Quieres saber si te conozco?", dijo, y yo pensé que citaba una canción ranchera. Me reí, nomás por reaccionar, y ella me vio a los ojos. Sabía la fecha de la muerte de mi madre, el nombre de mi ex psicoanalista, mi deseo de estar en órbita, me admiraba desde un tiempo que llamó "inmemorial". Todo empezó cuando me vio sudar en una transmisión de Telemundo. Se había tomado un trabajo increíble para ligarme: convenció a Chus de que me contratara, escribió mis parlamentos en el guion, le presentó a Cata al actor porno, planeó la escena del pene artificial para que mi vida diera un vuelco. "Sé quién eres, y tengo el pelo blanco", sonrió. "Tal vez pienses que soy manipuladora. Soy productora, que es casi lo mismo: produje nuestro encuentro".

Vi sus ojos, irritados por las desveladas del rodaje. Fui un mariachi torpe y dije: "Soy un mariachi torpe". "Ya lo sé", Brenda me acarició la mano.

Entonces me contó por qué me quería. Su historia era horrible. Justificaba su odio por Guadalajara, el mariachi, el tequila, la tradición y la costumbre. Le prometí no contársela a nadie. Sólo puedo decir que ella había vivido para escapar de esa historia hasta que supo que no tenía otra historia que escapar de su historia. Yo era "su boleto de regreso".

Pensé que nos acostaríamos esa noche pero ella aún tenía una producción pendiente: "No me quiero meter con tu trabajo pero tienes que aclarar lo del pene". "El pene no es mi trabajo: ¡lo inventaron ustedes!". "Eso, lo inventamos nosotros. Un recurso del cine europeo. Se me había olvidado lo que un pene puede hacer en México. No quiero salir con un hombre pegado a un pene". "No estoy pegado a un pene, lo tengo chiquito", dije. "¿Qué tan chiquito?", se interesó Brenda. "Chiquito normal. Velo tú".

Entonces ella quiso que yo conociera sus principios morales: "Lo tienen que ver todos tus fans", contestó: "Ten la valentía de ser normal". "No soy normal: ¡Soy el Gallito de Jojutla, mis discos se venden hasta en las farmacias!". "Lo tienes que hacer. Estoy harta de un mundo falocéntrico". "¿Pero *tú* sí vas a querer *mi* pene?". "¿Tu pene chiquito normal?", Brenda bajó la mano hasta mi bragueta, pero no me tocó. "¿Qué quieres que haga?", le pregunté.

Ella tenía un plan. Siempre tiene un plan. Yo saldría en otra película, una crítica feroz al mundo de las celebridades, y haría un desnudo frontal. Mi público tendría una versión descarnada y auténtica de mí mismo. Cuando pregunté quién dirigía la película, me llevé otra sorpresa.

Tampoco ella me dio a leer el guion completo. Las escenas en las que aparezco son raras, pero eso no quiere decir nada: el cine que me parece raro gana premios. Una tarde, en un descanso del rodaje, entré a su tráiler y le pregunté: "¿Qué crees que pase conmigo después de *Guadalajara*?". "¿Te importa mucho?", respondió.

Brenda se había esforzado como nadie para estar conmigo. Si la abrazaba en ese momento me soltaría a llorar.

Me dio miedo ser débil al tocarla pero me dio más miedo que ella no quisiera tocarme nunca. Algo había aprendido de Cata: el cuerpo tiene partes que no son platónicas:

"¿Te vas a acostar conmigo?", le pregunté.

"Nos falta una escena", dijo, acariciándose el pelo.

Despejó el set para filmarme desnudo. Los demás salieron de malas porque el *catering* acababa de llegar con la comida. Brenda me situó junto a una mesa de la que salía un rico olor a embutidos.

Se quedó un momento frente a mí. Me vio de una manera que no puedo olvidar, como si fuéramos a cruzar un río. Sonrió y dijo lo que los dos esperábamos:

—¿Lo hacemos? —se colocó detrás de la cámara.

En la mesa del bufé había un platón de ensalada. Yo estaba a treinta centímetros de ahí.

La vida es un caos pero tiene secretos: antes de bajarme los pantalones, me comí un tomate.

ACAPULCO, ¿VERDAD?

Su cara entró al restaurante pero no su cuerpo. La frase es absurda, lo sé, y sin embargo define a un hombre que ha pasado la vida anunciando las tragedias del mundo mientras la cámara capta su hermosa nariz. Aristóteles Ritsos nació para tener rostro y nada más.

Lo conocí en Acapulco cuando éramos adolescentes y lo reconocí en el mismo sitio. A los sesenta y seis (¿sesenta y siete?) Aris representa cuarenta y cinco años conservados en formol. Al primer vistazo parece extrañamente joven; luego adviertes que ha mitigado el descolgamiento facial con cirugías. Un bisturí de calidad ha eliminado la papada, las bolsas bajo los ojos, las patas de gallo. No tiene el gesto tenso de un astronauta que reingresa a la atmósfera terrestre, tan común en los que se restiran, pero sólo luce natural en televisión. Ignoro qué porcentaje del pelo es suyo. En todo caso, el tinte castaño claro no lo favorece. Nadie le ha informado que unas cuantas canas otorgan verosimilitud. Cuatro décadas de maquillaje parecen haberlo convencido de que la biología no existe.

Para protegerse del aire acondicionado del restaurante, llevaba un *blazer* azul marino, de los que ya no se usan, con un escudo sobre el corazón. Desde que subió al Yate Fiesta hace casi medio siglo, asocia la elegancia con la marinería (conservo una foto en la que posa con la gorra del capitán). Se aficionó a los sacos y a los suéteres que tenían emblemas náuticos (un ancla circundada por una soga, un trasatlántico en miniatura), pero también favorecía los escudos de ciudades (Londres, París, Roma, jamás Acapulco). Aquellas prendas prometían una falsa identidad; a falta de una heráldica apropiada, la clase media fingía pertenecer a un club de yates o ser londinense.

A lo largo de sus décadas en la televisión Aristóteles usó un saco con el logotipo del consorcio. Supongo que eso lo define: un hombre con escudo.

Cuando me vio en el restaurante, esbozó la sonrisa neutra con que los famosos recompensan a las infinitas personas que no pueden recordar. Quizá a causa de las cirugías, sus mejillas han dejado de formar los encantadores hoyuelos que trastornaron a una generación de bañistas del Pacífico.

Luego sus ojos castaños trataron de enfocarme. ¿Me reconocía? He llegado a los sesenta y dos sin pasar por las aventuras del *peeling*. Me conservo bien, de un modo natural. En otras palabras: soy una abuela elegante. Pero esto importa poco: el guapo de la relación siempre fue él. Nuestro drama en tres actos ocurrió en el sitio que en los años cincuenta del siglo pasado representaba todas las posibilidades del trópico. Un país con más de once mil kilómetros de litorales sólo tenía un destino de playa relevante: Acapulco.

Viajo más de lo que debería. Por alguna razón, no puedo resistirme a exponer los avances de la Teoría del Conflicto en la que trabajo desde hace años. He ido a tantos congresos que podría dedicar una rama de mis estudios a las tensiones generadas por el extraño hábito de presentar ponencias.

Quizá este impulso de viajar deriva de una curiosa necesidad de compensación: me gusta ir a lugares que no son Acapulco, adonde fui todos los veranos y muchas navidades. Subíamos a un coche sin aire acondicionado ni cinturones de seguridad y durante siete horas nos peleábamos en voz baja para no recibir una reprimenda paterna. Las cosas mejoraban al sentir el golpe del aire húmedo. Mi madre ofrecía cinco pesos al primero que viera el mar y yo anticipaba el placer de gastar esa fortuna en tamarindos. Al entrar a la Avenida de los Cocos me sentía feliz. Todo aquello era magnífico, pero pertenece a las irrecuperables esencias de la juventud. No siento ganas de volver ahí; siento ganas de preservar lo que no existe.

Cuando visité Río, João, carioca especializado en la Sociología de la Dependencia, me llevó a una terraza elevada en la que descubrí que se había propuesto ligarme. Me vio de un modo "significativo" y describió la bahía como un "éxito de Dios". Me gustó que un arrebato pasional lo llevara a abandonar el materialismo dialéctico, pero detuve la mano que me tocaba el muslo. Con todo, algo había de cierto en esa frase. El paisaje era tan majestuoso que podía convertir

en creyente a un marxista, al menos durante varias caipiri-
nhas. Recordé entonces la bahía de Acapulco antes de ser
agraviada por los hoteles y los vendedores ambulantes, y me
pareció más interesante que Río. No era un éxito de Dios,
era un éxito de la Virgen, figura mucho más interesante que
el mesías. Le hablé a João de la isla Roqueta: cerca de ahí,
una virgen yacía en el fondo del mar y los feligreses la vene-
raban desde lanchas con suelo de vidrio.

Esa tarde sentí un confuso amor por Acapulco. Río de
Janeiro se extendía ante mis ojos como una promesa sagrada, pero María es más misteriosa que Cristo.

En ocasiones, al ocuparme de la Teoría del Conflicto he
abusado de las conexiones interdisciplinarias. Lo reconozco
en este texto que por suerte no es una ponencia sino un desahogo. Con todo, no deseo extender mis interpretaciones al
culto mariano. Me limito a comentar lo mismo que le dije
al sociólogo que insistía en avanzar hacia mí con dedos de
bajista de *bossa nova:* dos milenios de machismo han resta-
do importancia a la madre del mártir. Mi Sermón de la Montaña (y de la *caipirinha*) se resumió en esta convicción: un
éxito de la Virgen es mejor que un éxito de Dios. Me puse de
pie y el sociólogo acarició el aire en un triste acto reflejo. Su
cara me dio lástima; era la cara de la derrota. João me veía
como si México hubiera goleado a Brasil. En pleno Mara-
caná. Lo confieso: me dio gusto ser cabrona.

Sentí una gran fuerza interior y un sentido de pertenen-
cia descomunal. Estaba harta de Acapulco y sabía que Río
de Janeiro es más hermoso, pero encontré una forma capri-
chosa de defender esa ciudad como si disparara los cañones
del fuerte de San Diego. Aunque los brasileños hayan inventado el *jogo bonito,* hay domingos en que los débiles ganan
el partido. Lo dije y él sintió su masculinidad disminuida. Sí,
sé mucho de futbol. Supongo que fui insoportable y me dio
gusto serlo. Estaba borracha y me reconcilié con Acapulco.

Esa tarde, yo pagué la cuenta.

El padre de Aris nació en Grecia y quiso prestigiar a sus
hijos con nombres de filósofos. Conocí a Sócrates en el Club
de Vela y a Heráclito en el Golfito Carabalí. Ambos hablaban
con admiración del primogénito que concluía un curso de
verano en California. Cuando Aristóteles se reintegró a su

clan, supe que Woolworth se podía pronunciar de un modo extraordinario. A mis trece años la belleza del mundo se condensó en la nariz afilada, los ojos melancólicos, la sonrisa traviesa y el mentón partido de un muchacho capaz de mejorar la existencia con la entonación de su voz y el adecuado uso de las sílabas: no decía Bítles, sino Bidls. En su boca, el cuarteto de Liverpool era sagrado.

Algo extraño pasó en la familia Ritsos porque el cuarto hijo recibió el insólito nombre de Germán. Yo tenía entonces la edad de Julieta, pero no lo sabía. De todos modos preguntaba como ella: "¿Qué hay en un nombre?". Germán era demasiado pequeño para participar en nuestros juegos y una indescifrable limitación adicional lo apartaba de nosotros. Había sido bautizado como si sus padres participaran en un experimento de normalidad. Lo único que lograron fue crear a un descastado. Germán Ritsos descubriría demasiado pronto los cajones donde sus hermanos escondían la mariguana. A los catorce se estrelló en una moto Yamaha y arrastró el pie derecho hasta los diecinueve, cuando entró al mar en Playa Azul, con la mirada de quien regresa al líquido amniótico. Una ola lo arrojó contra las piedras donde se partió la nuca.

En los años setenta, el ecocidio ya había avanzado bastante pero la naturaleza virgen apenas comenzaba a tener prestigio. El viaje de Germán pareció desde su origen una fuga suicida.

Morir lejos de Acapulco, en una desierta lengua de arena, ¿fue un desafío hacia una familia tan rutinaria como la mía, que sólo aceptaba un trópico posible? Lo cierto es que Germán estaba destinado a ser el hermano trágico. Lo supimos desde la adolescencia. Algo le fallaba siempre.

Su sudor olía raro, su helado se derretía antes que los nuestros.

En cambio, Aris apareció en el horizonte como un consentido de la fortuna. Me daba vergüenza verlo diez segundos seguidos. Estaba segura de que se iba a notar que me gustaban sus pestañas y la forma en que se mordía el labio al pensar en algo. Porque eso era lo más interesante: el dios del Pacífico hablaba poco, pero pensaba en algo.

Mis padres pasaron su luna de miel en Acapulco y concibieron ahí a sus cinco hijos. Obviamente jamás hablaron de esto, pero es obvio que copulaban en agosto. Mis cuatro hermanos son Tauro; yo soy Piscis porque fui sietemesina. ¿Sólo hacían el amor durante el mes en que el descanso se confundía con el tedio?

Acapulco era el santuario erótico de mis padres, pero había otros motivos para vacacionar ahí. Las estrellas de cine estrenaban sus películas en la Reseña Cinematográfica. Nunca fuimos a esas funciones en el baluarte de San Diego, anunciadas por un reflector dirigido al cielo, pero mis padres vieron a Richard Burton y Elizabeth Taylor beber martinis en el bar del hotel Mirador. Mi padre dijo una obviedad sobre los ojos violáceos de la diva y mi madre describió con tal precisión la forma en que chupaba una aceituna, y el demorado deleite con que luego se chupaba los dedos, que me convenció de que, como tantas mujeres de la época, era una intensa lesbiana que sólo se había casado por obligación (única causa para convivir con mi padre, por otro lado).

El glamour acapulqueño incluía la leyenda de Elvis Presley, que supuestamente se extravió durante unos días en la ciudad, y de Johnny Weismüller, el más célebre de los Tarzanes, que encontró ahí un exilio a la altura de su demencia. Sus empleados tenían la consigna de moverse como simios y su última voluntad fue que en su funeral no hubiera otro "discurso" que el célebre aullido con el que convocaba a los monos.

Acapulco aportaba cosmopolitismo a una época donde las largas distancias "salían ardiendo" y los chismes internacionales se transmitían por correo aéreo. Además, aliviaba a los padres de tener opciones. Y mi padre había nacido para cancelarlas. Detestaba las sorpresas y la improvisación. Era ingeniero en todos los momentos de su vida. ¡Hacía un plano de las cosas que debíamos llevar en la cajuela! Su única versatilidad se expresaba en los hoteles: en cada viaje íbamos a uno distinto. Curiosamente, los cambios de alojamiento se debían a su carácter inflexible. Se decepcionaba por igual de cualquier cuarto de alquiler. Nos hospedamos en el Papagayo, el Cano, el Mallorca, el Majestic y el Mirador hasta que consiguió un departamento en el Condominio de los Cocos.

Mis tres hermanos varones gozaban de una libertad digna de *El libro de la selva*. En cambio, mi hermana y yo éramos sometidas a rigurosa vigilancia. No podíamos usar bikini ni anudarnos la blusa sobre el ombligo.

Nos untaban bloqueador como si se tratara de un procedimiento médico. Nunca lo hacían al aire libre; una empleada nos cubría de crema en un cuarto del condominio. Mi madre no participaba en la tarea. Si afirmo que temía excitarse en forma incestuosa al tocarnos, ¿toco una incómoda verdad o revelo que los estudios de género me han afectado demasiado?

Mi piel, muy blanca para el trópico, debía ser protegida tres veces al día. Odiaba abandonar la alberca para ser cubierta de crema a escondidas. Comprendí que esto se debía a razones morales cuando Heráclito llegó con una botella de salsa Búfalo en la mano que no contenía picante sino aceite de coco y lubricó la impecable espalda de Aristóteles. Aunque lo frotó con torpeza, como si desempañara un vidrio, sentí que aquello era un pecado magnífico: un escozor me inquietó la entrepierna y mi vagina se humedeció. Nada podía ser tan agradable ni perturbador como Aristóteles untado de aceite. Lo vi durante un tiempo excesivo (le conté ocho lunares) hasta que el idiota de Heráclito preguntó, como si fuera posible que yo me interesara en él:

—¿Qué? ¿Tengo moscos en la cara?

En su concepción del ser, Heráclito pensaba que la curiosidad servía para buscar moscos en la cara. Le saqué la lengua y recogí una última estampa del dios acariciado con una rudeza que yo hubiera sustituido por caricias tenues, como la brisa que secaba las gotas de agua en su piel, una piel que ya tenía el irresistible color de la canela, tan diferente a la mía, incapaz de broncearse, condenada a arder como vulgar carne de sacrificio.

Mis padres formaban parte del mismo círculo que los Ritsos. No debían tener tantas cosas en común porque rara vez se frecuentaban en la Ciudad de México, pero en Acapulco pertenecían al número de los capitalinos que mataban las horas jugando cartas y bebiendo *whisky* Old Parr. A la distancia, me sorprende que no trabáramos amistad con ningún acapulqueño. Nuestro mundo se dividía en capitalinos y empleados. En cambiantes terrazas, los chicos jugábamos "adivínalo con mímica" y los adultos hablaban pestes del gobierno del que se beneficiaban (mi padre como constructor de obras públicas, Stavros Ritsos como importador de materiales), pero hablaban aún peor de cualquier señal de cambio. Cuando supieron que el musical *Hair* se iba a representar en Acapulco, visitaron al gobernador para que impidiera el despropósito.

Mi padre no argumentaba; pronunciaba edictos que mi madre acataba con paciencia y dosis crecientes de ginebra (única bebida que detesto hasta la fecha). Nuestros mayores eran nefastos de un modo común. Yo no conocía a nadie diferente y me parecía lógico que el cuerpo fuera supervisado como un objetivo militar. Algo de eso quedó en mí para siempre. Cuando viajo con un hombre, oculto mi ropa interior. Aunque él me haya visto desnuda, me avergüenza que los calzones asomen de repente. Una vez fui de campamento con un novio y un tejón hurgó en nuestras mochilas. Mis toallas higiénicas y tres brasieres quedaron tirados por el suelo. Sentí una vergüenza animal, una vergüenza de especie. Hubiera querido que uno oso gris saliera del bosque y me devorara.

Este irracional trato con lo íntimo comenzó en Acapulco. Tomando en cuenta los códigos de vestuario de mis padres, hubiera sido ideal que vacacionáramos en Alaska, pero siempre tomábamos la carretera al Pacífico, con los trajes de baño perfectamente doblados en la maleta, como si fueran uniformes.

Tanta disciplina sólo sirvió para que deseáramos lo opuesto. El problema es que la primera en conseguirlo fue mi hermana Lupe, tres años mayor que yo. Ella era mi vanguardia, la que "abría camino", pero no siempre para bien. A los diecisiete años se embarazó de un pelotari.

No nos perdíamos un partido en el frontón de Acapulco. La épica de los rojos contra los azules, las ráfagas de la pelota y los lances con la cesta me parecían apasionantes. No me dejaban apostar y mi madre sólo apostó una vez, con gran fortuna. Mi padre la vio con ojos de rencilla, como si la buena suerte viniera de un vicio que hasta entonces había permanecido oculto.

Lupe nunca entendió las reglas del juego, pero se dejó cautivar por Beláustegui III, la estrella del momento. Antes de cortejar a mi hermana, el astuto Beláustegui cortejó a mis padres. Agradeció la constancia con que íbamos a verlo y nos invitó a una mariscada en la casa que compartía con otros pelotaris.

Fuimos a una parte alta de la ciudad, donde Diego Rivera había hecho un mural escultórico con mosaicos. No nos detuvimos a verlo, pero quedé con la impresión de pasar junto a los relieves de un pulpo, una serpiente marina o algo por el estilo. Sólo muchos años después supe que esa obra de arte pertenecía a las muchas cosas que mis padres ignoraron para siempre.

Como otras casas de la zona, la de Beláustegui III no estaba terminada.

Había bloques de concreto y varillas en la entrada. En el momento en que llegamos, uno de sus *roomies* se afanaba en recoger calcetines y latas de cerveza vacías. Esta maniobra no pudo ocultar que ahí se vivía contra el sentido del orden. Sin embargo, el caos era menos impresionante que la precariedad. Una hamaca llena de ropa hacía las veces de armario. Costaba trabajo pensar que cuatro jóvenes atletas hubieran cruzado el océano para vivir de esa manera. Beláustegui III le explicó a mis padres que mandaba todos sus ahorros al País Vasco para apoyar a su familia y para contribuir a obras de caridad del Opus Dei, en cuyas escuelas había estudiado. Esto impulsó a mis padres a subir con más entusiasmo a la azotea, auténtica sede de la reunión. Aunque las varillas despuntaban en el piso, en espera de una etapa posterior de construcción, la vista resultaba portentosa. Esa tarde el mar tenía un color azul cobalto. Comimos mariscos deliciosos y por primera vez probé el regusto del pilpil, tan perdurable como las anécdotas de esos muchachos que recorrían el mundo numerados como dinásticos faraones (Aguirre V se aseguró de que no me faltara limonada).

Beláustegui III había hablado al Condominio de los Cocos para saber cuál era la bebida preferida del ingeniero (nunca lo llamó de otro modo) y tenía lista una botella de Old Parr. Este detalle acabó por conquistar a mi padre, que incluso aceptó un comentario de uno de los pelotaris en contra de Franco ("entiendo que ellos, por ser como son, o sea vascos, no respeten al generalísimo", dijo en el camino de regreso con insólita tolerancia).

Al siguiente viernes de frontón, mi padre ganó apostándole a Beláustegui III. Estuvo tan absorto en el jugador vestido de blanco que subía a la pared con la soltura del Hombre Araña, que no advirtió que Aristóteles me tenía tomada de la mano. Al terminar el partido, mi padre alzó los puños en señal de triunfo y Aristóteles pronunció en mi oído una palabra rara y deliciosamente tibia:

—Tongo.

En lo que mi padre iba a cobrar sus dividendos, Aris me explicó que el partido estaba arreglado. Era obvio que Aguirre V —mi proveedor de limonada— se había dejado ganar.

La consecuencia inmediata del triunfo de Beláustegui III fue que mi padre dejó que Lupe fuera con él de discotecas. La consecuencia a mediano plazo (en la condensación temporal del verano eso significaba tres o cuatro días) fue que se acostaron en una playa que parecía ideada para eso, El Revolcadero, donde la bahía perdía su curva protectora y se extendía hacia un mar abierto, de olas inmensas.

A mi padre le gustaba tanto ganar al frontón, e idolatraba en tal forma al protagonista de su buena suerte, que sólo se interesó en la vida íntima de su hija cuando, meses después y ya en la Ciudad de México, ella confesó que estaba embarazada. Para entonces, Beláustegui III ya se había ido al frontón de Manila.

Esto selló mi destino más que el de Lupe. Mi hermana mayor era la descastada, pero yo aún podía salvarme. Su torpeza la transformó en el Mal Ejemplo del que debían protegerme. Pese a todo, su destino no fue nada malo. Lupe se convirtió en una formidable madre soltera y su hijo Iker (a quien mentalmente llamo Iker I), en mi sobrino favorito. El estudio nunca había sido ni sería lo suyo y tuvo la suerte de casarse con un viudo, veintiséis años mayor que ella, que la ama sin objeciones. Pero en 1970 nadie podía anticipar este desenlace ni que el camino hacia una vida satisfactoria comenzaría con las caricias propinadas por las enormes manos de un pelotari.

El siguiente viaje a Acapulco fue planeado como un operativo militar. Mi cuerpo de quince años sólo podría existir en público en compañía de mis hermanos. Por suerte, también fue el momento en que ellos descubrieron la mariguana y comenzaron a tener dificultades para entender las coordenadas espacio-temporales. Me perdían de vista un segundo y decían: "¿ya volviste?"; me alejaba mucho rato y al verme preguntaban: "¿estás aquí?" Nunca los quise tanto como en los días en que eran incapaces de asociarme con el curso del tiempo.

Su aletargada conducta se prestaba para un destrampe que no llegó a ocurrir. Ese verano fui con Aristóteles al "lugar de los hechos": El Revolcadero. El golpear del oleaje me hizo pensar en una embestida carnal; la naturaleza llegaba a la arena con una fuerza erótica que me asustó. No tuve miedo de ahogarme en esas aguas, tuve miedo de desmayarme en el pecho de Aris, que hasta entonces no había hecho otra cosa que acariciar mi mano.

Por lo demás, yo era mi propio alguacil. Después de varias terapias lacanianas y postlacanianas entendí los dos roles que me asignaron mis padres: ser una Nena que se convertiría en una Dama. Traté rabiosamente de romper con estos arquetipos sin lograrlo del todo. Fui una Nena rebelde y soy una Dama en crisis.

Admiro a las mujeres que dicen verdades incómodas y hacen sentir mal a sus adversarios sin el menor empacho. Yo me quedo a medio camino: digo cosas que desentonan y luego me lleva la chingada. No traiciono mis convicciones, pero al defenderlas temo ofender a los demás. Tal vez por ser sietemesina siento que me precipito; discrepo, pero a fin de cuentas me adapto.

Obviamente, mis padres jamás me consideraron a la altura de sus códigos. Fracasé ante ellos y fracaso ante mí misma. Después de mi primer divorcio, mi madre ya me consideraba la anti-Nena, pero me faltó audacia para ser verdaderamente libre y cogerme a los cinco hombres que me faltó cogerme.

Todo empezó con Aristóteles Ritsos y los bucles accidentales que el viento formaba en su cabello. Con él descubrí el deseo y tuve miedo. Una tarde me invitó a ver la puesta de sol en Pie de la Cuesta. Llegó al Condominio de los Cocos a bordo de un *jeep* con toldo de tela, en franjas blancas y rosas. Un amigo suyo se hospedaba en el hotel Las Brisas, donde los clientes tenían derecho a ese vehículo. Mis padres me dejaron ir porque a la excursión también iban las gemelas Riaño, dos budines sin gracia que se sentaron en el asiento trasero, no dijeron nada en voz alta y rumiaron palabras con vocación de roedores.

Cuando el disco de fuego rojo se hundió en el horizonte, Aris sintió la grandeza del cosmos, o tal vez sólo quiso complicarse la vida. Lo cierto es que me besó en la mejilla y con estupendas frases inconexas confesó que me quería. En aquella época protocolaria, los pretendientes se declaraban. Aris carecía de la elocuencia que lo transformaría en el envidiado y odiado dueño del horario triple A. Entonces sólo era un chico nervioso que confundía un adverbio con un adjetivo ante la sabihonda que se daba cuenta de eso. Pero me encantó su torpeza con el idioma. Mientras hablaba, advertí que incluso me gustaban sus empeines.

¿Qué vio él en mí? No era la más guapa ni la más misteriosa ni la más simpática. Hacía chistes, pero sólo para mí misma. Lo provocaba un poco y tal vez eso le gustaba. Un día jugamos a las capitales y perdió en forma vergonzosa. Consiguió un mapamundi y a los dos días ya me ganaba. Los datos le interesaban para competir. Quise someterlo a otra prueba y le pedí que me contara los piquetes de mosco. Revisó mis muslos, mis tobillos, la parte visible de mi espalda. Me estiré ante él, como si eso ayudara a su conteo.

—Diecinueve —dijo.

Estaba sudando y le costaba trabajo respirar.

—Me han picado mucho —sonreí con fingido masoquismo.

Una erección le abultaba el traje de baño color guinda, con el pez blanco de la marca Catalina.

No me bastó alterarlo de ese modo y le pregunté:

—¿Diecinueve es un número primo?

—Sepa.

—Tienes que conocer bien mis piquetes.

Vio a los lados con desesperación, como si esperara la llegada providencial de un mosco que redondeara la cifra en un sencillo número par.

Me encantó la forma en que abría los labios y lo besé en la boca, metiéndole la lengua. Sentí su saliva deliciosa y su respiración entrecortada.

Le acaricié los pelos de la nuca.

—Me gusta que te hayan picado tanto —dijo con novedosa desfachatez, como si yo fuera la puta de los moscos.

Ahí conocí una de las actitudes que han acompañado mi vida: el machismo *light*. Hace mucho que renuncié a encontrar al hombre feminista, al menos en México. Cuando he estado a punto de hallarlo —en algún congreso tan cargado de teorías que ese oxímoron parece posible— he acabado por aburrirme. Detesto la descarada falocracia, pero ya hice las paces con las fantasías de dominio masculino, con su ilusión de fuerza fundada en inconfesables debilidades, con su deseo de que la chica tenga algo vencido, mancillado, vulnerable. No quiero que me amarren ni me escupan. No dejo que me mangoneen, pero reconozco que a veces me gusta volver a ese momento en que un hombre me admira porque estoy toda picada por los moscos y quiere agregar un piquete más.

Una cosa es la sumisión y otra imaginar que por un rato te sometes. Aristóteles era un dominador atractivamente inseguro. Me mordía y luego preguntaba:

—¿Te duele?

—Es lo bueno.

La respuesta lo sacaba de balance y no volvía a morderme. Cuando me tocó los pechos no pudo dormir y me escribió tres poemas espantosos que sin embargo me hicieron llorar. Sus versos me revelaron que hay defectos maravillosos. Lo amé, segura de que perdería la virginidad con él, nos casaríamos, tendríamos hijos y perros, compraríamos una casa con vista a la Roqueta (le eché el ojo a una a la orilla del agua, con un vistoso muelle rojo).

Aristóteles no tenía planes tan definitivos. Fuimos a una fiesta en el Yate Sea Cloud, disfrutamos la bofetada de aire acondicionado en el Sanborns del centro, contamos gente fea en las playas de Caleta y Caletilla (siempre pasaban de 200), comimos en el restaurante Barbarroja, que me encantaba por su aire pirata, y en la laguna de Coyuca, donde él se intoxicó con un camarón podrido (en el taxi de regreso nos detuvimos dos veces para que vomitara; no me dio el menor asco oler su aliento agrio y entendí que esa era otra de las claves del amor).

Hacíamos esto en compañía de uno o varios de mis hermanos, que nos escoltaban sin estar presentes, como magníficos zombis. No faltaron momentos de intimidad, pero él no bajó sus manos más allá de mi cintura. El verano concluía cuando fuimos a La Quebrada. Me encantaba ver a los clavadistas que subían por las rocas, se detenían en un descanso del farallón para persignarse ante la Virgen y continuaban hasta la cima. Lo que más me gustaba era la espera, la épica de la anticipación, la lentísima expectativa para una escena que duraba unos cuantos minutos. Cuando fui al teatro Noh en Japón y vi a un samurái atravesar el escenario sin decir palabra, transformando la demora en una forma del virtuosismo, recuperé el placer escénico de La Quebrada, basado en la antelación. Obviamente, entonces no era tan pedante. Me gustaba estar ahí, sin que eso necesitara explicaciones.

En la temporada en que nos hospedamos en el Hotel Mirador, mis hermanos ya se habían hartado de los clavadistas. Lo único que les gustaba de ese sitio era la alberca de agua salada. En cambio, yo no podía dejar de ver a los hombres que se despeñaban ni de sufrir por ellos. Debían calcular el momento exacto para lanzarse al agua porque el oleaje podía arrojarlos contra las rocas. Se contaban historias de un gringo, campeón olímpico en la plataforma de diez metros, que se había lanzado sin otra preparación que haber bebido varios margaritas. Logró zambullirse, pero chocó con una roca y murió en el acto. Mi suerte favorita era la del último clavadista, que se tiraba al agua después del anochecer, con antorchas en las manos.

Esa tarde, al llegar al mirador la gente corría en todas direcciones. Alguien había visto una víbora coralillo. En medio del pánico colectivo, abracé a Aristóteles. La calma volvió y yo seguí aferrada a su playera de la selección alemana. Aproveché para rozarle una nalga y se sobresaltó. Sentí su erección contra mi bajo vientre. Segundos después, se apartó para ir al baño. Imagino lo que sucedió: mi adorado Aris fue al cubil oloroso a cloro y orines, con arena en el piso, y consumó el erotismo que le estaba concedido: se masturbó para regresar con rostro más sereno al sitio donde yo quería que me tocara, sabiendo que no iba a hacerlo. Los clavadistas cayeron uno a uno, como emblemas de mi decepción.

Pero el último clavado fue distinto. El padre de un clavadista había muerto.

También él se había ganado la vida con las propinas que los turistas dejábamos en La Quebrada.

Ese clavado final fue su entierro. Su hijo se lanzó con una bolsa que contenía las cenizas.

La escena me sacó lágrimas. Froté mis ojos en los hombros de Aris. Él puso la mirada triste que me gustaba cuando no tenía que ver conmigo. Un ánimo fúnebre nos acompañó en el camino de regreso. Al llegar al Condominio de los Cocos se nos atravesó una cucaracha y él la aplastó en forma asquerosa.

Las vacaciones terminaron y regresamos a la Ciudad de México, donde no nos veíamos. Por una vez rompí las reglas de la Nena perfecta y le hablé por teléfono. Contestó sin interés y habló del Cruz Azul, que pasaba por una pésima temporada. Aris estrenaba mayoría de edad con una voz cadenciosa, ni muy grave ni muy aguda, destinada a los micrófonos. Era acústicamente perfecto, a tal grado que no me importó que hablara de futbol, tema en que yo lo superaba. Demasiadas veces los conocimientos han estado en mi contra, especialmente ante los hombres. Hablé de los problemas que el equipo tenía con los centrales y fue imposible desviar la conversación a otros asuntos. Al colgar, estaba devastada. Aristóteles era una persona plana, indiferente, que sólo me hacía caso cuando no tenía mejor diversión en las vacaciones. Me sentí usada, menos importante para él que el aceite de coco que cubría su piel maravillosa.

De algún modo supe que tenía una novia en la ciudad, una niña rica que practicaba equitación y a la que le deseé una caída que la dejara tetrapléjica. Lloré durante días, con una capacidad para el llanto que no he vuelto a tener y que él no merecía. Traté de convertir mi amor en una variante del odio y le imaginé muertes dolorosas y violentas, pero todas conducían a un funeral en el que yo volvía a llorar como una idiota que ni siquiera tenía derecho a ser su viuda.

Rechacé a mis ocasionales pretendientes. No quería que alguien me amara: quería odiar a quien no me amaba.

Como es de suponerse, no pude hacerlo. Preparé mi regreso a Acapulco con una logística digna de mi padre. Calculé el efecto de cada una de mis prendas, empaqué regalos para Sócrates y Heráclito, compré unos lentes oscuros con marco de corazón que según yo me hacían ver interesante y comencé a tomar pastillas anticonceptivas.

Pero mi presa no fue al mar.

Aristóteles cursó vagos estudios de comercio en Phoenix, que interrumpió al descubrir que el único diploma que necesitaba era su cara. Un par de años después ya era la joven promesa de los noticieros nacionales.

En ese lapso traté de olvidarlo; me concentré en el estudio como sólo puede hacerlo alguien a quien le va pésimo en la vida, tomé clases extra de todo tipo, me vestí como una aspirante a menonita y contraje el hábito de rascarme los tobillos y las muñecas hasta hacerme sangre. Iba a conciertos de música atonal y dodecafónica, a *happenings* teatrales y otras actividades minoritarias que reforzaban mi aislamiento. Lo más cerca que estuve de la vida pública fueron las funciones de la Cineteca.

La mitología griega me cautivó en tal forma que preparó mi vocación como teórica del conflicto. Me sumí en ese mundo en que los dioses y los héroes no hacen otra cosa que pelearse. En la muerte de Patroclo y la decapitación de Orfeo vi el destino que merecía el único griego de mi vida. Aprendí palabras que él jamás conocería, a pesar de su nombre y su apellido. Algún día me presentaría ante su hermoso rostro vacío para decirle: *hybris*, anagnórisis, *pathos*, estupendos vocablos que lo excedían. Mi primer libro, *El sueño de Ariadna*, tuvo como punto de partida la forma en que los griegos clásicos maltrataban a las mujeres. Orfeo, el poeta sublime, es presentado como la víctima de las ménades que lo descuartizan, pero las mujeres actúan por órdenes de un Dios vengativo, son el instrumento por medio del cual el cantor es desmembrado y arrojado a las aguas del Hebro, donde su lira no deja de sonar. En su viaje al más allá, el poeta pide reencarnar en cisne para evitar el riesgo de convertirse en mujer, un machismo nada *light*. ¿Y qué decir del vencedor del Minotauro, el astuto Teseo, que se sirvió del hilo de Ariadna para recorrer el laberinto y ultimar a la bestia que amenazaba la ciudad? Una vez consumada la venganza, prosiguió su viaje y dejó a Ariadna dormida en una isla. Posiblemente, ella soñó con otro hilo para desandar otro laberinto, el de las redes simbólicas de la dominación masculina. De ahí mi libro.

Si Aristóteles Ritsos no me hubiese abandonado, ¿habría escrito todo esto? Uno de los principales alicientes de la poesía romántica es el amor no correspondido. Supongo que también los estudios de género y la sociología de la dominación le deben algo a la fuerza creativa del despecho. Detrás del marco teórico y el aparato de notas hay, asombrosamente, una persona.

Pero volvamos a mi primera juventud, en la que trataba de vivir como si las hormonas no existieran, sublimando mi deseo con la cultura. No siempre lo conseguía. A veces, sin que viniera a cuento, veía el mar de Acapulco a las siete de la noche, cuando el agua ya es casi negra, y distinguía un solitario tubito rojo que sobresalía en la superficie y pensaba que era el snorkel de Aristóteles. Había dejado de ver a mi amado, pero lo sentía ahí, respirando bajo el agua.

Me rasqué los tobillos y las muñecas en mi exilio interior hasta que de pronto el rostro de Aristóteles Ritsos apareció en las pantallas. La televisión me parecía tan atractiva como una lobotomía frontal, pero no lograba evitarla. En México las loncherías, los elevadores y algunos taxis tienen televisiones. La sonrisa de Aris me alcanzó en todos los rincones donde yo no quería estar.

Vivía la solitaria y productiva juventud de una erudita, pero seguía yendo al salón de belleza (mi Nena interior no se dará nunca por vencida). Pues bien: dejé de ir ahí porque el joven astro acaparaba las revistas del corazón.

Una noche me obligué a ver su noticiero. Descubrí con satisfacción que caía en faltas de concordancia y pronunciaba mal los nombres extranjeros.

Pero estaba más guapo que nunca. Su atractivo rebasaba la conciencia: habló de las víctimas de un tsunami y me dieron ganas de besarlo. ¿Me había enamorado de él como se enamora un hombre, con incontrolable superficialidad?

¿Qué ofrecía Aris más allá de su despampanante organismo? Recordé las frases introspectivas que dijo en la puesta de sol y las ideas sueltas que llamaba "pensamientos", y decidí que su mente no era para tanto.

Reconocer esto sirvió de poco. Estaba dispuesta a perdonarle lo que fuera. Decidí dejar el país a la menor provocación, lo cual suena a arrebato de heroína rusa y sólo es parcialmente cierto. Mi trayectoria académica no se explica como un simple acto de despecho, pero incluye algo de eso, según descubrí en el sitio que Freud concibió como la pantalla del inconsciente: el techo de un consultorio. Entré a una casona de los años treinta en la colonia Roma con un techo de tres metros de alto y entendí por qué el psicoanálisis surgió en Viena, donde los edificios de la época Secession tienen la amplitud necesaria para que el inconsciente viaje rumbo a una elevada superficie, una "pantalla" enmarcada con estuco (algo imposible en consultorios donde un plafón hace que tus ideas reboten como infames desperdicios).

En aquel consultorio de techo alto me vi reflejada de otro modo y descubrí que si me doctoré en París con Cornelius Castoriadis no fue sólo por los atractivos de esa ciudad, ni por mi irregateable vocación, ni por contar con la tutela de una mente privilegiada, sino también por las asociaciones que me traía el nombre de mi director de tesis. Hagas lo que hagas desembocas en los griegos.

La juventud es un mal que acaba por curarse, lo sabemos. Con los años conocería a hombres espléndidos y horribles, y casi dejé de pensar en mi lejano romance de Acapulco. El "casi" deriva de una situación atmosférica: Aristóteles Ritsos pertenece al clima de México. Fue un servil lector de noticias en los tiempos en que la televisión se limitaba a propagar boletines del gobierno y se adaptó a los tiempos en que la televisión se convirtió en un simulacro de información crítica. Ha sido un espléndido lacayo y un espléndido farsante. Esto, de sobra está decirlo, lo ha vuelto millonario y adorado por las mayorías de un país que desde el año 2-Conejo idolatra a las piedras.

Nacho, mi primer marido, era la contrafigura de Aris, un astrofísico de dos metros que se inclina en diagonal para oír a sus interlocutores con la atención que merecen las ecuaciones insolubles. Ve por encima de sus espejuelos con la encantadora concentración de una grulla ilustrada. Me sedujo su inteligencia, su pelo incapaz de ser peinado y, todo sea dicho, su sorprendente capacidad de demostrar que también el sexo puede ser astrofísico.

Fuimos felices, pero él se moría de ganas de tener hijos en una etapa en que yo no estaba preparada para asumir esa variante del conflicto. Nacho se casó en segundas nupcias con una laboratorista coreana y vive en Alemania. De vez en cuando me manda una postal que firma con el número favorito de Johannes Kepler: ".00429".

Mi divorcio fue tan racional que unas amigas de la Facultad decidieron sacudirme con un fin de semana profundamente irracional. Una de ellas tenía un tiempo compartido en Acapulco. Tomamos la Autopista del Sol, tan distinta a la carretera de mi infancia, que la nostalgia volvía más modesta y sinuosa de lo que acaso había sido.

Llevaba más de dos décadas de no ir al sitio al que en otro tiempo fui demasiadas veces. No quise buscar señas arcaicas, como la Vaca Negra en Iguala, donde bebí deliciosas leches malteadas y que ofrecía un *hot dog* de un metro que nunca llegué a pedir. Los días lentos se habían desvanecido.

Sin embargo, al pasar por una región de cactáceas y cerros de tierra colorada recordé las seis horas que pasamos en el Cañón del Zopilote cuando se nos ponchó una llanta. Mi padre, el más obsesivo de los ingenieros, había olvidado revisar la llanta de refacción, que también estaba ponchada. Vimos los pájaros negros que daban nombre a la cañada hasta que una *pick-up* se detuvo y aceptó llevar a mi padre a un poblado próximo. La interrupción del viaje nos pareció divertidísima; perseguimos iguanas y jugamos a las escondidas.

Mi padre regresó en compañía de un mecánico, con el rostro de quien ha perdido una guerra. Había deambulado de un pueblo a otro hasta dar con ese hombre manchado de aceite.

Cuando el mecánico acabó de apretar las tuercas, mi padre le entregó los billetes, de uno en uno, con la demora de quien sabe que son demasiados y no encuentra otro modo de quejarse que hacer lentísima la estafa.

El otro partió en su coche y mi padre se dirigió a unos

matorrales. Volvió con los ojos enrojecidos. Se había escondido para llorar sin que lo viéramos. Hasta ese momento yo ignoraba que su cara fuera capaz de producir lágrimas. Me dio miedo verlo así, disminuido. Luego, con los años y las terapias, me conmovió su crisis de ingeniero. Había fallado: se sentía mal de no haber podido cuidarnos. Hacer planes era su forma de querernos.

En la Autopista del Sol no quise pensar en otros tiempos, pero ya estaba inmersa en ellos. Al respirar el aire salino que anunciaba la proximidad del puerto, estaba preparada para visitar dos Acapulcos, el del presente, que me interesaba poco, y el del pasado, mucho más intenso.

Una de las amigas recordó las noches de locura en el Tiberio's y el Baby O. Fingí haber estado en esas discotecas para sugerir que incluso yo había tenido una juventud animada. Quería pertenecer con sencillez al grupo integrado por tres mujeres un poco más jóvenes que yo y con menor reconocimiento en la academia. Las tres se referían a mí como "eminencia".

Hubiera sido agradable que se tratara de una broma, pero no lo era:

—¿Dejará una investigadora nivel III que le unte bloqueador? — preguntó una de ellas para hacerse la simpática.

El Sistema Nacional de Investigadores debería dar un curso para sonreír ante una pregunta así. Reaccioné mal, estoy segura. Mi mirada seguramente transmitió lo que pienso de ellas: jamás serán nivel III.

Al llegar al departamento, descubrimos que estábamos muertas de hambre. Cada una de mis acompañantes conocía un lugar genial para comer pescado a la talla, que, por supuesto, no era el mismo que las otras conocían. Discutieron tanto que pidieron que yo eligiera. Para no ofender a nadie escogí con la técnica de "de-tin-marín-de-do-pingüé".

El sitio favorecido por el azar quedaba muy cerca, pero pasamos cuarenta y cinco minutos en el tráfico de la Costera. No quise buscar los locales de mi adolescencia. La antigua joya del Pacífico parecía un desesperado arrabal de la frontera. El "triunfo de la Virgen", que había ponderado en Río de Janeiro, era ya una derrota babilónica, una Sodoma con vicios de descuento.

Había oído historias de gente que salía con ronchas del mar porque el drenaje de los hoteles desembocaba en la bahía y con otitis de las albercas que ya no se desinfectaban como antes.

Vislumbré un posible desenlace para el viaje: un lanchero de cuerpo perfecto me seduciría para narcotizarme y extraerme un riñón.

El restaurante que escogí de "tin-marín" resultó ser una palapa con las dimensiones de una catedral. Al entrar, una de las amigas dijo:

—¡Él está aquí!

No supe a quién se refería, pero otra me dio un codazo. En una mesa del fondo, un trío cantaba. En efecto, Él estaba ahí.

No les había hablado a mis colegas de mi romance de juventud. En el entorno universitario, el fotogénico Hombre Noticia es visto como el lacayo del poder que usurpa el nombre de un filósofo en horario triple A.

—¿De qué hablas? —pregunté, mientras nos dirigíamos a nuestra mesa.

—Del guapo.

Entonces supe que ese fin de semana mis acompañantes también le habían dado vacaciones a su conciencia. Se refirieron a Aristóteles como el más atractivo de los malestares nacionales.

Mi lejano ex estaba rodeado de hombres de guayabera, con la pinta y el sobrepeso propios de quienes pertenecen al primer círculo del gobernador. Lo oían con atención y festejaban sus ocurrencias con estruendosas risotadas.

Pedí un margarita de tamarindo y traté de cambiar de tema, pero mis amigas abrieron un simposio sobre los hombres detestables a los que se querían coger. El argumento fue circular porque el preferido resultó ser Aristóteles. Mencionaron lo bien que le sentaban las canas (la escena transcurría antes de que descubriera los tintes para el pelo) y la mirada triste que tenía desde su ruptura con una actriz colombiana.

—De seguro está aquí por el esquí acuático. Vi unas fotos de él saltando en una rampa. ¡Está buenísimo! Yo se la chupaba aquí en el baño —acto seguido, la autora de esta frase se llevó un limón a la boca en forma inquietante.

¡Qué mal conocía a esas colegas! Habíamos cenado algunas veces en compañía de otras personas al término de sesiones universitarias. Ahora descubría su currículum oculto. Eran *springbreakers* que habían llegado a los cuarenta con un aire de falsa adolescencia reforzado por los margaritas y los daiquirís. Me asombró que supieran tantos chismes de la farándula. Sólo pertenecían a la UNAM porque no tenían nada que hacer en Televisa.

El tequila es la bebida de los coroneles. Al tercer margarita me sobraban deseos de dispararles a mis compañeras de mesa, pero las castigué de otra manera:

—Aristóteles fue mi novio.

—¡Noooooooooooo! —respondió mi coro griego.

Me vieron como si hubiera ascendido a un insoportable nivel VII del SNI, un Olimpo académico que incluye harén.

No calibré lo que sucedería. Pensé que me pedirían detalles para sazonar los tacos de pescado, pero no que una de ellas se dirigiría al trío para pedirle "Lástima que seas ajena" ni que otra iría a la mesa de Aristóteles a informarle que yo estaba ahí.

"¿Qué hay en un nombre?", la pregunta volvió a mí. No lo he dicho: me llamo María, como casi tantas mujeres de mi generación. Algunas se llamaban María del Carmen o María Isabel. Yo sólo recibí el nombre de la Virgen (otra razón para haberla defendido en Río). En el momento de este encuentro, Aristóteles tendría unos cuarenta y cinco años y se encontraba en el pináculo de su fama. ¿A cuántas Marías habría conocido hasta entonces?

Debía estar cansado de los hombres de guayabera porque se puso en pie de inmediato. O quizá sólo acataba los protocolos de quien sabe que la fama es una forma provechosa de la esclavitud. El caso es que se dirigió a nuestra mesa con el paso de quien sube de *rating* al atravesar un restaurante.

Yo luchaba con una espina entre mis dientes.

Aris pensó que María era la amiga de los pechos grandes que le sonreía con obvia coquetería:

—¡Tanto tiempo! —exclamó el divo.

—Tienes razón —dijo mi amiga—: llevo cuarenta años esperándote, aunque tal vez pienses que tengo treinta y cinco.

Él soltó una carcajada y me miró, ejercitando una mente adiestrada en recordar a miles de personas. De pronto sus ojos se iluminaron:

—¿Acapulco? —preguntó.

Me lamí la encía: la espina seguía ahí.

—Condominio de Los Cocos —bajé la mirada a los restos de pescado.

—¡María! —exclamó.

Abrió los brazos y me puse de pie, magnetizada. Me estrechó, besándome en el cuello y las mejillas. Olía delicioso, a una suave mezcla de sudor y loción.

Sus ojos se llenaron de lágrimas. Estaba entusiasmado:

—Me han dicho que eres una profesora chingonsísima. Yo nunca dejaré de ser un tarado.

—Estás loco.

—Loco por ti. Me dejaste embrutecido, nunca pude recuperarme de que me abandonaras. No me quedó de otra: el suicidio o la televisión.

Estas mentiras no sólo estaban dirigidas a mí. Me elogiaba para quedar bien con mis acompañantes, demostrando que alguien perfecto era capaz de sentir despecho.

Su siguiente parlamento fue dirigido al coro griego:

—María me sorbió los sesos. Yo era inteligente, se los juro, no tanto como ustedes, pero el amor hizo conmigo lo que hace hasta con los genios: me volvió un imbécil. María es la culpable, pero no la culpo. No estuve a su altura, eso seguramente ya lo saben.

Las tres lo veían como si fuera Héctor en la *Ilíada*, dispuesto a demostrar el frágil heroísmo de ser hombre.

Él, que no había leído a Homero, me vio como si yo fuera Helena de Troya. Algún rasgo genético proveniente del Peloponeso daba a sus ojos la intensidad del que está dispuesto a hacer la guerra por amor. Sabía que Aristóteles era un charlatán y que decía embustes para cautivar a mis amigas. Un hombre vacuo dedicado profesionalmente a distorsionar la verdad. Pero en ese momento también era Paris o Héctor y yo era Helena o la Ciudad. Tal vez sólo se limitaba a repetir una rutina de seducción y yo, eterna especuladora, sobreinterpretaba sus gestos como resabios de una edad antigua. Lo cierto es que las emociones no le piden permiso a la razón: en ese momento estábamos en Grecia y él me amaba.

Aris repitió una frase que ya había dicho y ahora sonó diferente:

—Tanto tiempo —puso sus manos en mis mejillas.

Vi sus ojos castaños y quise sumergirme en ellos. Recordé una máxima de Anaximandro que había citado en uno de mis libros: "No me vencieron los ejércitos: fui derrotado por tus ojos".

No teníamos nada que decirnos, yo había hecho mi vida en otro mundo, pero un olor inconfundible llegó a mí, el olor de su axila. Pensé en el hueco maravilloso que un hueso formaba en su clavícula y en la firmeza de sus brazos, que prometían seguridad. Hubiera querido dormir en esos brazos de la adolescencia hasta la muerte.

No creo que él haya pensado en cosas tan exageradas, pero tuvo el mérito de ser práctico:

—Hay que vernos. Me quedo hasta el domingo. ¿Dónde te hospedas? Te paso mis dos números de celular. ¿Cuál es el tuyo? ¿Las mujeres sabias usan celular?

El coro respondió por mí. Aris me besó, muy cerca de la boca, y volvió con los gordos de guayabera.

Mis amigas pidieron más tragos; yo no tuve que hacerlo. Había bebido una extraña versión de la ambrosía. Estaba divorciada, era libre y el hombre que tanto me había gustado en la primera juventud parecía dispuesto a consumar lo que quedó pendiente. No quería una relación con él. Quería su piel, su carne, sus olores deliciosos.

Mientras las otras festejaban como si fueran ellas las que habían ligado, me vino a la mente la última frase de Versace. El diseñador fue abordado en Miami, afuera de su casa, por un amante ocasional. No sé si el hombre famoso llevaba lentes oscuros. En todo caso, en mi versión los lleva. El joven se le acerca, él se quita los anteojos, lo ve, trata de reconocerlo, vacila y finalmente da con el sitio donde se encontraron: "Lago de Cuomo, ¿verdad?". El otro se irrita de que no recuerde su nombre y se limite a asociarlo con un escenario. En ese instante decide matarlo. Lo mismo había pasado con Aris. Yo era "Acapulco" para él. Si acaso se interesaba en volver a verme, no sería por mi persona sino por los recuerdos que podía traerle de una época desaparecida.

Decidí no hablarle y mis amigas me admiraron todavía más.

Tres horas más tarde recibí una llamada suya. Quería verme, a toda costa, esa misma noche:

—Perdona que sea tan insistente, pero tenemos poco tiempo. No quiero que pasen otros veinte años sin vernos.

—Han pasado más de veinte años.

—Más a mí favor. Conozco un japonés de locura. Paso por ti a las ocho. No me batees, por favor. Una vez fue suficiente.

—Yo no te bateé, tú dejaste de buscarme.

—Llamé a tu casa y me contestó tu papá. Me advirtió que con la tragedia de Lupe tu familia tenía bastante. Amenazó con colgarme de los huevos si volvía a buscarte. Me acobardé, lo confieso. Salvé mis huevos, que no me han servido para nada. ¡Leo noticias en la tele!

—Supongo que al menos te sirvieron con tu novia colombiana.

—María, por favor, no permitas que vuelva a equivocarme.

—No me conoces, ya soy otra.

—¿Ahora te gusta la mostaza, tu color favorito ya no es el púrpura, ya dejaste de estornudar en cadena, tres veces seguidas, ya te quitaste el lunar en la axila?

—En eso soy igual.

—Quiero cenar con la chica que estornuda tres veces seguidas. ¿Es eso tan grave?

—Nos vemos a las ocho —prometí con sequedad.

Aristóteles me llevó a un restaurante que sugería que México es un país acaudalado y de espléndido gusto. Los comensales parecían haber sido seleccionados para un anuncio; todos eran atractivos y hablaban en educada voz baja. No había televisores a la vista, la iluminación era perfecta, el servicio esmerado, la comida tan bien presentada que daban ganas de fotografiarla.

Aris casi no habló de sí mismo. Preguntó por mi familia, mis libros, mis amores. Estaba acostumbrado a hacer entrevistas y además me había buscado en Google. Dijo sentirse abrumado por mis logros y se pendejeó por no haberme perseguido. Cuando llegó mi turno de hacer preguntas, habló de la muerte de sus padres, las vidas difíciles de Heráclito y Sócrates, a quienes mantenía gracias a su descomunal salario en la televisión, de lo absurdo de su trabajo, que sabía inocuo y que seguramente yo despreciaba.

Una mujer de aspecto vietnamita se acercó a la mesa con sigilo. Pensé que formaba parte del personal. Un vestido de seda, estampado con dragones en miniatura, ceñía su delicada silueta. El pelo negro le caía sobre los hombros como una lluvia mágica. Puso un papel en la mesa, un origami en forma de rana, y se alejó sin decir palabra.

Aristóteles desdobló el papel: tenía escrito un nombre y un teléfono. Lo rompió en tantos trocitos que sospeché que había contratado a esa chica para rechazarla delante de mí.

Pretexté que iba al baño para recorrer el restaurante. La hermosa vietnamita cenaba con un hombre de cabellera plateada y elegante camisa Mao, un caballero de facciones serenas que parecía dispuesto a aceptar los devaneos de su joven amante. Fragüé esta trama en mi mente y al volver a mi mesa le pregunté a Aris:

—¿Te pasa esto muy seguido? ¿Las mujeres se te acercan así?

Yo me hubiera acostado con la vietnamita, pero él ni siquiera trató de localizarla en el restaurante.

—La fama es horrible. A veces pienso que sólo busco atención porque perdí a mi único amor verdadero.

¿Podía creer esas confesiones de telenovela? Recordé la canción "Amor eterno", del inmortal Juan Gabriel, que habla del "más triste recuerdo de Acapulco" y suele ser interpretada como una elegía a la madre cuando en verdad se trata de la encendida evocación de un amante muerto. Mencionar una pasión genérica (el "amor verdadero", el "amor eterno") puede servir para evocar otra muy concreta. ¿Aristóteles cortejaba a la cuarentona que tenía enfrente o se cortejaba a sí mismo en los recuerdos de adolescencia que yo le traía?

Inevitablemente, hablamos más del pasado que de las personas que éramos en ese momento.

Al salir, llegamos a un puente de madera de teca, colocado sobre un arroyo artificial. Aris se detuvo y me besó. Me tomó de la nuca y ladeó mi cara, con una maniobra experta que obviamente no le conocía. Fue un beso intenso, perfeccionado por el sonido del agua sobre las piedras. Me hubiera ido a la cama en ese instante, pero él propuso que nos viéramos al día siguiente.

Durante la cena me había mostrado algo lejana, puse en tela de juicio la versión que tenía de nosotros y deslicé algunas críticas sobre la insulsa vida que llevaba. Él no podía suponer que estaba dispuesta a que nos acostáramos esa noche. ¿Por qué no le toqué el pene mientras nos besábamos en ese puente sobre el río? Aris pensó que debía hacer más labor conmigo y sugirió un encuentro al otro día, en el bar del hotel Mirador, para ver a los clavadistas que siempre me habían gustado. Quedamos a las seis para cenar después.

Me llevó al departamento y se despidió con un beso tierno en mis labios.

No fui a la cita, tal vez para tener un tema que rumiar en los siguientes años o para decepcionar a mis amigas, que no pensaban en otra cosa que en mi cópula salvaje. Pero lo que en verdad me decidió fue algo que él me dijo: había renunciado a mí por una amenaza. Yo ignoraba que mi padre lo había amedrentado, pero Aris se dio por vencido con excesiva facilidad. Podía haber hecho más. ¿Acaso mi amor no valía un esfuerzo? Mientras yo lloraba sin consuelo y me refugiaba en el estudio de la mitología helénica, él se había rendido a las mujeres anodinas y las tentaciones del éxito.

Al día siguiente de la cena en el restaurante japonés confirmé que incluso las moléculas se dejan afectar por las ideas. Aris no buscaba otra cosa que cerrar un episodio sentimental de su pasado. ¿Qué le aportaba yo? La oportunidad de sentirse, si no profundo, por lo menos al margen de la superficialidad, y también magnánimo, penetrando a una mujer con doctorado que —ayúdame, Proust— a fin de cuentas no era su tipo. Si de veras quería estar conmigo, me buscaría en la Ciudad de México.

Naturalmente, no lo hizo. Aristóteles seguía siendo el ser melifluo que renuncia al primer rechazo.

Ahorraré los veintipico años siguientes, que incluyeron el matrimonio con un geógrafo alemán y confiable que venció mis recelos ante el embarazo. Ingrid nació y creció en Múnich, ciudad agradabilísima donde Heinrich daba clases y que me sirvió de base para atender compromisos académicos en Europa.

Nos separamos quince años después, cuando llegué a la conclusión de que un hombre previsible es mejor para la paternidad y la geografía que para el amor. Heinrich tiene los atributos de un santo, pero yo necesito que el conflicto no sólo sea una teoría. La solución llegó en la forma de Aldo, filósofo italiano, casado, hipocondríaco, con una amante en cada ciudad de Europa, de una inteligencia que daba susto y una fealdad tan original que seducía. Lo amé como no he amado a nadie, sabiendo que eso era un despropósito que me hacía feliz. No duramos mucho, claro está.

Decidí volver a México y conformarme con los hombres de machismo *light* que lavan los platos pero se ponen nerviosos si tú manejas.

Ingrid se adaptó de maravilla al desorden de un país donde las actividades fundamentales son las fiestas, las becas, las huelgas y las vacaciones. No diré que mi hija es el emblema de la pereza, pero tiene una inagotable capacidad para relajarse. Me considera una *overachiever* que ignora las diversiones, sin comprender que escribir ponencias de veinte cuartillas es una forma perversa de la diversión.

En ocasiones el ADN se mueve en zigzag: mi hija heredó la ligereza de su tía Lupe. Se embarazó sin que eso le pareciera un problema y dice ser feliz como madre soltera. Melusina, por otra parte, resultó ser una niña encantadora. Ingrid es especialista en *feng shui*, milita en defensa de los animales y viaja con frecuencia a Alemania, donde su padre se queja de que la ve muy poco. Él y yo respetamos su ignorada vida íntima hasta hace unos días: Ingrid llamó para avisar que debía ir a Múnich con urgencia. Nada de lo que hace suele ser imperativo, pero esta vez sonaba apurada. Me pidió que me quedara con Melusina. Quise saber las razones y comenzó a llorar.

Fui a verla de inmediato. La encontré en piyama a las cuatro de la tarde. Su departamento es una especie de jardín interior, decorado con coloridos ensamblajes que hace con cartones y otros desperdicios. Unos diez clínex arrugados contribuían a la decoración sobre una mesa.

Ingrid estaba devastada

—Nunca he querido hablar de esto porque eres muy rígida —comentó.

Haberme casado varias veces, tener amantes, fumar mariguana en público y defender tesis de avanzada permite que mis alumnos me vean como una persona liberal, pero no dejan de tratarme como profesora. Supongo que también para mi hija he sido más una autoridad que una cómplice. El papel de una madre consiste en poner límites, pero estoy condenada a envidiar a las madres que ponen límites y saben más cosas de sus hijas.

Le pedí que acabara de una vez por todas con su hermetismo.

—Tengo una pareja —dijo entre sollozos—; se llama Petra y acaba de chocar.

¿Por qué no me lo había dicho antes? No tengo nada contra el lesbianismo y el hombre del que se embarazó me parece un imbécil; podía entender que sólo lo usara como semental.

"¿Qué hay en un nombre?". Su chica debía ser alemana; eso justificaba tantos viajes. ¿Y si se trataba de una Petra mexicana? En tal caso, tendría un origen claramente marginal. ¿Por eso no me la presentaba?

—¿Tu novia vive en Múnich? —pregunté.

—Es de Hamburgo, pero vive allá.

Sentí alivio de que fuera alemana. Mi reacción fue discriminatoria, lo sé, pero también sé que no hay nada tan sólido como una pareja alemana.

—¿Por qué no me habías hablado de ella?

—Maneja un tráiler —hizo una pausa y me vio detrás de sus lágrimas, sin enfocarme—: Se volcó anoche —agregó.

—¿Y cómo está? —pregunté mientras un dato martilleaba mi cabeza: "maneja un tráiler", "maneja un tráiler".

—No sé bien, tengo que ir allá.

—Claro.

—¿Claro qué? ¡Te decepciono, ¿verdad?!

—¿Cómo crees?

—¡Mi novia es una trailera!

—Está bien.

—Yo no estudié, ella tampoco. ¡Somos unas pinches ignorantes! Te doy vergüenza, ¿verdad? Siempre te he dado vergüenza.

—Estoy aquí para ayudarte. Me quedo con Melusina en lo que vas a Alemania. Tenía un congreso en Montreal pero lo cancelo.

—¿Ves? ¡Siempre tienes un congreso en Montreal!

—Es mi trabajo.

—¡Para verme tienes que cancelar algo! ¡Agradezco que arruines tu vida por mí!

—Ingrid, por favor.

—¡Chinga tu madre!

Así terminó nuestra negociación. Mientras salía de su edificio recordé la tarde en que mi padre no pudo cambiar la llanta del coche y se sintió humillado. Ahora, a través del tiempo llegaba un personaje que podía cambiar cualquier llanta: Petra.

¿Soy tan esnob que no merezco la confianza de mi hija? Lo confieso: no aprecio que se dedique a ordenar piedras y muebles para conseguir adecuadas dosis de energía; por otra parte, su actitud ante los animales me parece paternalista: los considera tan inferiores que incluso cree que pueden ser defendidos por ella. Es mi hija pero no puedo ser indiferente a sus limitaciones. Prefiero no discutirlas.

Melusina, en cambio, tiene una inteligencia despierta y pícara. Ingrid la dejó en mi casa antes de ir al aeropuerto y mi nieta pidió un vaso de agua:

—¿Con dos o tres hielos?

—Con cinco.

Me cayó bien que exagerara y supiera lo que quería. En los días que hemos pasado juntas no la he visto dudar. Me cuenta cuentos, como si ella tuviera que entretenerme a mí. A los cuatro años revela más personalidad que mi hija.

Me pidió que fuéramos al supermercado para conseguir las muchas cosas que faltaban en casa y me deslumbró su capacidad para elegir productos. Ya sabe qué cosas son sabrosas sin hacer daño (mi hija la ha educado bien en ese campo, lo reconozco).

—Te voy a preparar sopa de palomitas, Abu —dijo al regresar del súper.

Metió una bolsa de palomitas en el microondas y luego hizo un menjurje que, extrañamente, no me repugnó.

—"Viscoso pero sabroso" —juzgó ella.

Sentí un intenso amor por esa niña con un hueco entre los dientes y ojos despiertos, quise hacer algo por ella, pensé en opciones de diversión, no se me ocurrió ninguna, me supe en falta ante la chica más brillante de mi estirpe y entonces dije:

—Vamos a Acapulco.

Desde niña había querido hospedarme en el hotel Las Brisas, que entonces era carísimo. Me cautivaba que estuviera en la cima de un risco y contara con *jeeps* de toldos blancos y rosas para que los huéspedes circularan por la ciudad. Las gemelas Riaño se habían hospedado ahí. Lo mejor de ellas fue que pasaron por mi vida sin interferir en lo único que me importaba: Aristóteles Ritsos. Y al recordar a esas figuras anodinas, ocurrió un poderoso momento de *hybris*. Durante décadas pensé en mi primer amor como un asunto pendiente. Yo, la gran especuladora, me interesaba en eso porque era lo que no había sucedido ni sucedería. En cambio, él podía borrarme de su mente como yo borraba a las gemelas Riaño. Si no estaba ante él, carecía de entidad. Esta fue la desmesura que al fin me atreví a ver. Lo mejor de Aris era su imposibilidad.

Entré a la página web de Las Brisas y supe que la violencia había vuelto más asequible ese lugar.

En mi anterior visita, me había alarmado la devastación urbana. Ahora las cabezas de los decapitados eran arrojadas como un desafío frente al palacio municipal. Me pregunté si sería seguro llevar a Melusina a un sitio donde los cadáveres se bronceaban en la playa, pero Las Brisas me pareció el sitio perfecto, un enclave autocontenido, del que no tendríamos que salir.

Y así fue como una mañana, mientras mi adorada nieta participaba en un taller de cerámica, entré al restaurante que dominaba la bahía y el mar azul cobalto y vi que la cara de Aristóteles entraba al salón, pero no su cuerpo.

La sorpresa de enfrentar el atractivo, ya artificial, de sus facciones demoró la percepción de algo más importante: mi ex novio estaba en silla de ruedas. Lo acompañaba un enfermero corpulento, con el cráneo rapado.

Al entrar al salón no causó el revuelo que causaba cuando era dueño del horario triple A, pero algunas personas aún lo reconocían. Lo saludaron con el distanciado respeto que se concede a un paralítico famoso.

El enfermero lo llevó a una mesa y fue al bufé por comida (parecía conocer de memoria los gustos de su patrón porque no le hizo pregunta alguna). Aris desayunó solo, atendido por ese mesero particular. Al terminar, se quedó viendo la bahía. Curiosamente, aún usaba sus extemporáneos sacos con escudo. Me acerqué a él.

Esta vez no hizo el menor intento de reconocerme. Me vio como si yo fuera un trámite más que una persona, alguien del hotel que venía a preguntar si todo estaba en orden.

—Soy María —dije— de Acapulco —agregué, como quien dice "Aristarco de Samos" o "Zenón de Elea".

—Ah —tendió un índice tembloroso hacia mí.

Siempre he odiado que los ancianos se vean quince años más jóvenes que las ancianas de su generación. En este caso la regla se invertía.

Aristóteles Ritsos era un guiñapo.

—María-María, ¡qué gusto! Eres psicoanalista, ¿verdad? Siéntate un momento, por favor —mostró una sonrisa porcelanizada—, me han hablado de tus éxitos. Vives en París, ¿no? Disertas aquí y allá, bueno, siempre disertaste. ¡La gran disertadora!

El enfermero cruzó conmigo una mirada de complicidad. Su paciente no las tenía todas consigo.

—¡Cuéntame de tu vida inmaterial! Yo sólo tengo recuerdos materiales; algunos tuyos, si me permites la confesión. ¡Hasta en el golfito tenías ideas! Te tardabas diez minutos en pegarle a la pelota en la suerte del caracol. No podías decidir tu estrategia, dudabas mucho. Me hizo muy feliz que no dudaras conmigo; fuiste una delicia material —tomó mi mano, vi el dorso de la suya, salpicado de pecas.

—¿Quieres un café? —preguntó.

—Sí.

El enfermero se dirigió a la mesa del bufé. Aris continuó:

—Sigo en la televisión, pero ya no transmiten mis programas.

—¿Cómo es eso?

—Me graban todos los días, pero no sale en la tele. Hay que darle espacio a las nuevas generaciones. Mi cara ya no vende detergente. ¡Mira nomás qué jodido estoy! —apresó la tela del pantalón: sus piernas eran delgadísimas—. Los viejos vivimos de recuerdos y apapachos. Yo tengo muchos recuerdos, pero pocos apapachos. Estoy más solo que Adán el Día de las Madres. ¿Viniste a apapacharme? —sonrió con coquetería.

Hizo una pausa, tosió, tardó un poco en recuperarse, un hondo jadeo me hizo pensar en una enfermedad pulmonar. Enfisema, tal vez. Extraño que no llevara un tanque de oxígeno. Quizá no lo usaba en público por coquetería o quizá se encontraba en el mar para respirar mejor. Volvió a toser; luego de otro carraspeo me vio con ojos húmedos:

—Quería casarme contigo, pero eras demasiado inteligente para mí.

Supe que me amabas porque todo lo que hacíamos te preocupaba mucho, cuestionabas todo: la ropa que debías ponerte, lo que habías dicho, el sitio al que íbamos. Eras insoportable y eso demostraba que me querías. Estar conmigo te ponía nerviosa. Qué rico fue eso.

Aris parecía haber caído en un estado de suave demencia. La pérdida de control lo volvía genuino de un modo incómodo. Me preocupó verlo así, pero poco a poco descubrí que nunca lo había oído con tanto gusto. Se limpió con la servilleta un rastro de saliva blanca y amagó una tos. Siguió hablando:

—Me acobardaba ante tus ideas, pero sentí que el mundo era mío cuando te tomé la mano en la lancha con suelo de cristal. Vimos la virgen bajo el agua y supe que no había nada más milagroso que estar contigo. Tú te sentiste mal porque querías dejar de creer en Dios y fue como si yo te llevara a una iglesia. Tuviste una crisis de conciencia, parecida a las que luego tuviste en Pie de la Cuesta, cuando fuimos a ver la puesta de sol, en La Quebrada, en el frontón, en la laguna de Coyuca, en todas partes. Estar contigo era como nadar en mar abierto; en cualquier momento me podían revolcar las olas de tus pensamientos. ¡Cómo te quise! ¿Y quién era yo? Un muchacho que no sabía hablar con nadie. Me dio miedo no estar a tu altura. Yo era hermoso, supongo que lo recuerdas. Demasiado hermoso para ser tomado en serio. ¿Te casaste con un acróbata del pensamiento? ¡Seguro que sí! Yo sólo fui el hijo de un griego sin suerte que le puso nombres pretenciosos a sus hijos. ¿Pero sabes qué? Fui feliz.

—Qué bueno, Aris.

—Fui feliz contigo —formó una visera con sus dedos, como si buscara algo en el horizonte—: vengo aquí a ver el mar, en los descansos de las filmaciones. No sé si ya te dije que sigo en la televisión, pero a escondidas. Algún día sacarán todos mis programas. A veces me graban en la casa. Voy al baño y reviso si no hay cámaras. Las cámaras me siguen a todas partes. Quisiera que me siguieran en mi mente. Me gustaría hacer un programa con mis recuerdos más personales. Ahí estás tú, claro. ¿Te acuerdas cuando nos volvimos a ver?

Guardé silencio. No estaba muy segura de que él hubiera aquilatado nuestro último encuentro, después de un cuarto de siglo de no vernos.

—¿Te acuerdas del restaurante japonés?

—Sí.

—¿Y te acuerdas del beso en el puente?

—Sí.

—Vamos bien: ¿Te acuerdas del día siguiente?

Temí que me reprochara, tantos años después, no haber ido a la cita en La Quebrada. Ahora que estaba paralítico, vencido por alguna enfermedad respiratoria y medio loco me dio vergüenza haberlo dejado plantado.

—¿Qué pasó al día siguiente? —pregunté.

—Estuviste maravillosa. Nunca he gozado tanto. Un clavadista se lastimó y me abrazaste, como cuando apareció la víbora coralillo, pero esta vez no te solté en toda la noche. Recuerdo tu aliento, tus jadeos…

El enfermero, que había regresado con una taza de café para mí, tuvo el buen gusto de alejarse.

—No he olvidado el sabor de tu sexo, la forma en que mis dedos te tocaban por dentro. Fue una sola noche pero la disfruté para siempre. Al estar dentro de ti supe que ese momento me haría feliz, no sólo entonces, sino el resto de mi vida. Cada vez que me ha ido de la chingada, y no han sido pocas veces, he pensado en la forma en que me mordías aquí, en la muñeca, y en la respiración que salía de tu nariz, acariciándome la piel. Te amé con una locura animal, a ti, que eras la mujer de todas las ideas. Esa noche, El Revolcadero no fue una playa: fuimos nosotros. Fue tan bueno que al día siguiente me dijiste que no querías estropearlo con una repetición. Debíamos dejarlo así, como un tesoro único, para siempre. ¿Te acuerdas?

Aris me vio con los ojos castaños que tan fácilmente se llenaban de lágrimas.

Traté de contener las mías al decir:

—Sí, me acuerdo.

No sé si él se dio cuenta de que yo lloraba. Siguió viendo el mar, como si de ahí provinieran sus recuerdos.

—Fui muy feliz contigo —añadió.

En ese momento, Melusina entró al restaurante. Había hecho un panda de cerámica y quería mostrármelo. No supe cómo presentarle a Aris, pero ella se adelantó a decirle:

—¿Te gustan los pandas?

—Hace muchos años fui un oso panda y me enamoré de una señorita koala. Eso no era muy conveniente, pero fue estupendo.

Melusina se dirigió a la zona de los yogures en el bufé.

—Me dio gusto verte —besé a Aris en la mejilla y respiré un olor agrio. —Eres mi mejor recuerdo, princesa.

Nunca antes me había dicho "princesa". Toqué el escudo náutico en su saco. Quizá yo debía llamarlo "capitán", pero preferí decirle algo verdadero:

—Me hiciste muy feliz.

—¿Verdad? —sonrió con sus dientes falsos.

— El Revolcadero no fue una playa: fuimos nosotros.

FORWARD » KIOTO

A Graciela Iturbide

—Japón es un país sin mal rollo —dijo Naomi—: cuando la gente se harta, no te hace daño: prefiere suicidarse.

Recordé la frase en el jardín de arena. Naomi la dijo poco antes de que nos instaláramos en Kioto. Su promesa se había cumplido. Un país sin aristas, donde la lentitud era una elección mística y la norma una celeridad sin ruidos.

El Pabellón de Plata estaba en restauración; aun así era recorrido por escolares de uniforme. Lo mejor en ese momento era la lluvia, una lluvia delgada que no agotaba su fuerza y parecía capaz de caer durante semanas.

Necesitaba alejarme de los exámenes que debía corregir y de mi absurdo vicio de ver la lucha libre por televisión, pero sobre todo necesitaba un espacio alterno para pensar en la fotografía enviada por Rodríguez Chico. Dos años sin saber de él y de pronto aparecía en mi correo electrónico sin otro mensaje que una foto y un título: *Pescaditos*.

Me sorprendió que mi antiguo socio regresara de ese modo, a través de unos peces tirados en el suelo que parecían formar otro animal; sus siluetas encajaban como un *puzzle:* cada pescado podía ser una escama de una criatura gigante, un pez con demasiados ojos.

Fui al refrigerador. Saqué una cerveza. Me hizo bien ponérmela en la frente. Pensé que, a fin de cuentas, el correo electrónico es una marea donde se cuela cualquier cosa (cuando me di de alta, una veloz respuesta automática me ofreció mujeres rusas). El océano virtual es así. Nada más lógico que Rodríguez Chico enviara pescaditos.

En la tarde decidí entrar al Pabellón de Plata. La casualidad me había llevado a esa orilla de Kioto. Me gusta ver la arena bajo la lluvia. El promontorio que representa al Monte Fuji resistía el agua, como si estuviera hecho de una sustancia más firme. Me protegí bajo el tejado del templo. A lo lejos, los árboles se sumían en los vapores que suelen traer las lloviznas de primavera. Un jardinero barría el agua hacia un desagüe de bambú. Un olor agrio, a suave podredumbre, subía del suelo.

Las figuras de arena no parecían amenazadas sino *alejadas* por la lluvia. Como el resto de los visitantes, me había quitado los zapatos. Una gota escurrió del techo y dio en mi pie. Vi la mancha helada en el calcetín. La expresión no es incorrecta: sólo al verla sentí frío. Hay cosas que entendemos por los ojos.

Ante el paisaje que parecía encapsulado en sí mismo, entregado a otro tiempo, la foto enviada por Rodríguez Chico volvió a intrigarme. ¿Por qué mandaba peces muertos? Viniendo de él podía significar algo confuso. ¿Es la confusión un significado?, me pregunté, ante las nítidas formas del jardín. Para Rodríguez Chico, sí. "Hay gente que no sabe quién es", así lo había descrito Naomi. Tal vez por eso se convirtió en su mejor amigo en México. Mi antiguo socio se adaptaba con facilidad a las circunstancias y reaccionaba de la mejor manera a los impulsos de los otros. Para él, sólo los demás tenían caprichos. Nunca imponía sus gustos; seguía los arrebatos ajenos y los mejoraba con su apoyo. Tenía suficiente personalidad para dar lata y criticar a todo mundo, pero acababa ajustándose a cualquier plan. Lo que en principio parecía un defecto terminaba siendo su mayor virtud. Un vacío profundo lo llevaba a interesarse en los demás. No sabía quién era. Un camaleón.

Bajo la lluvia, guarecido en el templo, recordé la foto: muchos peces pequeños o un sólo pez con mil ojos, la mascota de un paranoico. ¿Era ése el mensaje de Rodríguez Chico?¿Me echaba "mal de ojo"? Yo llevaba dos años sin pensar de esa manera, sin someter todo a la sospecha. La foto me regresaba al mundo que había dejado atrás, el de los gestos ambiguos, las suspicacias, las palabras dichas a medias, la desconfianza que comenzaba con la manera de mirar: "¿Te fijaste cómo nos vio?". ¿No era una reacción excesiva? Por supuesto que sí. Rodríguez Chico había calculado bien su golpe.

"Japón es un país con *password*, aquí todo tiene un código", había dicho Naomi: "serás feliz mientras no tengas el *password*".

No llegué a Kioto para decodificar misterios, sino para alejarme de mi tierra, saturada de signos, casi todos agraviantes, donde la ofensa comenzaba por la manera de mirar: "¿Qué me ves, güey?".

Arruiné la tarde en el jardín de arena recordando pleitos infames en los que yo había tenido razón sin que eso fuera positivo. Mi justa rabia me llevó al ridículo. Una noche, Naomi me sacó de la Octava Delegación. Estaba detenido por golpear a un taxista que no aceptó la ruta que yo le indicaba. Me iba a asaltar o secuestrar, y lo golpeé antes de que eso sucediera. Mi indignación sólo sirvió para que me arrestaran.

—Nos vamos a Japón —dijo Naomi después de pagar una multa o una mordida.

Yo no sabía que le habían ofrecido un trabajo en Kioto (editaría la versión local de una revista de fotografía con sede principal en Zürich). Pensé que actuaba por impulsividad y me pareció una espléndida mujer *ninja*. Vi con gusto mis nudillos rotos: merecía su castigo. Esta fantasía terminó cuando llegamos al coche y dijo que me adoraba pero no podía convivir con un animal. Japón me domaría, al menos mientras yo no tuviese el *password*.

Las siguientes fotos enviadas por Rodríguez Chico establecieron una lógica. Habían sido tomadas por la misma fotógrafa y mostraban animales muertos: un cocodrilo encaramado en una escalera y unos conejos inertes. Las imágenes eran algo más que registros mortuorios. Tieso, absurdamente vertical, el cocodrilo debía estar disecado. Me recordó un juego infantil: Serpientes y escaleras. Sin embargo, en este caso, la escalera no tenía destino alguno; era demasiado corta para subir a otro nivel; llevaba del suelo a la mitad de la pared. Una ascensión sin meta. Dos veces la muerte: la vida detenida del cocodrilo, la ausencia de un más allá.

Las fotos llegaron a mi pantalla con la fuerza de una alegoría o, para situarme en mi entorno, de un ideograma. Lo real era ahí algo más: una idea, un acertijo.

Los conejos estaban sobre un plato resplandeciente, no sugerían un guiso, sino una ofrenda. *Conejos en la luna*, decía el título, recordando la silueta que se ve desde la Tierra. Una huella lunar en la mesa de una casa. El plato relucía como un aura. Era un desconcertante plato común. Naomi y yo teníamos varios como ése. Su inofensiva superficie adquiría un sentido sacrificial.

Para la cena, escogí platos con estampas de flores que no me gustaban nada.

—¿Y eso? —preguntó Naomi.

No quise decirle que había empezado a ver fotografías, a verme en ellas.

"Ojos de rencilla", "ojos de pistola", a Naomi le gustaba repetir las expresiones aprendidas en el DF, donde ningún ultraje se reparte mejor que la mirada. ¿Quién ofende primero en ese laberinto de repudios?

—Aquí sólo los ciegos son buena onda —dije en mala hora.

Naomi fue atendida por un invidente que le dio un billete falso. De nada sirvió que yo argumentara que, si tenía el billete, era porque lo había engañado alguien que podía ver.

Ella me explicó con resignada furia:

—¡Los billetes se reconocen por el tacto! ¡Tú estás ciego, pero de neurosis! ¡No te enteras de nada! —el diagnóstico llegó cuando la relación estaba consolidada y ya me había familiarizado con la parte española de su carácter.

Naomi nació en Madrid, de madre japonesa. Su padre es un orientalista afecto a Tanizaki. Creció en un ambiente de viajes, Liceo Francés, frases dichas en tres idiomas mientras sonaba un disco de Camarón de la Isla y su madre hervía fideos en un perol que sobrevivió a la guerra en Okinawa.

Después de estudiar Historia del Arte, Naomi se interesó en otras mezclas: Paul Strand, Edward Weston, Sergei Eisenstein, Luis Buñuel fueron sus primeros guías al país donde la luz saca estéticas heridas. Cuando la conocí, ya era experta en Gabriel Figueroa, Manuel Álvarez Bravo y Graciela Iturbide.

Nos encontramos por primera vez en una exposición de fotoperiodismo. Las paredes documentaban desgracias nacionales y fue un alivio ver su pelo negro, de una suavidad casi líquida, y sus manos frágiles, indiferentes a una grapa que se le encajó y la hizo sangrar (Naomi sostenía el folleto que daban en la entrada y se pinchó en forma molesta sin hacer el menor aspaviento; las gotas de sangre produjeron gran estrépito alrededor suyo, pero ella no dejó de sonreír de un modo avasallante). Lo mejor, por supuesto, eran sus ojos, ni redondos ni alargados.

Rodríguez Chico me la presentó, con una sorpresa adicional: Naomi era la nueva diseñadora de *Ojo por Hoja*, la revista donde yo trabajaba como editor de fotografía. Él me había conseguido el cargo a través de uno de sus muchos amigos, un contacto en las alturas de un consorcio de doscientos treinta y seis sellos editoriales. Rodríguez Chico era impecable en su insistencia. Molestó en forma agradable a su conocido hasta que me dieron el empleo. El corporativo tenía un edificio en Santa Fe donde cada revista disponía de diez metros cuadrados ("como un departamento japonés", comentó Naomi cuando nos conocimos, feliz de su inminente encierro).

Una semana bastó para saber que estaba sobrecalificada para el puesto. Conocía mejor que yo la historia de la fotografía y hablaba con delicada sencillez cuando se ponía teórica, absteniéndose de citar a Roland Barthes, por si yo no lo había leído. Naomi se convirtió en el engranaje silencioso en torno al cual girábamos. Estaba tan deslumbrado con ella que no me di cuenta de que los demás le pedían cosas que antes me pedían a mí.

Una tarde coincidimos en la terraza del edificio, en un falso café italiano que ofrecía falsos *muffins* de Boston. Un sitio en el que desentonabas si no tenías abierta una *laptop*. Los ejecutivos hacían lo que siempre hacen: lucir solos y ocupados. Se lo comenté a Naomi y ella dijo, en forma enigmática:

—El mundo se divide en los que quieren mirar y los que quieren que los miren. Tú eres de los que miran. Está bien para un editor de fotografía, pero también te tienes que mostrar: no dices nada cuando estamos reunidos.

En tres juntas de trabajo yo había guardado un mutismo hermético. La cúpula empresarial vivía insatisfecha con *Ojo por Hoja*. El público (esa abstracción que por desgracia existe) no se interesaba en una revista de fotografía.

—Al final del día, lo que cuenta es ser *trendy* —dijo el jefe, el pelo untado de *mousse* y el alma de anglicismos.

No me rebajé a argumentar. El mundo de la fotografía

se ha vuelto un bazar de simulacros, marcas, modas, prestigios enlatados, trucos de pixel, engaños de Photoshop, banalidades para un show. Naomi estaba de acuerdo, pero pensaba que yo debía convencer a los demás, hacerme ver ante ellos. Me negué. Mi fuerza era la firmeza granítica: —En México, el que trata de convencer se debilita —dije.

—¡No seas paranoico! —exclamó Naomi.

—No soy yo: ¡es el país!

Al día siguiente la casualidad llegó en mi auxilio. Naomi, otra compañera de trabajo y yo salimos a comprar cigarros. En ese desolado enclave corporativo, ajeno a los pequeños comercios, tuvimos que usar el gps para localizar un Sanborns. Ahí, la otra chica detectó la mala vibra del vendedor:

—Se nos quedó viendo —protestó.

Ahí estaba mi prueba de descargo: vivíamos en un país donde "quedarse viendo" es un agravio. El jefe se me quedaba viendo.

—¿Qué pasó en la tienda? —preguntó Naomi al regresar a la oficina.

Le expliqué: el vendedor la vio a ella con lujuria y a mí con desprecio. No se fijó para nada en la otra chica (ella se incluyó en el acoso visual por vanidosa).

—¡Qué barrocos sois! —Naomi sonrió para mitigar el reproche.

—Se hace lo que se puede —respondí.

En los manuales que había consultado para hacerle conversación, aprendí que Occidente se mueve por la culpa y Oriente por la vergüenza. Ninguno de estos sistemas preventivos había dejado gran huella en Naomi. Su aspecto quebradizo no le impedía ejercer una franqueza insólita. Una tarde tomó una goma de borrar, la acarició despacio con sus dedos alargados y dijo:

—Crees que todos te ven a traición; no desvías la mirada por cortesía, sino para no tener que matar al que te la sostenga.

En sus manos, la goma parecía un objeto ceremonial. Hasta ese momento, ella me gustaba mucho. A partir de entonces quise que borrara en mí lo que le viniera en gana. Luego, en otro manual, leí acerca del temple del samurái y consideré que debía ser más enfático.

Naomi me trataba con la paciencia con que se tolera una calamidad menor, al menos así me lo parecía. Sólo aceptó salir conmigo cuando le dije que conocía una bodega en Tepito donde vendían té verde de la región de Uji (Rodríguez Chico me había pasado el dato).

Naomi se fascinó con ese lugar tan bien abastecido por el contrabando. Al salir, la invité a una ceremonia del té en mi casa. Para mi sorpresa, no mostró la resignación de quien cede por compromiso. La visita al barrio de Tepito la tenía entusiasmada. Le encantó ese vertedero de la economía global; incluso encontró ahí un Godzilla que no había visto en sus viajes a Japón.

Mi cocina le pareció otro triunfo del sincretismo. He demorado en decir algo esencial. Durante veinte años fui laboratorista. Las cosas de mi antiguo cuarto oscuro estaban en la cocina. Naomi vio la bandeja de la que antes emergían imágenes.

—Es perfecta para servir lasaña —expliqué.

Ella no dijo nada, pero se retorció las manos. Yo no sabía lo que esto significaba en su código expresivo. Lo supe cuando bebimos té, me vio de frente y volvió a maltratar sus manos:

—Ahora entiendo lo de la mirada: estás cabreadísimo; la foto digital jodió tu vida.

En verdad era intuitiva: odio el torrente de imágenes que puede atrapar cualquier cretino. El arte del revelado, al que me dediqué con una pasión que no he vuelto a encontrar, o que sólo encontré en Naomi, se volvió exiguo y casi obsoleto.

Como tantos extranjeros, ella se puso antropológica. Habló de los chiapanecos que temen que la fotografía les robe el alma.

—A ti la técnica te robó la revelación de las almas —agregó.

Yo no quería que me tuviera lástima. Es la situación más baja para un samurái. Dije que me había adaptado a ser editor gráfico: escoger fotos es una manera tímida de revelarlas. No estaba resentido, sino irritado (la furia es samurái).

—Me gustó tu casa —dijo al despedirse—, es como tu pelo.

Tengo un pelo improvisado, que parece recibir dos corrientes de aire opuestas. Si le gustaba mi pelo, el mundo tenía sentido.

Me quedé un rato en la sala, con los ojos cerrados, dibujando mentalmente la sonrisa de Naomi. Esa sonrisa codiciable, capaz de guiarme hacia cualquier propósito, no desapareció cuando sonó el teléfono, pero la voz de Rodríguez Chico le dio otro sentido. Hablaba para ver cómo nos había ido en Tepito. Hablé del entusiasmo de Naomi.

—Sí, está muy contenta. Lo de Graciela Iturbide la tiene feliz.

¿De qué hablaba? Las redes y los contactos de Rodríguez Chico eran superiores a los míos. Fuimos socios durante veinte años, cuando la fotografía analógica necesitaba laboratoristas. Él sufrió con menos ira que yo el agravio digital y se resignó a trabajar con computadoras; aprendió a hacer Photoshop, esa rama del maquillaje. A juzgar por su departamento y el coche que cambiaba cada dos años, le iba bien en trabajos que yo no quería conocer a fondo.

Él entendía mi malestar y en algunas madrugadas de borrachera comparaba nuestro antiguo oficio con el de los fabricantes de cuerdas en Yucatán. Los barcos del mundo se habían atado con resistentes lazos de henequén hasta que se inventó el nylon. Como esos artesanos que manipulaban el "oro verde", habíamos sido reemplazados.

Es posible que yo necesitara sentirme especialmente mal con un invento. La neurosis tiene sus preferencias. Lo cierto es que las cámaras digitales significaban para mí un infierno de la reproducción. Nadie escoge su disparo; no hay desperdicio posible; todo puede ser borrado. La fotografía analógica tiene que ver con la elección, el uso especial de un momento; la fotografía digital es un continuo indiscriminado donde la imagen decisiva no depende de la voluntad sino del azar. Ignoro qué tan demoniaco es esto. En todo caso yo necesitaba un demonio y lo encontré ahí. Me habían robado el olor de los materiales, el foco rojo en la penumbra, el placer de lo que aparece lentamente. Todo eso aún era posible, pero a una escala muy reducida.

—Deberías quejarte de no ser mejor laboratorista; todavía quedan algunos, pero a ti no te buscan —me dijo mi antiguo socio, sólo por joder. Él sabía mejor que nadie lo despiadada y desigual que es la competencia.

No sé hasta qué punto lo vi como un traidor. Mis juicios, ciertamente, eran dogmáticos. Él me llamó "integrista", y cuando la guerra de Afganistán se puso de moda, cambió la ofensa a "talibán". El hecho de que estuviera al pendiente de mí, siempre dispuesto a conseguirme trabajo o prestarme dinero, me hacía suponer que la culpa lo trabajaba en silencio y que también él añoraba la auspiciosa oscuridad en la que habíamos sido laboratoristas.

Rodríguez Chico tenía mejores vínculos que yo con el corporativo que aglutinaba doscientas treinta y seis publicaciones. Le pedí que me explicara "lo de Graciela Iturbide". En el aire de mi sala flotaba un inquietante perfume. Mi antiguo socio me contó la causa verdadera de la felicidad de Naomi: le habían encargado un número especial sobre Graciela Iturbide.

Yo compartía su admiración por la fotógrafa y tenía en el pasillo del departamento un póster de la mujer de Juchitán con iguanas en la cabeza. Lo raro de la noticia fue que me excluyera. Trabajábamos en la misma publicación. Ese proyecto debía ser para los dos.

Rodríguez Chico guardó silencio. Había hablado con la imprudencia de los inocentes, seguro de que yo estaba al tanto. Por si quedara duda de su confusión, preguntó:

—¿No sabías? —y se despidió como pudo.

Vi la sonrisa de Naomi, ajena a lo que habíamos compartido ese día, alumbrada por una luz secreta, el encargo que justificaba su estancia en México.

Naomi me había sugerido que defendiera mis puntos de vista: "Tienes que mostrarte". No lo hice y cuando llegó el número especial, la eligieron a ella para editarlo. Pensé en las heroínas de Tanizaki, que ejercen una refinada y corrosiva seducción. El título de una de sus novelas me pareció una puñalada: *Naomi*.

Ella no era así, al menos no en forma evidente, pero mi actitud la ponía en situación de hacerme daño. Pudo rechazar el número especial y no lo hizo. Al día siguiente dejó una garza de papel sobre mi escritorio y una tarjeta donde había escrito con letra de diseñadora: "Quiero hablar contigo". Arrugué la garza y la tarjeta, y prolongué mi fama de persona irritable renunciando al trabajo.

Ni Naomi, ni la edición gráfica, ni el país eran para mí. Me consolé con el *Elogio de la sombra* de Tanizaki. Había pasado veinte años en un cuarto oscuro, suficiente tiempo para conocer esos favores.

En el "asunto" de sus *e-mails*, Rodríguez Chico se limitaba a poner "Fwd: Kioto", abreviatura de "*Forward*: Kioto". En unos años habíamos pasado a servirnos de signos inauditos; la posibilidad de decirlo todo de manera inmediata producía un peculiar cortocircuito: eran tantas las cosas que podían transmitirse en la red que el emisario buscaba condensarlas con un galimatías, un hermético ideograma de la ultramodernidad. *Forward*: la extensión de un comunicado original. ¿Por qué no se dirigía a mí en forma directa? ¿Y por qué el resto del correo no contenía palabras?

La siguiente imagen fue una mano cubierta de musgo. Pertenecía a una estatua, pero tenía una molesta realidad. Había sido tomada en cercanía y la vegetación comenzaba a cubrirla, lastimándola de un modo que no era definitivo pero sí bastante triste. La mano parecía amputada, abandonada en un bosque o un jardín. Su sepulcro era el musgo.

Rodríguez Chico desenterraba cadáveres y los revivía en mi computadora. Recordé el momento en que todo pudo irse a la mierda. Excluido del número especial, dejé la revista, bebí sin contención, volví a putear contra la tecnología en los bares de La Condesa y hundí en un *bloody mary* el celular de un imbécil que quiso llevarme la contraria.

Mi antiguo socio se preocupó por mí y me pidió que lo invitara a cenar un "guiso de rencor" (así le llamaba a la lasaña que yo servía en mi antigua bandeja de revelado). No quise hacerlo. No me pareció un verdadero amigo. Por algo nadie le decía Raúl. Lo llamábamos por su doble apellido, como si fuera un político o un gastroenterólogo costoso. El segundo apellido reducía al primero, que era común. Rodríguez Chico: lo normal disminuido. No iba a prepararle una lasaña.

Durante veinte años de sociedad laboral nos vimos poco fuera del laboratorio. Cuando el mundo dejó de necesitar nuestros remedios de plata sobre gelatina, nos separamos y curiosamente estuvimos a punto de volvernos más cercanos.

Nos encontramos en fiestas, pero esto no propició la mención de su nombre de pila.

"No sabe quién es", había dicho Naomi. Rodríguez Chico tenía una personalidad reactiva. Tal vez por eso había sido laboratorista y tal vez por eso no necesitaba el cuarto oscuro: cualquier persona le servía de negativo. Yo me había beneficiado con su conducta, tenía que admitirlo. Fue él quien compró la parte más cara del equipo e insistió en repartir a medias las ganancias. Fue él quien enfrentó a los ejecutivos de *National Geographic* que llegaron de Washington para saber quién había arruinado los negativos tomados desde un arriesgado parapente en el Cañón del Cobre (no mencionó mi nombre y resolvió el asunto sin abogados). Fue él quien donó sangre para mi sobrina cuando la atropellaron. Esa noche dolorosa no serví de nada. Tenía el mismo tipo sanguíneo que mi sobrina, pero no pasé la prueba. Había bebido demasiado y mi sangre contenía demasiada grasa porque llevaba años comiendo chicharrón de puerco. Me molestaba deberle tantos favores a Rodríguez Chico. ¡La vida es una ronda de miserias básicas! ¡Te aficionas al chicharrón de puerco y te conviertes en el infeliz que no puede ayudar a un ser querido! Por suerte y por desgracia, Rodríguez Chico siempre estuvo ahí.

Él me consiguió el trabajo en *Ojo por Hoja*. Aunque la calidad del papel era mejor que los salarios, yo estaba agradecido. Pero no quise invitarlo a compartir la lasaña del despecho. Él no se ofendió, o se ofendió de una manera rara que lo llevó a ayudarme de un modo misterioso y más intenso. Habló con Naomi y le dijo palabras que nunca conocí, palabras capaces de alejar la lástima y el recelo. Construyó algo bueno que necesitaba suceder, creó una imagen de mí que la intrigó, la conmovió, la convenció de que debía llamarme.

—Rodríguez Chico me dio tus señas —dijo con voz alegre, como si "mis señas" estuvieran junto a una piscina en el Caribe.

Aproveché para decirle que la portada del número dedicado a Graciela Iturbide había sido demasiado obvia. ¿Por qué escoger una foto tan conocida como *Mujer ángel*? La imagen era poderosa, sin duda alguna, de un magnetismo casi incomprensible. Una mujer seri avanzaba en el desierto, de prisa y con descuido (un mechón de su larga cabellera se había encajado en una roca); llevaba una inmensa grabadora en la mano derecha, rumbo a la nada. ¿Qué la impulsaba hacia ese horizonte de cactáceas? ¿Qué música deseaba oír en soledad con tanta urgencia? Eso no era una foto: era un icono; transmitía la intensidad de una revelación. El título se ajustaba al tema: *Mujer ángel*. ¿Tenía caso usar algo tan conocido en la portada?

—¡Qué poca imaginación, francamente! —así rematé mis argumentos.

—No sé adónde va la mujer ángel, pero sé adónde quiero ir yo —dijo Naomi—: invítame a cenar.

Habían pasado dos meses desde mi renuncia. Fuimos a un restaurante italiano donde ella descubrió un vino gallego que se convirtió en lo único que tocó en dos horas.

Describió un panorama de caos en la oficina que me hizo mucho bien:

—Te echamos de menos —hizo una pausa antes de añadir—: acepté hacer el número especial, pero no quería tu trabajo —hablaba en un tono muy suave, más japonés que español.

Luego me confesó algo que la agobiaba: no la habían contratado por su talento, sino porque unos inversionistas de Fuji habían empezado a anunciarse en *Ojo por Hoja*. Necesitaban una traductora, una intermediaria, alguien como ella. La llevaron al restaurante Suntory para que conociera a los inversionistas:

—Como una pinche *geisha*, güey, o como la Malinche, cabrón —en su boca, los modismos mexicanos sonaban tan exóticos como la explicación que trataba de darme—.

¿Recibiste mi *tsuru*? —preguntó.

Para mí, un *tsuru* era un coche japonés. Para ella debía ser otra cosa, porque sonrió de un modo fascinante, como si el mundo fuera un ideograma mal dibujado. Nadie entendía nada. Vivíamos en una confusión que quizá era estupenda.

—Perdón, estoy nerviosa: *tsuru* quiere decir "garza".

—La recibí y la tiré —contesté.

Estuve a punto de añadir: "Soy muy explosivo", pero quise facilitar nuestra relación:

—Soy un pendejo —confesé.

Ella volvió a la reunión en el Suntory. Un japonés y un mexicano se le insinuaron de modo repugnante.

Supo que no podría seguir en la revista. Hizo el número por la oportunidad de conocer a la fotógrafa.

—Vive en Heliotropo, ¿no te parece una dirección japonesa? —su voz cambió de tono, bebió otro trago de albariño, y siguió con entusiasmo—: Graciela Iturbide ha hecho miles de fotos pero sólo se le olvidó el momento en que hizo la más famosa de todas, o la segunda más famosa, después de la mujer con las iguanas.

Pasamos a una zona agradable, de repentina confianza, en la que me comí una parte de sus tallarines para que el mesero no llegara a preguntar si no nos había gustado la cena. Pedimos otra botella de albariño.

Ella hablaba como si participara en un congreso tenue, un congreso que ocurría en un sueño. Con frases afantasmadas dijo que toda foto documenta un tiempo que en verdad existió. El fotógrafo suele recordar lo que quedó fuera del encuadre y el momento en que disparó el obturador.

Iturbide olvidó un instante decisivo en su trayectoria. Descubrió a la mujer ángel cuando revisaba contactos con un colega y él le señaló esa visión excepcional. No sólo la cámara se roba el alma de la gente; también el fotógrafo se puede vaciar en una imagen y depositar ahí todo lo que lleva dentro, al grado de olvidar esa experiencia y despojarse de ella.

—Una vez Graciela Iturbide soñó que todos sus negativos se quemaban —continuó Naomi—: su casa ardía en llamas y quedaba reducida a cenizas; de ahí salían caminando la mujer de las iguanas y la mujer ángel, no como fotografías, sino como personas.

Hice una precipitada interpretación: la quema de los negativos como sacrificio, el acto propiciatorio para que las fotos vivieran por su cuenta. No sé si Naomi estuvo de acuerdo. Se limitó a decir la expresión española que se refiere a cualquier cosa:

—¡Qué fuerte!

Ella ya había dejado el trabajo en la revista, hacía *freelance* con varias publicaciones extranjeras, planeaba mudarse a otro país. Pensé en los dos hombres que la habían acosado en el Suntory y no me atreví a ser rechazado en el restaurante donde ella bebía su último trago de albariño. Guardamos silencio.

—Pasa un ángel —dije la consabida frase.

Los dos pensamos en la mujer en el desierto.

Al despedirnos, Naomi me dio una bolsita de té. Me besó con suavidad, en los labios.

Un samurái odia la lástima. Yo era un contrasamurái que se compadecía a sí mismo. Estaba en mi momento más bajo cuando Naomi regresó como la luna en una nueva fase (Japón ha influido en mis comparaciones). Nuestro siguiente encuentro fue definitivo. No arruiné la dicha de estar con ella: la quise como si fuera otro. Olvidé mis reclamos y mis insatisfacciones; acaso me parecía a lo que Rodríguez Chico le había dicho de mí.

Cuando recibió la oferta de trabajar en Japón, propuso que fuéramos juntos:

—Ahí no hay que dejar propina —precisó, como si eso representara un eje en mi vida.

Muchas veces me había visto vacilar al elegir un billete para un mozo o un camarero. Temía ser mezquino tanto como temía ser excesivo. Me irritaban las situaciones en las que no sabía cómo ser justo. Aunque se trataba de una neurosis sin mayores consecuencias, Naomi consideró que sería bueno perderla.

En Kioto, rodeado de templos y jardines, olvidé mis deseos de encajarle un cuchillo al prójimo. Conseguí un trabajo como maestro de español, profesión que me interesó al ver la dedicación de mis alumnos y su facilidad para adentrarse en el bolero. Después de noches de lluvia y karaoke, llegó la corta primavera de los cerezos. Mis alumnos se graduaron el 21 de marzo, ellas en kimono, ellos y yo de traje. ¿Qué me atraía de esa vida? Contemplé un río de piedras claras bajo la luna llena. Contemplé el vuelo de los cuervos. Contemplé las carpas en un estanque. Contemplé siete granos de arroz. Contemplé el mundo que ofrece claves a los japoneses.

No entendí nada.

Perfecto; viviría sin *password*.

Rodríguez Chico me envió tres fotos más: una camisa colgada de un árbol, una bolsa de suero que alimentaba una cactácea, una tortuga en una bañera. La primera imagen había sido tomada en la India, las otras en México. Se trataba de objetos cotidianos en contextos raros. Objetos desplazados. Incluso mi forma de nombrarlos se contagiaba del desplazamiento. Escribí "bañera", como lo hubiera dicho Naomi, en vez de "tina". ¿A eso habíamos ido a Kioto? ¿A cruzar idiomas?

Mis amigos mexicanos encabezaban sus *e-mails* con el título que sustituyó a *Madame Butterfly* para la extrañeza ante Japón: *Lost in Translation*.

Nunca me sentí tan tranquilo como ante lo incomprensible que, lentamente, adquiría la condición fija de un enigma. Eso había sentido al revelar. Japón era mi cuarto oscuro. Me sentía bien ahí. Nunca me integraría. Una tortuga en la bañera.

En la semana de los cerezos en flor fui al Camino del Filósofo. Buscaba el café que aparece en la novela *Naomi*. Había aprendido a apreciar las rondas de la naturaleza y me detuve ante el leve resplandor del follaje. Recorrí el camino de punta a punta, sin dar con el café. Luego busqué el sitio en el patio del mundo: Internet. Tampoco ahí tuve suerte.

A los pocos días, un traductor de Octavio Paz fue a verme a Kioto para despejar algunas dudas idiomáticas. Él me dijo dónde estaba el café de *Naomi*: justo frente al café donde yo iba a diario y donde nos habíamos citado.

La fantasía me llevó al Camino del Filósofo, sin saber que lo tenía enfrente de mi cafetería habitual. Jamás hubiera imaginado que estaba ahí. Qué trabajo cuesta entender la importancia de una meta cercana. Me despedí del traductor, con la gratitud de quien recibe una parábola.

En el trayecto de regreso, recordé un anhelo de Kafka: ser un chino que vuelve a casa. Esa esperanza sólo tenía sentido para alguien que no fuera chino. Un hogar lejos, lo cercano en la distancia. ¿Era ése el misterio de la fotografía? Así lo sentí al ver a Naomi en la sala, revisando imágenes. El cono de luz daba a sus manos, su cuello y una parte del rostro un tono ambarino. Respiré su piel en ese brillo.

—Soy un chino que vuelve a casa —dije.

Ella me vio como si yo fuera una imagen indescifrable y grata, contenta de recibir a un chino o un robot o un extraterrestre.

—Quiero que tengamos un hijo —propuse.

No había pensado en eso antes de volver a casa. Vi el gato de madera que colgaba del celular de Naomi, vi la felicidad sin explicaciones con que ella me miraba, y quise tener un hijo.

Desperté de madrugada. Escuché la respiración suave de Naomi, dormida con impecable rigidez. Pensé en Rodríguez Chico. Nunca sabría lo que le dijo a ella. No podía preguntarlo. Era absurdo buscar un motivo ajeno para nuestra relación. Tal vez se trataba de una simpleza, pero había sido una simpleza decisiva.

Fue ruin no darme cuenta de lo mucho que mi antiguo socio me ayudaba, sobre todo en un momento en que sufrió un nuevo golpe de la época: se prohibió fumar en las oficinas y él era una máquina de convertir humo en Photoshop. Su cuerpo se llenó de parches que le disparaban nicotina. Masticó unos chicles que daban vergüenza (me daban vergüenza *a mí*, que no quería ver su gesto de rumiante perturbado; él estaba demasiado tenso para pensar en cómo se veía). Aun en esas condiciones se preocupó por mí, hizo llamadas decisivas, me convenció de que necesitaba superar el mal trabajo de *Ojo por Hoja* y de que la revista *Fuentes Brotantes* no era tan mala como su nombre y necesitaba un editor gráfico genial.

Los fotógrafos que me interesan dejan que pase el tiempo entre una toma y otra. No buscan una serie. Una secuencia es para ellos un viaje encadenado por algo que no está ahí. Entre cada episodio transcurre el tiempo justo. Fue lo que pasó con el accidente de Rodríguez Chico. Ocurrió tres días después de que Naomi se despidiera con una bolsita de té. Los dos pensábamos en la manera de volver a vernos, sin dar un paso. Necesitábamos algo, el tiempo justo para que eso fuera una secuencia. En la madrugada del tercer día Naomi habló para decirme:

—¿Ya supiste?

Oí su llanto y tardó en explicar qué sucedía: Rodríguez Chico estaba en el hospital, con quemaduras de tercer grado.

Mi antiguo socio solía abandonar su oficina para fumar un cigarro de emergencia en uno de esos espacios típicos de la arquitectura mexicana: un traspatio o una zotehuela. En ese sitio había un calentador con una fuga de gas. Rodríguez Chico estaba tan desesperado por fumar que no sintió el olor. Se enteró del peligro cuando una llamarada le cubrió el cuerpo.

Fui a verlo al día siguiente. Lo encontré envuelto en vendas atroces.

—Parezco un personaje de *Blade Runner* —bromeó por un hueco donde no se le veía la boca.

¿Qué descubrirían las vendas al ser retiradas? ¿Veríamos al Hombre Elefante? Pensé en lo mucho que él había hecho por mí mientras fumaba como un kamikaze. Lloré de un modo raro, en silencio y sin secarme las lágrimas.

—¿Tan jodido estoy? —preguntó de buen humor.

—El jodido soy yo —le dije—: perdóname.

—¿De qué?

—De lo que sea.

—Te perdono por descomponer el calentador para que estallara —contestó.

Me sentí mejor. En ese momento Naomi entró al cuarto.

Como no podía abrazar a Rodríguez Chico, me abrazó a mí con excesivo afecto. Luego tomamos un té en la cafetería del hospital.

—Eres el único mexicano al que he visto llorar con valentía; en las cantinas lloráis por arrepentimiento —me dijo.

Yo había llorado por un arrepentimiento sin causa, un arrepentimiento genérico, un arrepentimiento de la especie, pero no lo dije. Hablé maravillas de Rodríguez Chico, de las hermosas fotos que había revelado en otros tiempos, de la forma en que se había adaptado a la nueva realidad para que otros pudiéramos quejarnos de todo.

Cuando desvié la vista, Naomi lloraba.

—Perdón —murmuró.

—Te perdono por haber descompuesto el calentador para que estallara —le dije.

La frase le pareció ingeniosa y me tomó la mano.

—¿Qué podemos hacer por él? —preguntó.

—Quererlo —respondí, dándole un clínex.

Besé sus mejillas húmedas y las seguí besando cuando se secaron.

Esa noche, en su departamento, no supe si Naomi gozaba o sufría en la cama, o las dos cosas a la vez. ¿Recordaba algo terrible o sentía un placer demasiado fuerte para ser comunicado por otra vía que un gesto indescifrable, ni agonía ni éxtasis? No quise arruinar esas sensaciones con una aclaración. En el desorden de los sentidos, el accidente de Rodríguez Chico me pareció un sacrificio, la inmolación para que pudiéramos estar juntos.

Mi antiguo socio no se convirtió en el Hombre Elefante. Las quemaduras le dejaron el aspecto de una cirugía estética algo aventurera, pero que no implicaba deformidades.

—Voy a dejar de fumar —prometió, pero no lo hizo (quemó la alfombra en nuestra fiesta de despedida).

No le escribí. Japón me atrapó demasiado para pensar en las escenas que ocurrían lejos, en el planeta que extrañamente era "mío".

Tampoco Rodríguez Chico cumplió con la promesa que pronunció entre la tos que lo acompañaba a todas partes: "Te mandaré un *mail*". Dos años después, su primer mensaje fueron los *Pescaditos* de Graciela Iturbide. Los siguientes envíos parecían proponer un tarot, un juego de adivinaciones. No le contesté ni le dije nada a Naomi. Aunque ella conocía mejor las fotos, ahora eran mi secreto.

La siguiente imagen fue definitiva. El marco y el aura de la Virgen de Guadalupe, pero sin la virgen. Los rayos de luz, la fe que irradia, estaban hechos con hojas de maguey. A los lados se veían otras plantas puntiagudas. Japón era un territorio sin púas ni filos evidentes. ¿Cuántas veces había sentido ese sol que no quemaba, tan diferente al ardor del cielo mexicano? "Espinas de la luz", pensé al ver la fotografía. El marco de la virgen parecía un sistema de defensa, como los pinchos de un puercoespín. Un altar sin deidad. Un retablo afilado: mi país.

Durante varios días sólo pensé en esa imagen y en cuál sería la próxima.

Naomi detesta las sopas instantáneas que a mí me encantan. Me sorprendió que preparara eso de comer.

—¿Te pasa algo? —le pregunté.

—Necesito aire —dijo, ante su sopa intacta.

Salimos a caminar y al cabo de unos metros detuvo un taxi. El taxista tenía un hoyo en uno de sus guantes blancos, algo insólito en Japón. Me pareció una señal, pero no supe de qué.

Fuimos a una colina. Naomi quería ver la ciudad. A la distancia, Kioto parecía más grande de lo que en verdad es. Pasamos por un barrio donde las casas japonesas se mezclaban con construcciones de concreto y llegamos a un descampado. Ahí descendimos. Un poco más adelante, encontramos una senda entre unos bambúes. Decidimos averiguar adónde conducía.

Pensé que llegaríamos a un claro pero desembocamos en un cementerio de lavadoras automáticas. La hierba crecía entre los aparatos abandonados. Al fondo se veía una fábrica o una bodega. Un gato salió de la puerta circular de una lavadora. Íbamos a regresar cuando tres perros llegaron por el sendero. Al vernos, mostraron los colmillos. Naomi se estrechó contra mí.

—No pasa nada —le dije, viendo que otros seis o siete perros se acercaban a nosotros.

Tenían ojos brillantes, agresivos, como si fueran los dueños o los dioses de las lavadoras abandonadas y hubiésemos profanado su santuario. Eran perros sin raza, amarillos. Perros mexicanos.

Recordé la única foto de Graciela Iturbide que teníamos enmarcada: perros callejeros en un montículo. Había sido tomada en la India, pero me hacía pensar en México. Lugares pobres. Lugares de perros locos. ¿Qué hacían estos en Japón? Ladraban, cada vez más cerca de nosotros. En forma maquinal, saqué mi celular y puse el sonido de respuesta: las campanadas de la catedral de la Ciudad de México.

—Vamos —le dije a Naomi.

Avanzamos entre los perros, acompañados por las campanadas. Sentí una extraña seguridad al pasar entre ellos, una seguridad animal.

Volvimos a la carretera. Comenzaba a oscurecer y las luces se encendían a la distancia.

—¿De dónde salieron los perros? —preguntó Naomi.

—Supongo que no de las lavadoras —contesté.

—Es increíble que nunca tengas miedo.

No perjudiqué esta maravilla con una aclaración.

—Te quiero —agregó Naomi.

Seguimos caminando hasta avistar, en una colina bastante próxima, el sitio donde se enciende el fuego por los muertos. En ese momento no había más que hojarasca. Un campo calcinado.

—¿Ya supiste? —Naomi usó la pregunta que me he acostumbrado a no contestar.

Siguió hablando. Necesitaba aire porque se había enterado de algo horrible. Rodríguez Chico había muerto. Cuando nos despedimos de él tenía un enfisema galopante. Poco después le detectaron cáncer de pulmón. Había pasado por varias cirugías, quimioterapia, sufrimientos atroces.

—¿Cuándo murió? —le pregunté.

—Hace seis meses. ¿No te parece horrible haber tardado tanto en saberlo?

Una amiga común le había mandado un mail con la noticia ese mediodía.

Sentí un vacío incómodo. Si mi antiguo socio estaba muerto, ¿quién hacía los envíos desde su cuenta de correo electrónico? Todas las imágenes eran de Graciela Iturbide. ¿Significaban una especie de testamento, el último desvío de mi amigo, su *forward* para mí?

Las fotos trazaban una secuencia. Comenzaron con los peces muertos (una captura) y recorrieron el siguiente orden: el sacrificio, el falso sepulcro de la estatua, los objetos desplazados ("exiliados", entendí ahora), la virgen ausente, su altar vacío.

Recordé algo que me dijo Rodríguez Chico. Pasamos la última noche del milenio en una casa que él consiguió en San Juan del Río. Salimos de madrugada a caminar por la tierra árida, bajo un cielo que parecía a punto de venirse abajo por el peso de las estrellas. Él habló de las luces que llegaban de muy lejos: "Son soles muertos". Veíamos emisiones que vivían por sí mismas, desprendidas de su origen. Tal vez por estar conmigo, hizo una asociación fácil: "Son fotografías".

—¿En qué piensas? —me preguntó Naomi en la colina.

—En nada —contesté.

—Una nada muy gorda —comentó.

Vi las luces de Kioto. Estaba ahí por Rodríguez Chico.

—Lo quise mucho —le dije, y la frase se volvió cierta.

Mientras me abrazaba, Naomi añadió algo que se había reservado: las pruebas eran concluyentes; estaba embarazada. La noticia llegaba en mal momento, pero debíamos alegrarnos. Le dije esto mientras besaba sus mejillas húmedas.

—¡Pinches perros! —sonrió ella.

Al día siguiente, en la sección japonesa del *Herald Tribune*, leí que un poeta había muerto a la edad en que aquí mueren los poetas: ciento tres años. Estaba medio loco y vivía con trece perros. Después de su muerte, la jauría irrumpió en las colinas de la ciudad, hambrienta, furiosa, enloquecida. Atraparon a los perros con un complejo operativo. Ningún animal salió lastimado, pero uno se escapó.

—El alma del poeta —dijo Naomi, mientras le leía la noticia.

El reportero comentaba que los perros tenían un aspecto "indescriptible".

El último envío constó de cinco fotografías: cielos llenos de pájaros. Han pasado seis meses desde entonces. Es un alivio que ésa sea la postdata de mi amigo. Una sensación de levedad y resurrección. Un cielo habitado por los pájaros.

¿Habrá algún envío pendiente? ¿La persona que usa el correo de Rodríguez Chico aguarda una respuesta? Decidí escribir este relato para contestarle.

Hoy en la tarde fui a otro jardín de arena, el Ryoanji. Quince piedras forman un paisaje que puede representar montañas sobresaliendo entre las nubes, animales cruzando un río o islas a la deriva. Al caminar de un lado a otro es fácil saber que contiene quince piedras, pero no hay un solo punto que permita ver las quince al mismo tiempo. Todo está ante los ojos, pero el paisaje de conjunto es invisible. Pensé en las fotografías: piedras de un jardín de arena, fragmentos de lo que sólo se entiende en partes.

El Ryoanji no tiene color; una superficie neutra decorada con sombras. Cuidarlo es una oración; interpretarlo, una transgresión. Nunca me adaptaré del todo a Kioto. En un sitio que disuelve las palabras, pensé en palabras. No me interesó lo que el jardín decía de sí mismo, sino de los envíos de Rodríguez Chico.

El vientre de Naomi forma una curva algo puntiaguda. He colocado un péndulo frente al ombligo y se ha movido siempre del mismo modo: tendremos un hijo varón.

Se llamará Raúl, nombre impronunciable en Japón, pero revelador para nosotros. El nombre que nunca le dijimos al amigo.

Nuestro hijo crece, en su cuarto oscuro.

CONFIANZA

Nunca antes me había cautivado un pie, al menos no de ese modo. Me senté en el asiento del avión, bajé la vista y sentí, de manera intensa e inconfundible, que los dedos bajo la trabilla de una sandalia reclamaban mi atención. Un pie leve, delicado. Mi excitación me sorprendió por varias razones: eran las seis de la mañana y la realidad se deslizaba ante mí como una deficiente película mexicana; estaba en el estrecho asiento de un avión (mido 1.94 y muy seguido me duele la espalda); no había visto la cara ni el resto del cuerpo de la mujer, y lo más importante y difícil de confesar: no me excito con facilidad.

Algo sucedió con ese pie. Me hizo sentir vivo de manera incómoda.

Saqué la carpeta que debía revisar y me refugié en sus gráficas.

—Eres Bobby, ¿verdad? —dijo la mujer de al lado.

No se refería a mí, sino al otro pasajero, que iba junto a la ventana.

—¿Marcela? —dijo él.

—Soy Marta. Nos vimos hace siglos. Tenías fibromialgia.

—¡Dieciocho puntos de dolor en el cuerpo! Fue mi época más versátil. En cambio a ti no te dolía nada. Eras una chulada. Bueno, sigues monísima. Ya te casaste, ¿no?

El entusiasmo con que conversaron me permitió espiar sin que ellos advirtieran mi curiosidad. Me encontraba junto a una chica agradable sin ser excepcional. Me dedico a la estadística: la media se encuentra entre posibilidades oponentes (Marta representaba esa aporía que es lo "normal"). Pero el pie cambiaba la ecuación; era el sobrante, el punto de inflexión, el extra que cargaba el cuerpo al lado de la sensualidad.

Me molestó estar tan caliente. Me molestó porque no soy así. Envidio a los amigos que hablan con belicoso apremio de las mujeres que codician. Es posible que sean tan pasivos como yo, pero poseen un envidiable ardor verbal.

Amo a Francisca, la mujer con la que me casé hace catorce años. Amo que esté conmigo (iba a escribir "que se conforme conmigo", pero esta no es una confesión patética sino complicada).

A pesar de su nombre, Francisca no se parece a las mujeres que hacen colectas para el Ejército de Salvación; su rostro no está marcado por un lunar grueso o la viruela de internado; sus pechos no son modestos. En el plano erótico, siempre estaré en falta con ella. Me atrae lo suficiente para buscarla un par de veces más de las que aconseja mi espontaneidad y ella me quiere lo suficiente para prescindir de algunas cópulas sin que eso la afecte, o sin que me lo haga saber, o sin que le moleste masturbarse esos días.

Me dirigía a Aguascalientes a visitar el Instituto Nacional de Estadística y Geografía. Un dato llegó a mi mente: 73% de los hombres de clase media que viven en centros urbanos dedica sus lapsos de distracción a imaginar mujeres desnudas. Los demás se dividen en subcategorías. Yo pertenezco al 3% de los varones heterosexuales que prefiere hacer listas de razas de perros.

La mujer se trenzó en una rápida conversación con el amigo al que llevaba años sin ver. Bobby era un maquillista amanerado, de lengua rápida y preguntas de doble sentido. Quiso saber si Marta estaba "bien atendida" por su marido.

—Me consiente mucho. Es muy detallista.

—¿Es detallista en la cama?

—Es tierno —precisó Marta.

—Ah —se decepcionó Bobby.

Seguí revisando hojas sobre coeficientes de variación. Me servían de parapeto para el diálogo que prosperaba junto a mí. Marta llevaba dos años casada, admiraba la capacidad de trabajo de su marido, tenía una casa preciosa, una camioneta "del tamaño de un cuarto de azotea" y un perro *Alaskan Malamute*. Era feliz.

Nos trajeron Coca-Cola y cacahuates. Bobby habló de las actrices insoportables que había maquillado y de la casita que construía cerca de Pie de la Cuesta. Esclavo de la conversación ajena, bajé la mirada y vi esos dedos magníficos: mi pie, mi cuesta.

La mujer me atraía de un modo fragmentario, en mitad del cielo, mientras comía cacahuates. Una circunstancia absurda y deliciosa.

Bobby iba a Aguascalientes para los conciertos de un grupo "de genios totales": Banana Split. Temí que se detuviera en el tema; por suerte, cedió la palabra a Marta.

Después de describir su vida idílica, incluyendo la recámara decorada con nubes y borreguitos para un bebé todavía futuro, ella guardó silencio. Supongo que Bobby aprovechó el paréntesis para verla a los ojos. Luego dijo:

—Hay un problema, ¿verdad?

—Sí.

—¿Qué pasa? —quiso saber el maquillista.

—No sale de la computadora.

—¿La trata mejor que a ti?

—No es eso: es lo que mira.

—¿Qué cosas mira tu marido?

—Pornografía, sólo pornografía.

Otra estadística: 32.2% de los hombres casados ve pornografía. La plática era común.

En ese momento descubrí una ramita en el ojal de mi saco. Había triturado una maceta al salir de mi casa. Francisca estaciona su coche demasiado cerca del mío. Debo hacer maniobras complicadas para abandonar la cochera. Era la cuarta maceta que aplastaba con el coche.

Los tres primeros destrozos me gustaron; escuché el crujir de la cerámica y sentí una fuerza extraña. La cuarta me preocupó: me estaba convirtiendo en un maniático que quiebra una maceta cada vez que sale con prisa de su casa. En el estacionamiento del aeropuerto revisé el coche. Una planta se había enredado en una rueda. Me costó trabajo desprenderla. Despedía un olor amargo, un olor que me recordó la tarde en que fuimos a comprar plantas a Xochimilco. Francisca regresó feliz a la casa, pero algo olía raro. Olfateamos hasta encontrar una planta de hojas dentadas, suaves, cubiertas de una felpa blancuzca, hermosas y pestilentes. Decidimos ponerla en la cochera. No sabíamos cómo se llamaba, pero pensé en ella como "la Francisca". La comparación es injusta porque mi mujer huele de maravilla. Pero es un nombre excelente para una planta.

La ramita que encontré en mis ropas no despedía olor alguno.

Estaba a punto de concentrarme en mis papeles cuando Bobby comentó:

—Y eso te afecta, ¿verdad? Te afecta que vea mujeres por computadora, porque supongo que son mujeres, ¿no?

—Sí —suspiró ella.

—¿Tu marido te toca?

Me gustó que hablaran del "marido". Un fantasma sin nombre propio.

—No, no me toca —el tono de Marta se volvió grave—: nunca lo hace.

—¿Y él te gusta? —quiso saber Bobby.

—Me encanta, lo adoro, pero no me toca. Ve pornografía —la voz parecía a punto de quebrarse.

Pensé en el ruido de las macetas que rompo. Francisca arrima su coche al mío y espera que yo saque el mío con movimientos de escapista. Si me quejo, soy impaciente. Sesenta y tres por ciento de los conflictos conyugales comienza cuando alguien pierde la paciencia. No estoy dispuesto a perder la paciencia. Prefiero romper macetas.

La voz de Bobby había adquirido un timbre alegre.

Parecía disfrutar que el humor de su amiga empeorara.

—¿Hace cuánto que no te toca? —preguntó.

—No sé. Meses. Va para un año.

El maquillista hizo una pausa, como si aguardara que las palabras de Marta se asentaran en la mesita junto a los restos de cacahuate.

—¿Y no has tenido amantes? —quiso saber.

—¡Cómo crees! —Marta se rio.

—Eso salvaría tu matrimonio —opinó Bobby—: estás demasiado ganosa.

—Sí, estoy ganosísima. Me muero porque me toquen.

Yo estaba sudando. Entendí por qué el pie me había atraído de ese modo. Marta y yo éramos animales: su cuerpo lanzaba señales de disponibilidad. Un código atávico se había puesto en marcha. He hablado de mi falta de predisposición erótica sin el menor deseo de humillarme. Es un dato estadístico relevante. Hay quien se excita con huellas de lápiz labial en un clínex. Yo no soy así. Pero el pie de Marta transmitía urgencia sexual. Sólo entonces reparé en algo decisivo: la mujer hablaba como si yo no estuviera ahí. ¿En verdad me consideraba ausente o se dirigía a mí de un modo indirecto?

"Estoy ganosa". ¡La frase era una obra de arte! Nunca antes había oído una confesión semejante. Lo único que sabía de esa desconocida era su vida íntima.

—Antes de tratarme la fibromialgia, no pensaba en el sexo. Sólo en el dolor —informó Bobby—. Pero a ti no te duele nada. Estás nuevecita.

El maquillista elevó el volumen de su voz, como si la mujer no fuera más que un filtro para que yo escuchara esa publicidad del cuerpo que tenía a mi lado.

Cuando iniciamos el descenso, Bobby aprovechó para preguntar si el marido no sería gay.

—¡Cómo crees! —volvió a exclamar Marta. Esta vez no se rio. Su voz se quebró. Pasamos por una turbulencia. Su brazo me rozó, con delicada incomodidad. Luego, ella comenzó a toser y sollozó.

—Se me atoró una cascarita de cacahuate —dijo con inocencia, como si pudiéramos creer que sus lágrimas no tenían que ver con lo que había dicho.

Sentí que me pisaba. No pidió disculpas ni retiró el pie.

Llegamos a Aguascalientes. En el asiento de enfrente un hombre encendió su celular y dijo:

—Llegamos a Aguascalientes.

Aunque no había documentado equipaje, me dirigí a la banda de las maletas. Me distraje y pensé en perros.

Llegué al *schnauzer* miniatura antes de que apareciera la maleta de Marta.

Está comprobado que las tres primeras razas que vienen a la mente de quienes hacen listas de perros son: el pastor alemán, el dálmata y el labrador. Esto es bastante obvio. El cuarto perro es sorprendente: el *pitbull*. Juraría que no es un perro popular. La estadística es la expresión más desconcertante de la normalidad. Por eso me apasiona.

Estudié con calma a la mujer que había sido mi vecina de asiento. Era más alta de lo que había supuesto, el pelo le caía en forma sedosa, sus brazos se movían con elegancia. Su marido era un imbécil.

Oí gritos, vítores, porras. El grupo Banana Split había sido descubierto por sus fans, al otro lado de una pared de cristal.

Esperé a que ella recogiera su maleta. A su vez, ella esperó a Bobby, que llevaba tres baúles.

Los seguí a la puerta de salida. Los fans de Banana Split conocían al maquillista. Le tendieron pósteres para que los autografiara. Cercado por la fama, Bobby se despidió de Marta:

—Gusto en verte. Me voy a entretener aquí —dijo mientras firmaba.

Ella desvió la vista hacia mí, con maravilloso desamparo. Sonrió, como si nos conociéramos de algo.

—Viajamos juntos —dije sin imaginación alguna—. Voy al Hotel Francia, en el centro.

—¿Me deja ahí? —preguntó mientras se sacaba una pestaña del ojo.

En el taxi me habló de tú y dijo que se llamaba Lorena. La mentira me pareció extraña. Durante una hora había oído que le decían Marta. Al mismo tiempo, me cautivó que fingiera.

—Y tú, ¿cómo te llamas?

—Carlos —contesté.

Soy poco audaz: me llamo Carlos.

Sus pies quedaron bajo el asiento del taxista. Sin embargo, a esas alturas ya eran muchas las cosas que me gustaban de ella.

La suerte nos acompañó en el vestíbulo del hotel. Había una promoción de tequila Peliagudo. Una edecán nos ofreció una copa. Era demasiado temprano para beber pero no nos negamos. Guardamos un silencio atractivamente incómodo.

Vi el cuello de Marta o Lorena, vi cómo se tensaba con el aguardiente, vi la pulsación de su piel y la forma en que recuperaba la quietud, erizada de vellos dorados.

Entonces pronuncié un parlamento que, estadísticamente, era difícil atribuirme:

—Te parecerá absurdo o impropio lo que voy a decir.

Ella me atajó:

—¿Me vas a decir que perteneces a una secta de mormones? Eso es absurdo. ¿Estás armado? ¿Vendes droga?

Eso es impropio.

Marta no hubiera dicho eso en el avión. Lorena era irónica, resuelta.

—Quiero que subas conmigo al cuarto —dije, animado por sus ojos.

—Eso es absurdo e impropio. Supongo que una mujer puede normalizarte —sonrió Lorena.

Nos besamos en el elevador, con suficiente pasión y torpeza para apretar los botones de tres pisos.

—¿Oíste lo que dije en el avión? —preguntó cuando nos separamos.

—Sí.

—¿Te puso cachondo?

—Sí.

—Qué bueno, cabrón, porque me gustas un chingo —me tocó el sexo, que estaba a punto de traspasar mi pantalón.

Ya en el cuarto, me desconcertó que exclamara: "¡Ay, güey!", cuando le lamí el ombligo. Estaba con alguien demasiado joven para mí. Luego eso me gustó. Te acostumbras rápido a lo que te dicen con la lengua en la oreja.

La libertad sexual ha sido para mí un valor abstracto, como la vida eterna. La experiencia me ha dejado pocos elementos de comparación. Sólo podía describir la intensidad de ese encuentro en términos de física. Un nodo es "un punto que permanece fijo en un cuerpo vibrante". "Nodo", palabra fea e inmejorable. Con Lorena experimenté la delicia de un punto fijo en un cuerpo vibrante. Mi encuentro con el nodo. Recordé una definición: "La distancia entre un nodo y un vientre consecutivo es la cuarta parte de la longitud de onda". Marta, Lorena, un vientre consecutivo, la cuarta parte de la longitud de onda, el nodo perfecto.

Ella se puso boca abajo y preguntó:

—¿Tienes crema?

Por suerte, en el lavabo había un frasquito de crema. La penetré mientras ella decía: "Me duele", "No te salgas", "Ya", "Ahí", "Espérate", "Más fuerte", "No". Todo resultaba insuficiente o equívoco. Esta incapacidad era una altísima forma del placer.

Fui feliz sin conocer otra cosa de Lorena que su cuerpo. ¿La amé? La pregunta es incómoda, pero también interesante.

Una plenitud física, anterior y posterior a la razón, nos llevó a un estallido emocional. Sí, la amé. Al menos eso creí. Pensé que Lorena sentía algo equivalente porque comenzó a sollozar. La abracé y le acaricié el pelo.

Poco a poco, su llanto arreció. Lorena produjo un hondo alarido. Se apartó de mí.

—¡Déjame! —gritó—: No entiendes nada —el rostro se le torció en una mueca. La saliva le llegaba al cuello—.

¿Crees que cogí contigo porque me gustas?

Había vuelto a la realidad: desvié la vista al reloj.

—¿No te gusto? —pregunté, inerme.

—¡No seas imbécil! —un poco más recompuesta, agregó—: Claro que me gustas, pero no me acosté contigo por eso. Necesitaba que algo me doliera, joderme, hacerme daño.

Dejé que llorara un rato antes de preguntarle:

—¿Por qué?

—¡¿Por qué?!

Traté de hablar en el tono neutro de alguien dedicado a la estadística:

—Sí, ¿por qué?

Marta Lorena me vio con ojos encendidos:

—¡Porque lo maté! ¿Te parece poco?

—¿A quién?

—No seas pendejo: ¿a quién pude haber matado?

—No sé.

—Razona. Mueve tu cerebro.

—No sé.

—¡A mi marido, güey! A mi marido. ¿Te parece poco?

—¿Cuándo lo mataste?

—En la madrugada. Estoy huyendo.

—¿Por qué lo mataste?

—¿Importa eso?

No contesté. Caminé de un lado a otro del cuarto. Me mordí el pulgar pero el dolor no fue un remedio. Me dejé caer en un sillón.

Debajo de la cama había un encendedor azul. Cerré los ojos, los abrí, miré el encendedor. ¿Cómo sería la vida de quienes lo habían olvidado ahí? Mejor que la nuestra, de seguro.

—¿Qué miras?

—Nada.

—¿Qué buscas debajo de la cama?

—Hay un encendedor.

—¡Un encendedor! ¡¿Quieres fumar?! ¿Eso es lo que quieres?

—Perdóname, no sé qué decir. Estás loca.

—¡Claro que estoy loca! Acabo de matar a mi marido. Eso no lo hace la gente cuerda.

—¿Por qué lo mataste?

—Lo odiaba, desde hace mucho. Estaba viendo pornografía, pornografía infantil. No hacía otra cosa. No me tocaba. Lo quería. Lo quería un chingo. No pude más.

—¿Cómo lo mataste?

—¿Cómo puedes ser tan morboso?

—No soy morboso. Me gustan los detalles. A eso me dedico. Vine a Aguascalientes a revisar un banco de datos.

—¿Ah, sí? ¿Y yo qué dato soy?

Mi respuesta salió en tono vacilante:

—La mayoría de los crímenes son cometidos por seres queridos.

—Una persona normal, eso soy —sonrió.

—Una estadística. Las estadísticas no son ni anormales ni normales. Nada más son.

—"Nada más son" —ridiculizó mi voz.

Me senté en el sillón. Había gozado como nunca con una mujer, creyendo que compartíamos una excitación elemental. En realidad, ella estaba animada por otra fuerza, lo que había hecho antes de huir, la muerte que debía sacarse de encima, la suciedad que necesitaba compartir con alguien, untar en otra piel. Su deseo venía de la aniquilación, era una forma de compensar o prolongar la sangre y la violencia. Lo que para mí había sido un goce para ella había sido algo distinto, acaso más profundo, una tortura asumida, una expiación, un deleite retorcido. Su excitación provenía del crimen. La mía había sido ingenua, simple. Me sentí usado. El segundo instrumento de un crimen.

—¿Cómo lo mataste? Necesito saber.

—Con un cuchillo. Un cuchillo japonés, para rebanar sushi.

—¿Por qué viniste conmigo? ¿Para hacerte daño?

—No.

—¿Por qué?

—Te escogí. Desde que te vi en el avión supe que serías tú.

—¿Por qué?

—Porque me diste confianza. Tienes ese tipo de cara. Pensé que podía hablar contigo. Pensé que podía decirte las cosas horribles que había hecho. Lo ibas a entender, no te ibas a alterar. ¿Lo entiendes?

Tal vez también eso era físico: tener confianza. Confianza en una cara que escucha el horror con calma.

—Perdón —dijo ella—: tenía que desahogarme; necesitaba a alguien. ¿Me vas a denunciar?

—Me dedico a la estadística. Una confesión no es una estadística.

—Gracias —se recostó en la cama—; ¿puedo pasar un ratito aquí?

—Sí.

—Coges rico. Te lo deben haber dicho mil veces: eso sí es estadística —bostezó largamente.

Apenas eran las doce del día, pero ella lucía agotada. Marta o Lorena se quedó dormida. Sus últimas palabras salieron dentro del sueño. Dijo algo que sonó como "vainilla", pero quizá escuché mal.

Estuve un rato asomado a la ventana, contando los árboles de la plaza. Una sirena sonó a la distancia.

El enigma de esa mujer era que estaba loca, o suficientemente alterada para parecer loca. Quizá lo que me había excitado era eso, el delirio y la muerte que de ella emanaban. Tal vez fue esa perturbación lo que me cautivó al ver su pie.

Recordé el día en que regresé de Xochimilco con Francisca, recordé el olor de esa planta que tendría que vivir apartada en la cochera. Pensé en las manos de mi mujer, embarradas del perfume amargo, después de trasplantar un brote de la planta a alguna de las pequeñas macetas que mantiene en la terraza y la azotea. Al recordarlo, el olor me pareció excitante. En su momento, le pedí a Francisca que se lavara las manos.

Esa mañana había roto una maceta por cuarta vez. Los que hacemos listas de perros llegamos rápido al *pitbull*. El cuarto animal.

Recuperé el sonido de la cerámica que cruje bajo la llanta de un coche. Antes de que empezara a quebrar macetas, hacía mucho que no rompía algo con deleite.

Tal vez desde que fuimos a Oaxaca, cuando Francisca y yo éramos novios. En un mercado al aire libre vendían buñuelos. Era la noche de Año Nuevo. Una mujer nos preguntó: "¿Chorreados o remojados?". Recibimos unas cazuelas tibias, de las que salía un olor dulzón. La costumbre exigía aventar las cazuelas al piso después de comer, para que se quebraran como el año que no regresaría.

La piel de Marta Lorena olía a un perfume lejano, azucarado, una miel imposible. Hace muchos años Francisca y yo vimos la catedral iluminada de Oaxaca mientras nos chupábamos los dedos después de haber comido. "Tienes algo", dijo ella, tocándome la cara. Me quitó un insecto, un escarabajo pequeño que se pegó en la palma de su mano. "Te salen bichos", sonrió. Amé a la mujer que me quitaba insectos de la cara con sus dedos dulces. No se lo dije. No sabía cómo hacerlo. En ese momento estallaron los fuegos artificiales. El año terminaba, estábamos en el futuro.

¿Cómo se puede dormir después de matar a alguien? ¿Hay un límite físico para la culpa, un agotamiento terminal que permite descansar después de cometer lo peor?

Revisé el bolso de la mujer. Encontré su credencial del IFE. No se llamaba Marta ni Lorena. No era ni la ingenua caliente del avión ni la asesina confesa del hotel. Al menos no lo era en su credencial para votar. La ciudadana desnuda en ese cuarto se llamaba Yosselín. Pensé que alguien con ese nombre era capaz de todo lo que había sucedido. Pero yo no podía decirle así. Mejor Marta o Lorena: Marta Lorena.

El maquillista la había identificado en el avión como Marcela. Tal vez en otra suplantación se había llamado así. ¿Quién era esa impostora serial, la inquilina de vidas sucesivas?

Roncaba apenas, de un modo parejo, arrullador. El tiempo entraba en su cuerpo. Las sombras de la cortina se mecían en su frente intacta. Abandonada a sí misma, se entregaba a mis designios sin que eso fuera relevante. Aun dormida, controlaba la situación. Podía confiar en mí.

Se había hecho tarde. Escribí un mensaje en la papelería

del hotel: "Me encantó estar contigo. Tuve que ir a mi trabajo". Una despedida amable, eso juzgué.

Fui al INEGI. Cifras, cocientes, gráficas, desviaciones estándar. Intercambié informes con los colegas y alguien me preguntó por la "parte alícuota". De pronto, esa expresión inerte me pareció autobiográfica. Yo era la parte alícuota de algo, pero no sabía de qué.

Después de un rápido almuerzo, asistí a un seminario con un investigador del MIT dedicado a la estadística de la conducta. El tema era: "Las probabilidades de la irracionalidad". Anunció que la mayoría de nuestras intuiciones son incorrectas. Creemos en ellas porque se trata de una sabiduría íntima, que no ponemos a prueba. Ochenta y seis por ciento de las reacciones intuitivas tiene una motivación que el sujeto ignora o no toma en cuenta.

Llamé a Francisca. Me dijo que se había ido la luz, el gato tenía pulgas, la nena no dejaba de estornudar. Cada vez que hablamos por larga distancia nuestra relación se ruraliza. Compartimos los problemas de una granja. La estufa no tiene fuego, la niña comió tierra. Quise decir algo roto, confuso y cierto: "Estuve con una loca. Fue fantástico y horrible. Te amo hasta la adoración".

No dije eso. No soy así. Soy la parte alícuota.

Minutos después volví a llamarla:

—Te quiero tocar —dije con voz apenas audible.

—Es lo más fácil del mundo: nos vemos mañana —Francisca contestó sin distinguir en mis palabras una probabilidad distinta. Luego dijo que le había dado a la nena gotas de equinácea.

El inmenso edificio del INEGI fue construido como un cubo de hielo. Un cubo de hielo con paredes de espejo que reflejan un clima desértico. Es una metáfora de lo que contiene: la inerte geometría de los datos.

Fui a un baño donde la luz fluorescente me lastimó los ojos. Me senté en la tapa de un inodoro, cerré la puerta y sollocé. De vez en cuando, un zapato se detenía al otro lado, indiferente a mis gemidos.

Terminé la jornada como pude. No acepté la invitación a cenar con los colegas. Regresé temprano al hotel.

Supuse que la mujer se habría ido. De cualquier forma,

abrí la puerta con cautela. Ella seguía en la cama. Desnuda. Inmóvil. Entonces entendí su confesión: necesitaba hablar antes de suicidarse. Yo representaba para ella una oportunidad de desahogo. El desconocido que escucha lo peor. Su arrebato había sido su testamento. Me acerqué a la cama, sintiendo un vacío en el estómago. Me alivió ver que respiraba acompasadamente, un hilo de saliva mojaba la sábana. Toqué la saliva, fresca, reciente, saludable. El cuerpo que tanto me había gustado despertaba en mí algo parecido a la piedad; estaba ahí por un sufrimiento insondable y, sin embargo, dormía con rara inocencia. ¿Cómo podía no despertarse? Busqué rastros de somníferos —un frasco, una pastilla suelta, un polvo azul—; no encontré nada.

Me senté en el sillón. Vi el encendedor bajo la cama.

Me vino a la mente una noche en Morelia. Francisca y yo habíamos ido ahí con nuestra hija, que entonces tenía cinco años. En la madrugada, una pareja entró al cuarto de al lado. El portazo me despertó. Oí la voz de un hombre, una voz áspera, aguardentosa. Una voz llena de arena. Poco después, escuché los gemidos de la mujer, hondos, larguísimos, afilados. Pensé que gozaba como si la dicha fuera la parte más elevada del sufrimiento. Entonces alguien me tocó el brazo. Era mi hija. "¿Qué pasa, papá? ¿Qué le pasa a esa señora?", preguntó aterrada. "Haz algo, papá". Francisca dormía, ajena a los ruidos. "Ahorita vengo", dije. Salí al pasillo, localicé el cuarto del que venían los ruidos, tosí junto a la puerta, giré el picaporte, hice lo necesario para que supieran que afuera había un testigo. No advirtieron mi presencia.

Volví al cuarto. Le dije a mi hija que la mujer tenía pesadillas. Me lo había explicado su marido. "Qué bueno que esté acompañada", contestó ella, con sorprendente consideración. Nadie la había enseñado a ser así. "¿Puedo acostarme con ustedes?", se tendió al lado de Francisca. Me senté en la orilla de la cama, acariciándole una mano. "No se calla", dijo mi hija. La mujer gimió durante un tiempo suficiente para que yo pensara en drogas que estimulan el sexo y técnicas orientales para contener la eyaculación. Una soledad de fondo enmarcaba el cuarto. Las paredes se inventaron para no oír el bestial gozo de los otros. La pareja se unía mientras nosotros escuchábamos. Su dicha era nuestro horror. Acaricié la mano de mi hija, suplicando que los otros terminaran, que se dejaran de amar de una vez, que murieran de un infarto, que el silencio volviera al fin.

Tal vez esa mañana en Aguascalientes alguien —acaso una niña— nos había oído desde el cuarto de junto. El cuarto equivocado.

"La mujer tiene pesadillas", esa mentira ayudó a dormir a mi hija. ¿Qué mentira hacía dormir a la desconocida? "Me diste confianza". Alguien que ayuda a desplomarse. "Ochenta y seis por ciento de las intuiciones no tienen fundamento", había dicho el investigador del MIT. En este caso, ella pertenecía al 14%. Me había intuido bien, y yo iba a demostrarlo.

No me desvestí ni me moví de mi asiento. Debía estar despierto para que ella descansara o para que no muriera a causa de lo que había tomado (¿cómo explicar que durmiera tanto y de modo tan profundo?). Al primer estertor la llevaría a un hospital. Cumpliría mi parte: el centinela, el desconocido que se involucra, el animal que ayuda a otro animal.

En la madrugada estuve a punto de pensar en perros, pero eso me hubiera relajado y no quería dormirme.

La luz del día llenó la habitación. La claridad era un ardor hiriente. Mis párpados estaban abultados. La falta de sueño produce ideas raras: pensé en Régulo, el general romano al que los cartagineses arrancaron los párpados para que el sol lo cegara.

Si no le hubiera dicho que me llamo Carlos, le diría que me llamo Régulo. Finalmente, la mujer abrió los ojos. Me vio como si tardara en reconocerme. Luego sonrió, cobrando conciencia de algo que le parecía absurdo, pero de algún modo la divertía.

Sentí alivio de que no estuviera muerta. "pastor alemán, dálmata, labrador, *pitbull*...".

—Me muero de hambre —dijo—. Se me antoja un caldo de borrego —sonrió, estirándose en la cama.

¿Quién era ella? Se acuclilló, con absoluta naturalidad. Repitió que quería caldo de borrego.

Me tranquilizó que no estuviera enferma. "Mastín, san Bernardo, bóxer, sabueso finlandés...".

—¿Dormiste bien? —preguntó— Hace siglos que no descansaba tan rico. Es increíble lo que puede hacer el sueño. Me siento súper distinta.

"*Husky* siberiano, *fox terrier*, samoyedo, *cocker spaniel*…".

—¿Ya no estás preocupada? —pregunté.

—¿Por qué?

—Por lo que me contaste.

—¿Qué te conté?

—Lo del cuchillo.

—¿Cuál cuchillo?

—Un cuchillo japonés. Para hacer sushi. Pero no lo usaste para eso.

—Chale. Cuando estoy caliente digo muchas pendejadas —se rascó la entrepierna.

—No estabas caliente. Fue *después* de que estuvieras caliente.

—¿Siempre eres tan exacto?

—¿No mataste a nadie?

—¡Ah, eso! ¿Tú qué crees?

—¿Te llamas Lorena?

—¿Tú qué crees?

—No.

—¿No qué?

—No todo.

—Es increíble que alguien exacto pueda ser tan vago: "No todo". Estás cabrón. ¿Me invitas un caldo de borrego aunque pienses que soy una asesina?

"Sabueso *plott, kai, kishu, pug*…".

—¿Por qué lloraste ayer? Te sentías del carajo.

—A veces tengo que decir cosas. ¿A ti no te pasa? ¿No necesitas explotar?

—No sé.

—¿Qué haces cuando se acaba el mundo?

—Rompo una maceta.

—¿Eso te basta? ¡Eres sanísimo! Te ves de la chingada. ¿De veras dormiste bien?

—¿Estás casada?

La mujer sonrió, verdaderamente contenta:

—¿Importa eso? Nos encontramos, pasó esto, así es la

suerte. No tiene explicación; si no, no sería suerte. ¿Crees en la suerte?

La cabeza me latía. La luz del cielo era blanca, dolorosa. Pensé en datos para calmarme. Los países de África tienen los índices más altos de felicidad. Se sienten afortunados. Creen en la suerte.

—Me gustaría ser africano —le dije a la mujer.

—Esa es una información muy concreta y muy absurda —sonrió ella.

Comenzaba a parecerme simpática. Marta era una chica frustrada, inocentona, que necesitaba un remedio. Lorena era una asesina fogosa. ¿Sería esta la verdadera Yosselín? No, necesitaba otro nombre.

—¿Puedo decirte Ana? —le pregunté.

—Puedes decirme Roberto, si te da la gana.

—¿Cómo puedes estar así después de haberte sentido tan mal?

—¿No se te ocurre que estoy *así* por haberme sentido tan mal?

—Eres más complicada de lo que pensaba, Ana.

—Pero tú sigues siendo Carlos. ¿Sigues siendo Carlos?

No le dije que quería ser un general romano herido por el sol. Régulo es un nombre absurdo.

Fui al baño. Me lavé la cara con agua fría. El espejo me devolvió facciones devastadas. La cara de alguien que lleva una semana en un túnel. La cara de un perseguidor extraviado. Tal vez me veía mejor así, o por lo menos más interesante: no inspiraba confianza.

Había dejado de hacer listas de perros.

Regresé al cuarto.

—Me tengo que ir —dije.

—¿Y el caldo de borrego?

—Mi avión sale en dos horas.

—Me acordaré de ti en el desayuno. El caldo es bueno para la memoria. Me gustó *no* conocerte —sonrió ella.

—El *check out* es a las doce —le dije—. Todo está pagado.

—No te preocupes. Me iré antes, y no me llevaré la televisión.

Nos dimos un beso discreto.

En el elevador encontré a un músico de Banana Split, o

a un fan que se vestía como ellos. Nadie se acercaría a esa persona por confianza.

"Tuvimos suerte", había dicho Ana. Era cierto. Pero yo no quería tener suerte. ¿Qué quería? Romper una maceta.

En el avión de regreso dormité sin caer en el sueño y volví al momento en que Francisca me quitó un escarabajo de la cara. Desde entonces, cuando entra a mi estudio y me ve en el escritorio, revisando gráficas, pregunta: "¿Estás con tus bichos?". No le contesto. Los datos no son bichos.

Esa mañana, en Aguascalientes, poco antes del amanecer, había rogado para que la luz volviera. "Regresa", murmuré, viendo el encendedor bajo la cama. "Regresa", repetí, sintiendo la humedad que me bajaba por las mejillas, un llanto sin sollozos. No podía explicar lo que sentía. Iba a salir de ahí. La mujer viviría. El sol iba a tocar mi frente. Quería con intensidad que ella despertara. Así ocurrió. Régulo no fue cegado por la luz. Corrimos las cortinas. Habíamos gemido en ese cuarto. Tal vez fuimos la pesadilla de alguien que nos escuchó. Pero nos despedimos sin mayor daño, en silencio.

El avión descendía sobre el Valle de México.

Una noche en que acababa el año, Francisca me dijo: "Te salen bichos". Sentí una emoción indescifrable. Vi sus ojos y quise que me volviera a tocar con sus manos sucias de dulce. "Tócame", pensé, sin poder decirlo.

Ella dejó el escarabajo en el suelo. Lo vimos caminar con torpeza, abrumado por la miel, como una cosa exacta y misteriosa, algo que sentíamos sin poder explicar, el margen de error en un conteo, la parte alícuota, la historia que alguna vez yo escribiría, cuando tuviera confianza, una confianza verdadera, más precisa que los datos.

EL DÍA EN QUE FUI NORMAL

Cuando tenía doce años, mi padre se entusiasmó con la inesperada posibilidad de ser normales. Acababa de regresar de Japón con un entusiasmo febril. Cubrió de regalos la mesa del comedor (diminutos juguetes de plástico, bolsas de té, artesanías sin gran valor pero que revelaban que había pensado en nosotras). "Nosotras" éramos mi madre y yo.

Para darle dimensión teatral a la escena, se puso una *yukata*, la bata japonesa que acababa de traer del viaje y que no le cerraba a causa de su gran barriga. Yo adoraba su vientre hinchado. Tenía la curvatura exacta para servir de almohada cuando veíamos la tele y siempre estaba tibio.

Él era experto en equipar cocinas para restaurantes. Pasaba el día entero entre guisos de los que nos hablaba durante la cena, teorizando sobre las ventajas del invierno, que abre el apetito, y las bacterias de verano, tan malas para la comida.

En Japón había comido ensalada de aguamala. Yo odiaba las medusas de mar porque me habían picado en Puerto Vallarta, pero él aprovechaba sus viajes para que le gustara lo que nunca le había gustado. Seguramente el aguamala le pareció deliciosa porque su extraño sabor le hizo saber que estaba lejos, experimentando cosas. Según él, sabía a "espaguetis ultrafrescos".

No era fácil resistirse a la pasión con que volvía a casa, creyendo que podía mejorar algo.

Muchos años después, yo entendería que regresar a casa significa recuperar hábitos. Para él se trataba de una sorpresa. Nunca entendió que una familia es algo que se reitera. Llegaba con ideas fantasiosas; proponía cambios como si rodáramos una película que podía modificarse sobre la marcha antes de llegar a la sala de montaje, donde todo cambiaría otra vez.

Yo disfrutaba sus iniciativas porque transmitían una inesperada sensación de vida abierta, de alternativas que no era necesario utilizar pero resultaba bueno tener.

Años más tarde, sospeché que esos arrebatos sugerían algo incómodo: estaba insatisfecho; el retorno no representaba para él la inmediata recuperación de la dicha, sino un interesante desafío.

Al entregarnos los regalos bajaba la vista, como si mirara un charco que temía pisar o como si recordara el agua turbia que ya había pisado.

Esta melancolía cortaba por un momento su euforia del regreso. Luego me daba los suvenires que conseguía en las cocinas del mundo: un diminuto envase de mermelada, un salero cromado, un tenedor para crustáceos.

Mi cuarto tenía un rincón que semejaba la fonda de una enana.

Yo integraba entonces un sólido binomio con mi madre. Ella lo quería de un modo absoluto que se expresaba a través de un complejo sistema de temores. Le preocupaba todo lo relacionado con mi padre: sus horarios, su salud, sus viajes, su adorable panza, sus dramáticos ronquidos. Era práctica y resuelta; tomaba un sinfín de decisiones mínimas para mitigar los excesos de mi padre: eliminaba la sal y el pan blanco de nuestra dieta, aprovechaba las ofertas de julio para comprar las esferas del árbol de Navidad. Mientras tanto, él planeaba cambios drásticos que rara vez ocurrían.

Hasta que regresó de Japón y decidió que fuéramos normales.

Mi padre fue un pionero en la instalación de los focos que mantienen caliente la comida. Nunca olvidaré la noche en que nos llevó a una cafetería de sillones de plástico rojo, naranja y amarillo, con grandes ventanales insonorizados (en la calle, los autos circulaban como peces en un acuario). De pronto, las luces generales se apagaron y sólo permanecieron encendidos unos círculos color ámbar sobre el mostrador, un mostrador largo y sinuoso que recordaba la curvatura de una alberca. Los focos de mi padre. Debajo de cada haz luminoso, un plato echaba humo.

—La comida sigue caliente y el mundo gasta menos energía —me dijo en voz baja, como si preservar la temperatura y salvar el mundo fueran nuestro secreto.

Lo abracé, orgullosa de sus focos de calor. Desde entonces,

cada vez que paso a deshoras por una cafetería y veo esas luces que ahorran esfuerzo, recuerdo el día en que toqué su panza, comprendiendo su misión profunda, el mandato que lo hacía diferente y lo obligaba a partir al extranjero para que las sopas del planeta no se enfriaran.

El viaje a Japón fue un momento decisivo en su trayectoria. Obtuvo la representación del sistema térmico más avanzado de la época. Los regalos con que volvió de ahí celebraban ese logro.

Después de ponerse la *yukata*, me dio una a mí. Mamá estaba a punto de volver a casa y queríamos sorprenderla como sus parientes japoneses.

En eso, el celular de mi padre lanzó su sonido de cafetera con agua hirviendo y salió a la terraza.

Aproveché su ausencia para revisar los regalos, envueltos con una delicadeza que no incitaba abrirlos.

Una bolsa había quedado al pie de una silla. Me asomé a revisarla. Contenía una caja esbelta, decorada con un pez bigotón. No tenía envoltura y pude abrirla: un abanico. Al desplegarse, mostraba distintos matices de rojo. En clase de biología habíamos matado una gallina para verla por dentro. Su sangre escurrió sobre una palangana de metal. Me sorprendió que al moverse produjera tantos tonos del rojo. Cuando nos hablaron de la circulación de la sangre, imaginé un color que cambia sin ser otro.

En forma maquinal, escondí el abanico bajo mi *yukata* y deposité la caja vacía en la bolsa. Cuando mi padre volvió al comedor, vi los mechones que despuntaban en su calva, como las crestas de crema que rematan un pastel. Lo quise más que nunca, tal vez porque acababa de quitarle algo.

Ninguno de los hombres que me han gustado en la vida adulta se ha parecido físicamente a mi padre. Sus cejas revueltas y su panza tibia representaron para mí un excluyente e irrepetible dogma de la masculinidad, la protección y el amor. En todo caso, he buscado hombres que se parezcan a sus regalos, capaces de sorprenderme, hacerme sentir que no los merezco para luego descubrir que se estropean con facilidad o pierden interés. Pero la historia que estoy tratando de contar sucedió antes de que yo supiera que la vida puede interpretarse y en un tiempo tan temprano en el que ni siquiera tenía un pasado.

Al regresar al comedor, mi padre cerró su celular como un ostión de plástico. Tomó la bolsa al pie de la silla y la llevó a su estudio. Ese regalo no era para nosotras. Me dio gusto tenerlo en mi bata.

Mi madre lloró de emoción al ver la mesa. Él repartió los regalos, contando historias confusas de cada uno de ellos. Excitado por lo que decía, sintió su habitual ímpetu de cambio. Dijo que en Japón los niños iban a pie a la escuela. Era más sano, más ecológico, más natural. Mi escuela estaba cerca pero por culpa del tráfico tardábamos cuarenta minutos en llegar. A pie, y a buen ritmo, podríamos hacer la mitad de tiempo. A partir del día siguiente, caminaríamos como japoneses.

La idea me pareció fabulosa. La festejé con los saltos que daba entonces y que estaban a punto de parecerme ridículos.

Antes de dormirme, encendí la lámpara del buró para ver el abanico. No lo agité para no producir sombras color sangre.

En la mañana tomé la mochila con la iniciativa de los grandes viajes. Por alguna razón, coloqué el abanico en el bolsillo interior de mi chamarra. No pensaba enseñárselo a mis compañeras, pero no quise desprenderme de él.

Pertenezco a una generación que creció en una ciudad prohibida. Hasta ese momento sólo había ido a pie a la tienda de la esquina y a una placita donde llevábamos al perro. Peligrosa, inabarcable, desconocida, la ciudad se atravesaba en auto.

Esa caminata fue mi primera expedición. El paisaje que sólo había visto desde el coche adquirió un relieve acrecentado. Era como caminar por un libro con ilustraciones en *pop-up*.

Mi primera dificultad fueron las banquetas. Vivíamos en un barrio arbolado donde las raíces de los fresnos reventaban el asfalto. Había que recorrer con cautela el suelo roto.

Aunque no hacía deporte, mi padre mostró ser experto en la tarea. Daba zancadas sin perder el equilibrio. Su sistema de avance parecía fundarse en la distracción: ignoraba los quiebres y así los superaba.

En cambio, yo puse enorme atención a las irregularidades del terreno; me frenaba a cada rato, perdía el compás de avance, necesitaba hacer pausas. Mi padre insistía en mantener un ritmo sostenido. A los niños les gusta correr o acostarse en el pasto o el suelo fresco; por alguna de sus revueltas ilusiones, él pensaba que yo sería feliz marchando.

Tropecé varias veces. La primera, me hice un raspón en la rodilla y el abanico se me encajó en la axila. Temí que se hubiera roto, pero no me atreví a revisarlo en presencia de mi padre. En la segunda caída me torcí el tobillo y tuvimos que ir más despacio. Luego pisé un charco y se me mojó un calcetín. Me quedó una mancha desdichada. Mis amigas se iban a burlar de mí. Siempre me decían que estaba sucia.

El aire de la mañana, frío y contaminado, me raspaba la garganta. Perdí el aliento y respiré por la boca. Padecía de anginas y ya podía sentir los puntos de pus que me saldrían en la laringe.

Durante un tiempo indefinido caminamos sin que una iglesia dejara de estar a la misma distancia. Éramos como astronautas en la luna.

—Si sólo ves el piso avanzas más rápido —dijo mi padre.

Me concentré en el pavimento despedazado hasta que él me apretó la mano con fuerza insólita. Nos detuvimos en seco.

—¿Ya volviste, José? —dijo una mujer.

Aquella voz pertenecía a una señora de ojos negros, borrosos (aunque luego me pareció que sólo eran borrosos cuando lo miraban a él). El pelo le cubría una parte de la cara. Un pelo denso, como una tela. Sonrió, mirando el piso. Parecía contenta de un modo triste (en ella eso no era contradictorio). Me acarició la nuca, pero no sentí sus dedos. Era alta y llevaba zapatos de tacón cuadrado. Unos zapatos únicos, hechos con un plástico brillante. El suelo roto no la afectaba. Siguió su camino, como si flotara.

—¿Quién es? —pregunté.

—Una señora que no conoces —respondió con misteriosa obviedad.

A lo lejos, un hombre empujaba una carretela. Avanzaba muy despacio, como si nada existiera en derredor.

Entendí que las personas que caminaban por la ciudad

estaban muertas. Sólo los coches llevaban gente viva. Los peatones tenían un aire de almas en pena, esforzadas en alcanzar el más allá.

Mi padre me había hablado de *La dimensión desconocida*, el programa favorito de su infancia. Le gustaba contar episodios de zombis y personas abducidas a otra realidad. Hablaba mirando el techo, como si estuviera en trance y las ideas le llegaran del espacio exterior. Mientras tanto, sus manos hacían bolitas de migajón. En ese momento sonreía de un modo vago, descolocado. Las bolitas de migajón quedaban sobre la mesa, como señas de desaparecidos.

Comprendí que nuestro barrio era como la televisión de su infancia, una realidad aparte, que te podía chupar. Al proponer que fuéramos normales proponía que entráramos a la dimensión desconocida.

Llegamos tarde a la escuela. Yo estaba agotada, la rodilla me ardía, mi calcetín mojado seguía gris, mis amigas me llamarían "marrana" el día entero. La portera escribió un aviso en mi cuaderno (a los tres, te obligaban a pasar una tarde de castigo en la biblioteca).

Lo peor no fue eso sino la cara de mi padre. Me vio como si yo fuera un espejo de su decepción.

—Perdóname —dijo—: no somos japoneses.

Por la tarde, mi madre preguntó cómo nos había ido.

—Bien —contesté sin ganas.

—¿Pasó algo?

Pensé en la mujer que habíamos encontrado. Me pareció aún más pálida en el recuerdo. Sentí el filo del abanico en mi axila, un filo inquietante, y no dije nada.

Mi padre solía dar largas caminatas. Mamá lo alentaba porque era su único ejercicio. A partir de la excursión a la escuela, entendí que él vivía en dos sitios a la vez. Estaba con nosotras, en el mundo real conectado por automóviles, y llevaba otra vida fantasma en la tierra de los peatones, donde una mujer alta, delgada, de ojos borrosos, lo tomaba de la mano, le decía "José" y no pronunciaba nada más.

Me pareció obvio que el abanico era para ella. Sus pálidas mejillas recibirían un aire color rojo, semejante a una transfusión.

Esa noche soñé que mi padre colocaba a la desconocida bajo un inmenso foco tibio. Ella sonreía, plácida, reconfortada. Llevaba puesta una *yukata* idéntica a la mía, pero con garzas que volaban en círculos sin abandonar la tela.

Estaba por cumplir doce años y mi madre me prevenía sobre la posibilidad de que me saliera sangre de la vagina.

—Es normal —decía con una voz que no era normal.

Una tarde, la oí hablar por teléfono con una amiga. Con voz de alarma opinaba sobre los alimentos: "Los huevos... todo lo que viene en lata... y la carne congelada". No hubiera prestado mayor atención de no ser por una palabra extraña: "hormonas".

Reconstruí la frase: los huevos, las conservas, la carne congelada tenían hormonas.

—Por eso a las niñas ahora les baja más rápido —añadió.

Le preocupaba que la regla me bajara demasiado pronto.

Mi padre jamás hablaba del cuerpo. Proponía cambiar los muebles, vivir en Hawaii o que fuéramos japoneses. Sus preocupaciones no incluían el organismo. No pensaba que un filete pudiera hacer daño. Instalaba focos ambarinos sin pensar en otra consecuencia que la temperatura. Ese halo de calor creaba un mundo paralelo, la dimensión desconocida de los sabores, la zona fantasma en la que era feliz.

La caminata a la escuela acabó por ser un fracaso estimulante; desgarró un filtro que me separaba de la realidad; me impulsó a saber más con el delicioso temor de que eso me perjudicara. Decidí espiar a mi padre en su siguiente paseo por el barrio.

Llevé conmigo el abanico. Ese regalo omitido en la mesa del comedor, que por azar estaba en mi poder, parecía conectado con lo que ocurría en las calles de los fantasmas.

Concebí una fantasía que me lastimaba y me gustaba, parecida a la irresistible tentación de arrancarme un pellejito de la uña. Pensé que mi padre tenía otra familia, con hijos espectrales. Si lo espiaba, conocería sus rostros blancos de niños muertos. No tenía celos de mis posibles medios hermanos. Eran zombis que hacían que mi padre prefiriera volver con nosotras.

Salí detrás de él y lo vi caminar a la distancia, agitando

sus llaves (¿alguna de ellas abriría la puerta de otra casa?). Confirmé su habilidad de excursionista de banquetas, la gracia con que sorteaba baches y anfractuosidades sin bajar la vista, el impulso de meta definida, perfectamente segura, con que daba cada paso.

Me fui rezagando, me resbalé, sentí ganas de vomitar y un sabor acre me subió a la boca. Había comido chocolate, pero mi paladar se cubrió de un regusto amargo, como si el dulce se hubiera transformado en su contrario.

Cuando alcé la vista, mi padre no estaba ahí. Corrí hasta la siguiente esquina, esperando que el ruido de un cerrojo o de una puerta delataran su destino. No distinguí pista alguna. Lo habían abducido.

En la acera, un espectro boleaba veinte pares de zapatos. Me encontraba en la región donde los muertos caminaban. Era lógico que su calzado se gastara.

A unos cuantos metros nacía una calle empedrada. Caminé por ahí, buscando algún rastro de mi padre. Entré en un pueblito repentino, oculto en la ciudad, ajeno a toda sensación de amplitud. Vi una rotonda con un pozo. Quise asomarme al agua pero la boca había sido cancelada: dos gruesos tablones la tapaban; en las grietas de la madera crecían plantas diminutas.

Alcé la vista: un arco de buganvillas señalaba la entrada a otro callejón. Seguí por ahí hasta que la preocupación pudo más que mi afán de búsqueda. Estaba perdida.

Vi una pequeña tienda, con forma de gruta. Ofrecía pan dulce pero no era una panadería. Una anciana me encaró sin abrir los ojos. Le pregunté por mi calle. No la conocía. Los fantasmas no se enteran de nada.

Volví por donde había llegado y caminé en círculos o en espirales porque di vueltas y vueltas sin encontrar una calle con coches. Estaba en un pueblo extraviado, un barrio zombi.

Los pies me dolían, la vista se me nublaba por el sudor. Recordé que llevaba el abanico, pero no me atreví a agitar su color sangre.

¿Dónde estaría mi padre? ¿Visitaba a los muertos de su otra familia? Por primera vez pensé que ellos podían ser más felices que yo. Conocían el laberinto, podían entrar y salir de ahí.

Todo era tan confuso que me dio miedo seguir andando. Me senté en el quicio de una puerta. Al cabo de unos minutos un hombre llegó en una bicicleta. Era un cartero. ¡Debía conocer mi casa! Le dije dónde vivía. Se quitó la gorra, puso el dorso de la mano en su frente, como si quisiera establecer contacto con una idea, alzó la vista y dijo:

—Újule.

Me explicó que mi calle no le correspondía. Le pedí que me llevara con él.

—¿Adónde?

—Adonde sea.

Me sentó sobre el saco de cartas y avanzamos a tumbos. Las nalgas me dolieron de inmediato. En cambio, él se golpeaba a gusto; incluso silbaba una canción.

Después de muchos rebotes volví a la glorieta del pozo cancelado. Sobre los tablones de madera, vi a mamá. Lo único que se movía en su cuerpo eran las lágrimas. Lloraba como una estatua de la desgracia. Sumida en el desconsuelo, tardó en reconocerme.

En sus momentos libres pintaba acuarelas. Esa tarde tenía un pulgar morado y otro amarillo.

Me miró con lastimada lentitud, como una loca que poco a poco recobra la lucidez, y le gritó al cartero:

—¡Toque su silbato!

El cartero subió a los tablones y sopló su silbato, como una estatua de la esperanza.

Mi padre llegó al poco tiempo, atraído por el silbato. Mamá y yo estábamos abrazadas. Ella no dejaba de llorar:

—Te quiero mucho —decía.

No me regañó ni me preguntó qué hacía en la calle.

Fue mi padre quien quiso saberlo.

—Buscaba a papá —dije, viéndola a ella.

Él se sintió culpable por haberme llevado a pie a la escuela y quizá también por todos los viajes que hacía sin nosotras. La delirante energía con que regresaba a casa y lo impulsaba a concebir proyectos irrealizables, me había convertido en vagabunda.

—Perdón —le dijo a mi madre.

El paseo de mi padre había durado media hora y yo llevaba dos perdida. Si él sólo salía media hora, no podía tener otra familia (aunque luego pensé que en la dimensión desconocida el tiempo dura más).

Esa noche mis padres se pelearon como nunca lo habían hecho. Ella gritó:

—¡En esta ciudad tenemos que vivir como presos, no como japoneses!

A los doce años, yo conocía perfectamente el método para tranquilizar a mamá. Había que pedirle un perdón irrestricto. Defenderse de su ira resultaba inútil. Dos días después, estaría dispuesta a aceptar excusas, motivos, pretextos, y cocinaría macarrones como una forma de pedir disculpas.

Pero mi padre parecía no haber vivido en esa casa. Ignoraba el método. Con el fanatismo de un abducido, dijo:

—No podemos entregar la ciudad.

Quiso hablar como un ateniense ante una invasión bárbara y sólo logró parecer estúpido. Lo que siguió fue el vendaval, la furia de mi madre, una andanada sin sosiego, competente, invencible. Alzó las manos para enmarcar sus insultos con su pulgar morado y su pulgar amarillo. Mi padre fue tratado como un vendedor de focos. Pidió perdón cuando ya era demasiado tarde y eso sólo lo humillaba.

Al día siguiente bajé a desayunar y lo encontré acostado en el sofá de la sala, con las ropas del día anterior. Se puso los lentes y fue como si no le hicieran efecto. Su mundo estaba fuera de foco. Alzó la mano con el saludo *cherokee* que aprendió en otro programa de su infancia.

En ese momento le hubiera hecho bien que la señora pálida le dijera "José" y le arreglara los mechones en su cabeza. Al pensar eso sentí pánico. Era terrible que la desconocida pudiera ser necesaria en mi propia casa.

Decidí rendir el abanico. Mientras mi padre se lavaba la cara en el baño de visitas, puse el regalo sobre el plato de mamá.

Ella bajó a desayunar con el rostro de quien ha sufrido más por lo que dijo que por lo que le dijeron:

—¿Y esto? —preguntó.

—Papá lo trajo —expliqué.

Cuando él llegó a la mesa, ella lloraba, ahora de felicidad. Mi padre intuyó de inmediato lo que sucedía (no dormir lo volvía más listo):

—Lo tenía guardado para tu cumpleaños —comentó.

La idea de que mi padre reservara otro regalo después de todos los que había dado, hizo que ella se sintiera maravillosamente injusta.

Lo besó en la frente, le pidió disculpas por su carácter de "musaraña, horrible musaraña". Aclaró, con más palabras de las necesarias, que había estado nerviosa por mi primer extravío en la ciudad. Luego propuso salir a cenar esa misma noche:

—¡A un japonés! —exclamó con entusiasmo de reconciliación.

Había leído en un blog cosas geniales de un restaurante recién inaugurado en la otra punta de la ciudad.

Mi padre sonrió de un modo suave, viendo el piso, con los dedos entrelazados, como un monje que reza por el mundo.

¿En verdad pensaba darle a ella el abanico? Si era así, eso me convertía en una desgraciada por arrebatarle la sorpresa. Pero había otras posibilidades. Tal vez era más astuto de lo que suponíamos e inventaba cosas sobre la marcha para no delatar que tenía otra familia en la tierra de los muertos vivientes. Esta segunda hipótesis me pareció más probable cuando supe que no me llevarían al restaurante japonés.

El gusto de que se reconciliaran desembocó en una sensación de injusticia. Yo había puesto el abanico sobre el plato; intervine en su favor, pero quedé fuera de su dicha, con el pretexto de que al día siguiente había escuela. Además, la reconciliación tuvo otra consecuencia dramática: esa noche me cuidaría Karla.

Mis padres sabían que en mi escala del oprobio Karla ocupaba el sitio de honor. No reformulo ahora lo que pensaba entonces. A los doce años conocía el significado de la palabra *oprobio* porque existía mi prima.

Nunca la oí hablar bien de nadie. Karla era un acumulador de desprecio. Se había robado varios de mis peluches, oía música a todo volumen cuando yo trataba de dormir, le decía a mis padres que me comía los chocolates que ella devoraba, se pintaba las uñas con un líquido pestilente que embarraba en mis cuadernos. Ellos insistían en contratarla como niñera porque mis tíos se estaban divorciando, la escuela la había expulsado, tenía los dientes amarillos y nadie le hacía caso. Como nosotros éramos privilegiados, yo debía soportarla para que algún día dejara de robarse cosas.

Mi recompensa por unir a mis padres fue una tortura. Esa noche Karla criticó mi cuerpo, que no acababa de formarse:

—Tus *bubis* parecen limones chupados.

Su amargura abarcaba a la especie entera: todas las mujeres de todos los tiempos habían tenido, tenían y tendrían *bubis* horribles. Aun así, me sentí personalmente atacada.

Se preparó un chocolate caliente y derramó un chorro sobre mi conejo Peter, con el calculado aire ausente de quien lo hace adrede. Luego me encerró en el baño de mis padres, donde yo había ido a lavarme los dientes con su cepillo eléctrico.

Pateé la puerta sin resultado alguno. Por hacer algo, abrí el botiquín y vi las pastillas que mamá tomaba para dormir. Mientras ellos comían comida japonesa, yo estaba presa. Con fría objetividad, decidí envenenarlos.

Sabía que Dios observa todos nuestros actos. Si me veía hurtando los somníferos, me castigaría. Entonces fui tocada por una inspiración: Dios era omnipresente pero nadie me había dicho que se acordara de todo. Alineé seis frascos de pastillas; tomé los somníferos y los pasé de un envase a otro. Al final quedaron en uno de vitaminas. Dios me vio hacer eso. ¿Recordaría para qué eran las pastillas que habían pasado por seis frascos y ahora estaban en el de las vitaminas? Seguramente no.

Dios tenía otras cosas en que pensar.

Me sentí imbuida de un poder enorme.

Cuando Karla me dejó salir, regañándome por no estar ya dormida, fui a la cocina. Puse leche en la licuadora, agregué los somníferos, los molí y repartí la mezcla en los vasos que mis padres bebían antes de acostarse.

Apagué las luces. En el pasillo choqué con Karla.

—¡A dormir! —gritó y siguió rumbo a la cocina.

Una de sus conductas más molestas era el soliloquio. Su iPod le impedía oírme, pero hablaba consigo misma. Si veía un tenedor, decía: "Tenedor, tenedorcito", como una anormal que no puede mirar sin describir.

Al entrar en la cocina dijo:

—Leche, lechita.

Una imagen cristalizó en mi mente: Karla bebería el veneno. Sentí un hueco en el estómago. No pensaba matar a alguien despreciable como mi prima. ¡Quería matar a las personas que adoraba! Corrí a la cocina. Karla apenas alcanzó a tomar un trago de leche. Choqué con ella, derramando el líquido asesino en mi pijama.

Me insultó, pero no por mucho tiempo. Iba por la séptima grosería cuando sus labios se relajaron. Se desplomó agradablemente en un sofá. Roncó hasta el día siguiente.

Mientras Karla se desvanecía, yo desperté. No me refiero a que antes estuviera dormida, sino a la profunda ofuscación que padecí, el adormecimiento de los sentidos en el que creí engañar a Dios mientras me perjudicaba a mí misma. Estuve a punto de destruir a los seres que más necesitaba. Mi padre me había hablado de los kamikazes. La palabra quería decir "viento sagrado". Esos pilotos habían ofrendado su vida por el emperador. Yo era una kamikaze emocional, que se dañaba por gusto. Nunca nadie conocería ese instante, pero la condena de mi crimen secreto sería acordarme de él. ¿Por eso los japoneses se hacían el *harakiri?*

Arrojé el resto de la leche en el fregadero, con suficiente lentitud para que Dios tomara nota de ese acto.

Fui al baño de mis padres. Tiré todas las pastillas al inodoro porque no recordaba el orden en el que las había cambiado de frascos. Seguramente valían una fortuna, pero consideré que mis padres sí merecían ese castigo.

Al día siguiente culpé a Karla de la desaparición de las medicinas (ella seguía noqueada en el sofá y nada parecía tan lógico como que tuviera una conducta errática con los barbitúricos; además, eso explicaba sus cuatro coletas en el pelo y su tatuaje de queso gruyere con dos ratones).

Mi madre estaba feliz por un regalo que acaso no era para ella y Karla impidió, sin darse cuenta, que yo asesinara a quienes más quería. ¿Era eso normal? No, no lo era. Lo supe cuando sentí un líquido tibio en la entrepierna. La comida con hormonas producía eso. Había dejado de ser niña en un mundo adulterado.

Tal vez de un modo inocente, semibudista, supuse que

si mataba a mis padres ellos ingresarían, blancos y eternos, a la ciudad paralela de los zombis, o tal vez todo tuvo que ver con mis alteraciones hormonales.

¿Quién era yo? ¿En qué me convertía? Hasta unos meses atrás, los peluches, los juegos, las amigas bastaban para encapsularme en un sueño irreal.

¿En verdad mi padre reservaba el abanico para el cumpleaños de mamá? Faltaban meses para eso. ¿Qué significaba el rojo para ellos? ¿Podía ser tan importante como para la mujer fantasma?

Me entristeció que esa señora joven, de ojos buenos (ahora me parecían así) esperara algo que mi padre no iba a darle.

A los pocos días, mamá se quejó de no encontrar un suéter. Pensé que él se lo había llevado a su amiga, a la que imaginé muerta de frío. Pero el enredo de estambre color crema apareció en el coche, debajo de un asiento. Todo encontraba un acomodo inesperado.

Mi padre suspendió sus caminatas para no darme mal ejemplo. Ahora hacía curiosas calistenias. La gracia con que sorteaba baches callejeros no lo acompañaba en otros ejercicios. Perdía el equilibrio al hacer sentadillas. Se volvió común verlo tirado en el pasillo.

Un día le pregunté:

—¿La vas a dejar?

No había planeado esa pregunta. Se me impuso como un efecto retrasado de lo que vivíamos desde nuestra fallida caminata.

—¿De qué hablas? —se quitó los lentes.

—De la señora que vimos cuando caminamos a la escuela. La señora de cara blanca.

Esbozó una sonrisa, buscando ser cómplice de una broma. Aguardó que yo dijera algo más. Como eso no ocurrió, puso sus codos en la mesa del comedor y se llevó las manos a las sienes:

—¿De qué hablas? —insistió con gravedad.

Le recordé lo ocurrido, con el mayor detalle posible.

Me tocó la frente, pensando que tenía fiebre. Repasó el recorrido de aquel día con minucia de instalador de focos. Habló de mis caídas, el calcetín mojado, la portera que me puso un retardo, la triste despedida en la reja de la escuela. La mujer no estaba ahí. Nunca había estado.

—¿De veras viste algo? —me miró con miedo.

Algo se condensó en ese momento, algo que tardaría años en explicar y me obligaría a volver una y otra vez a la sala de la casa donde mi padre se frotaba las sienes mientras yo descubría una absurda cáscara de naranja bajo un sillón (¿cómo había llegado ahí?, ¿sólo yo la veía?, ¿se trataba del fantasma de una cáscara?). La vida tenía esas extrañas coincidencias: algo no debía estar ahí, pero estaba ahí.

Hasta el día en que mi padre propuso que fuéramos normales, yo creía que los fantasmas venían del pasado. Eran muertos que salían del más allá. Sin embargo, cuando le hablé de la mujer de pelo negro, me miró como si *yo* fuera una aparecida. Entonces advertí otra posibilidad: los fantasmas estaban en el futuro, eran las personas, todavía aplazadas, en las que nos íbamos a convertir.

Recompuse mi imagen mental de la mujer: esa señora pálida que quería a mi padre tenía mis ojos. Lo trataba con confianza, pero al mismo tiempo parecía fuera de lugar. En su semblante se mezclaba el gusto de verlo y la tristeza de que él no la viera. Le decía "José", como yo le decía a veces para sorprenderlo.

La había visto caminar sobre el empedrado como si flotara, montada en sus tacones extraños. Comprendí que sus zapatos estaban hechos de un plástico que aún no se inventaba.

Nos habíamos encontrado con la mujer que yo sería. Mi padre no la percibió porque ella estaba en otra época, una época que a él no le correspondía. Cuando ella me tocó no sentí sus dedos porque se trataba de una proyección de mí misma.

La ciudad lenta, que sólo unos cuantos recorrían a pie, era el sitio donde vivían las personas en las que nos íbamos a convertir. Tal vez incluso hubiera más de un doble para cada quien y una anciana entibiara el té cerca de ahí, el té que yo bebería en mis últimos años. ¿Habría una posibilidad de descartar esos futuros desde el presente? ¿Podría envenenar a esa anciana para no llegar a ser ella?

Una extraña tranquilidad se apoderó de mi mente: distintos tipos de muertos venían del porvenir para que se-leccionáramos con cuáles nos quedaríamos. No me disgus-tó la posibilidad de convertirme en la mujer delgada de los tacones cuadrados, cuya palidez no se debía a haber perdido sangre sino a que aún no le llegaba. En el futuro, ella podría ruborizarse.

Mi padre me vio con ojos vacíos, ojos que yo debía llenar.

Un último golpe de realismo me llevó a otras especula-ciones. ¿Él conocía a la mujer y lo negaba? Tal vez ella tenía esos zapatos raros porque él se los había traído de Japón.

—¿El abanico era para mamá? —pregunté.

—Claro, se lo iba a dar en su cumpleaños, necesito cal-marla con regalos.

—¿Por qué necesitas calmarla?

—Le gusta que sea detallista.

—¿Por qué?

La conversación lo puso nervioso. Contestó mientras se pellizcaba un dedo:

—Porque así es la vida. Ella espera que le dé cosas.

Los ojos se le humedecieron cuando dijo:

—No debimos caminar a la escuela. Perdóname.

En ese momento llegó mi madre. Había ido de compras y llegó acompañada del ruido, áspero y lujoso, de numerosas bolsas de papel que chocaban entre sí.

—¡Estoy muerta! —sonrió.

Fue a dejar las bolsas a su cuarto.

Entonces quise decirle a mi padre: "No quiero que ten-gas otra familia de fantasmas, no quiero que tengas hijos con gente muerta".

En vez de eso, comencé a llorar. Me dio miedo que mi padre tuviera otra familia, pero también que no me recono-ciera en el futuro, cuando yo llevara esos zapatos que aún no se inventaban.

Me acarició sin decir nada más, con sus manos tibias, y agradecí su maravillosa habilidad para no encontrar pa-labras.

Muchos años después viajé a Japón. Entré en un inmenso almacén de Shibuya y busqué los zapatos de tacón cuadrado.

No los tenían. Fui a una tienda en el piso treinta y seis de un rascacielos, especializada en calzado plástico de diseño. Me atendió un japonés delgadísimo, vestido enteramente de negro. Llevaba una melena de Beatle que parecía cortada con vidrio. Le hablé de la forma, la textura, el color, la peculiaridad de los tacones, de su maravillosa utilidad en terrenos pedregosos. Él asentía con atención, como si ya los hubiera visto. Durante más de una hora revisamos catálogos. Fue en vano. Le pedí disculpas por la pérdida de tiempo. *"They are possible"*, dijo con cortesía para mitigar mi sentimiento de culpa. *"But not now"*, agregó.

Había viajado a Japón con un hombre al que creía adorar. Esa noche, mientras cenábamos, le conté de la caminata al colegio y la región de los fantasmas. Había sido una época de descubrimientos, incertidumbres, falsos abandonos. Omití el detalle de la sangre bajando por mi pierna porque él tenía una fobia a la menstruación que le costaba trabajo aceptar.

—¿Cómo te puedes acordar de tantas cosas? —fue su soso comentario.

Recordé algo más: en mi acomodaticia religiosidad de entonces, Dios era omnipresente pero tenía mala memoria. En eso se parecía a mi padre. Con razón mamá deseaba que fuera detallista.

El hombre con el que fui a Japón vivía exclusivamente en el presente. Masticaba con fuerza excesiva, como si comiera carne de caballo y no sushi. Alguien atractivo e intrascendente. Supe que nos separaríamos pronto, sin que eso resultara un drama.

Nunca sabré a ciencia cierta lo que mi padre descubrió en Japón ni el impulso con el que volvió a casa, dispuesto a que camináramos muy lejos.

Un agradable desconcierto ganó peso en el restaurante donde yo rememoraba mi vida ante un hombre guapo al que eso no le interesaba. Había dejado de creer en la ciudad secreta, perdida dentro de mi barrio, en la capacidad de mi padre de modificar la vida como una película en proceso, pero mis recuerdos dependían de eso, como el aura de calor que preserva un guiso.

Atesoré el encuentro con la mujer en la calle de mi infancia como una escena que requería de renovado análisis, hasta una tarde en que la reviví desde otra perspectiva. Ahora yo era la mujer madura que miraba a una niña tomada de la mano de su padre. Advertí, por vez primera, el gesto infantil que se esforzaba en ser maduro, la distancia que ella procuraba establecer con su padre, como si esa compañía ya le sobrara un poco y comenzara a parecerle absurda.

Repasé la pregunta: "¿Ya volviste, José?". La frase no se refería a Japón, sino al regreso a ese recuerdo.

Me dio tristeza ver a mi padre ante la niña que no podía ni quería ser protegida por él. Entendí lo que ambos perdimos aquel día en que nos maltratamos tratando de querernos.

Era el momento de caminar en sentido contrario, hacia otro tiempo.

Recordé el abanico rojo. Hubiera querido pedírselo a la niña, pero no podía modificar la escena en la que mi padre se despedía con su ademán *cherokee*.

Para salir por completo de ese tiempo me hacen falta los zapatos de la mujer.

"They are possible", dijo el vendedor japonés.

Existen, pero están en el futuro.

EL CREPÚSCULO MAYA

La culpa fue de la iguana. Nos detuvimos en el desierto ante uno de esos hombres que se pasan la vida en cuclillas, con tres iguanas tomadas del rabo. El Tomate revisó la mercancía como si supiera algo de animales verdes.

El vendedor, con un rostro acuchillado por el sol y la sequía, informó que la sangre de la iguana repone la energía sexual. No nos dijo cómo alimentar al animal porque pensó que nos lo comeríamos de inmediato.

El Tomate trabaja para una revista de viajes. Vive en un edificio horrendo que da al Viaducto. Desde ahí describe las playas de Polinesia.

En forma excepcional esta vez sí recorría los sitios de los que iba a escribir: Oaxaca y Yucatán. Cuatro años antes habíamos hecho la ruta en sentido inverso, Yucatán-Oaxaca. Entonces éramos tan inseparables que si alguien me veía sin él preguntaba: "¿Dónde está el Tomate?".

Culminamos el viaje anterior en Monte Albán, durante un eclipse de sol. Las piedras doradas perdieron su resplandor y el valle se cubrió de una luz tenue, que no correspondía a hora alguna. Los pájaros cantaron con desconcierto y los turistas se tomaron de la mano. Yo sentí un arrepentimiento muy raro y le confesé al Tomate que lo había tirado al cenote de Chichén Itzá.

Eso había ocurrido unos días antes. Al ver el agua sagrada, mi amigo habló maravillas de los sacrificios humanos: los mayas, supersticiosos de lo pequeño, echaban al agua sagrada a sus enanos, sus juguetes, sus joyas, sus niños favoritos. Me acerqué a un grupo de sordomudos. Una mujer traducía los informes del guía al lenguaje de las manos: "El que bebe agua del cenote, regresa a Chichén Itzá". Estábamos al borde de un talud y el Tomate se inclinaba. Algo me hizo empujarlo. El resto del viaje fue un calvario porque le dio salmonelosis. En Monte Albán, bajo la luz incierta del eclipse, me sentí mal y le pedí perdón. Entonces él aprovechó para preguntarme: "¿De verás no recuerdas que te colé al concierto de Silvio Rodríguez?". Muy al principio de nuestra amistad, en los tempranos años setenta, el Tomate había sido sonidista del grupo folclórico Aztlán. En su momento de gloria, intervino en un festival de la nueva trova cubana. Sinceramente, yo no recordaba deberle esa entrada, pero él me decía con sonrisa mustia: "Yo sí me acuerdo". Su sonrisa me irritaba porque era la misma con que me confesó que se había acostado con Sonia, la refugiada chilena a la que cortejé sin la menor posibilidad de quitarle la ruana.

La reconciliación en Monte Albán sirvió para que dejáramos de vernos. Habíamos cruzado una línea invisible.

Durante dos años apenas nos frecuentamos. Ni siquiera le hablé cuando encontré el LP del grupo Aztlán que me prestó hace treinta años. De vez en cuando, en la peluquería o el consultorio del dentista, encontraba un ejemplar de la revista donde él escribía de las islas que jamás conocería.

El Tomate reanudó el trato cuando gané los Juegos Florales de Texcoco con un poema que me parecía prerrafaelita, muy influido por Dante Gabriel Rossetti. El premio se entregaba en el marco de la Feria del Pulque. Mi amigo habló a eso de las siete de la mañana el día en que se publicó la noticia: "Quiero *cortarle a la epopeya un gajo*", exclamó en tono jubiloso. Eso significaba que quería acompañarme a la entrega, quizá en cobro por haberme colado al impreciso concierto de Silvio Rodríguez. No contesté. Lo que dijo a continuación terminó de agraviarme: "López Velarde. ¿No reconociste la cita, poeta?".

Le dije que le hablaría para ponernos de acuerdo, pero no lo hice. Lo imaginé en Texcoco con demasiada precisión: las canas despuntaban en la parte inferior de su bigote, bebía un pulque de olor agrio y opinaba que mis poemas eran pésimos.

Su llamada más reciente tuvo que ver con el Chevy. Llené un formulario en Superama y gané un coche. Aparecí en el periódico, con cara de felicidad primaria, recibiendo unas llaves que parecían maquilladas para la ocasión (el llavero despedía un lujoso destello). El Tomate me pidió que lo llevara a Oaxaca y Yucatán. Tenía que hacer un reportaje. Estaba harto de simular la vida en hoteles de cinco estrellas y escribir de guisos que jamás probaba. Quería sumirse en la realidad. "Como antes", agregó, inventándonos un pasado común de antropólogos o corresponsales de guerra.

Luego dijo: "Karla vendrá con nosotros". Le pregunté quién era y fue suficientemente misterioso. Aún no me reponía de haber salido en el periódico con las llaves del coche y estaba dispuesto a hacer cosas que me molestaran. Por otra parte, me había ocurrido algo de lo que necesitaba alejarme. Ha pasado bastante tiempo y aún no puedo hablar del tema sin vergüenza. Me acosté con Gloria López, que está casada, y ocurrió un accidente del que ninguno de los dos tenía antecedentes. Un hecho improbable, como la combustión interna que puede hacer que un cuerpo o el negativo de una película se enciendan hasta calcinarse: mi preservativo se esfumó en su vagina. "Una abducción", dijo ella, más intrigada que preocupada. Gloria cree en extraterrestres. Yo le interesaba para un revolcón ocasional, pero le interesó sobremanera establecer un contacto del "tercer tipo" del que yo había sido mero intermediario.

¿Cómo puede desaparecer un hule indestructible? Ella estaba convencida del sesgo alienígena de la cuestión. ¿Podía quedar embarazada o el condón estaba encapsulado? Este último verbo me recordó su película favorita: *Viaje fantástico*, con Raquel Welch. Gloria era demasiado joven para haberla visto cuando se estrenó. Un ex novio que se dedicaba a la piratería de videos la puso en contacto con esa fantasía que parecía concebida para ella: la tripulación de una nave es reducida a tamaño microscópico e inyectada en un cuerpo para realizar una compleja operación médica. El organismo como variante del cosmos sólo podía excitar a alguien que vivía para ser raptada a otras dimensiones. "¿Cómo se sentirán los internautas dentro de ti?", preguntaba con la seriedad de quien considera que eso es posible: "¿Puede haber algo más cachondo que tener internautas en las venas?". Los productores de la película habían pensado lo mismo al escoger a Rachel Welch y asignarle un entalladísimo traje blanco. El despropósito sexual de que un diminuto cuerpo turgente avance por tu sangre sedujo a Gloria, que ahora se sentía tripulada por el condón que se le había quedado dentro. De poco sirvió que yo recordara que la tripulación original abandonaba el cuerpo por un lagrimal, una metáfora de que las aventuras de seducción intravenosa terminan en llanto. A todo esto se agregaba la posibilidad de que el marido de Gloria descubriera ese insólito inquilino *by the way of all flesh* (citar a Samuel Butler no rebaja lo grotesco del tema, lo sé, pero al menos se trata de una lectura a la que nunca llegará el Tomate).

Aunque nada alivia tanto como saber que a alguien le pasó lo mismo y conoce remedios caseros al respecto, me dio vergüenza hablar del tema. Atravesaba la zozobra de tener que enfrentar un embarazo o a un marido colérico, y de que mi cómplice estuviera distraída con magnetismos extraterrestres, cuando el Tomate sugirió que fuéramos de viaje. Acepté en el acto.

Karla decidió viajar en el asiento trasero porque había leído *El sistema de los objetos* de Baudrillard y esa parte del coche la hacía sentir "deliciosamente dependiente". En todo lo demás era una furia independentista. No aceptaba nuestros horarios ni creía que la autopista tuviera los kilómetros que indicaba el mapa.

Por suerte dormitó buena parte del trayecto. En uno de esos remansos compramos la iguana.

Cuando Karla despertó, cerca de Pinotepa Nacional, vio la iguana y perdimos puntos en su valoración.

Había hombres King Kong, obsesionados por las rubias, y hombres Godzilla, obsesionados por los monstruos. El primer complejo era racial, el segundo fálico. Habíamos comprado un dinosaurio a nuestra escala. Durante cien kilómetros, trató de explicarle lo que era auténtico y lo que no.

Karla tenía una curiosa forma de rascarse la barriga, muy despacio, como si no adormeciera el vientre sino su mano. Levantó su camiseta lo suficiente para descubrir un tatuaje como un ombligo superior, en forma de *yin yang*.

Ya en Oaxaca, la iguana sacó su lengua, redondeada como un cacahuate. Karla sugirió que le diéramos de comer y el Tomate pudo decir el hermético refrán: "Ahora vamos a saber de qué lado masca la iguana". Todos habíamos oído antes la frase, sin tratar de entenderla.

En una tienda de peces tropicales compramos moscos

secos. Dejamos a la iguana en el coche, con una provisión de insectos que se comió o se perdió en el suelo.

Hacia las dos de la tarde, el Tomate escogió un restorán del que había escrito epopeyas sin conocerlo. Costó mucho que Karla aceptara una mesa. Todas se oponían a algún designio del *feng shui*. Comimos en el patio, junto a un pozo que nos daba energía. Karla se dedicaba a la "decoración mística". Así lo acreditaba su tarjeta de visita, de cuando vivía en Cancún. Acababa de mudarse al DF y mi amigo le había dado asilo. Era hija de una conocida del Tomate, que se embarazó a los 16 años. Desde que mi amigo me saludó formando una pistola con el índice y el pulgar, supe que el viaje era un pretexto para ligársela.

La moral del Tomate viaja en zigzag: le parecía un abuso acostarse con su huésped en México pero no con su invitada a Oaxaca y Yucatán.

No quise comer mole amarillo y el Tomate me acusó de odiar lo auténtico. Es posible que odie lo auténtico, en todo caso odio la comida amarilla. Cuando él fue al baño, Karla me dedicó un interés hiperobjetivo: "¿Y cómo estás ahora?", preguntó. Supuse que el Tomate le había hablado de un "antes" tremendo. Ella hizo una pausa y agregó, en tono cómplice: "Entiendo lo de la iguana".

Las emociones son confusas: me gustó que me viera como un mueble reubicable. Acepté que la había pasado mal, pero ya iba mejor. Hablé hacia las migajas en su plato. Luego alcé la vista a sus ojos castaños. Ella arruinó su sonrisa al decir: "Él se preocupa mucho por ti". Por supuesto, se refería al Tomate. Me molestó que se convirtiera en pronombre y aprovechara mis declives para hacerse el amigo solidario. ¿Qué le había dicho a Karla? ¿Que me interné voluntariamente en el psiquiátrico San Rafael mientras él bailaba cuecas revolucionarias con Sonia? Eso era cierto. Además, en busca de exaltación prerrafaelita, me sometí a un ayuno que me condujo a la semidemencia. Pero el Tomate había inventado otras rarezas. Karla me habló como el yaqui don Juan a Carlos Castaneda: "Cada quien tiene su animal interior", tocó mi mano con comprensiva suavidad.

En Oaxaca había un festival de música clásica y sólo encontramos un cuarto para los tres en una posada de las afueras, cerca del Árbol del Tule. Vimos el tronco centenario en cuyos nudos Italo Calvino descubrió un intrincado alfabeto y donde un guía encontraba otras representaciones: "Ahí se ven las *pompis* de Olga Breeskin", señaló algo que, en efecto, parecían las exageradas nalgas de una *vedette*.

La iguana pasó por varias etapas. En su fase Oaxaca, sólo pensaba en huir de nosotros. En el cuarto había dos camas, la matrimonial que nos asignó Sonia y la de ella. El armario era un sólido armatoste de tiempos de la Revolución; no había *feng shui* que lo moviera. Ahí durmió la iguana, o mejor dicho, ahí quisimos que durmiera. En la madrugada escuché un rascar de uñas. Fui al armario. La iguana había desaparecido. Algo me hizo saber que no estaba en el cuarto. La puerta no cerraba con llave sino con una soga. Seguramente el cuarto tenía huecos por todas partes. Sé que no hay lógica en el razonamiento, pero una puerta atada con una soga sugiere muchos defectos. Salí al pasillo que desembocaba en el único baño del hotel. Encontré a la iguana en el excusado. ¿Había ido a beber agua? Según el Tomate, las iguanas se hidratan con frutos que no habíamos encontrado pero existían. La iguana se escurrió entre mis piernas. La perseguí con el impulso que da el insomnio, olvidando que no tenía el menor interés en capturarla. La encontré en el vestíbulo, junto a una reproducción de una escultura de Mitla, un anciano en posición funeraria. Tal vez aquel sacerdote en cuclillas le recordó a su antiguo propietario, el caso es que se quedó quieta y pude atraparla. Me mordió hasta hacerme sangre. Le apreté el hocico como si exprimiera una toalla. Regresé al cuarto con mi presa. Le había dado una oportunidad al Tomate de saltar a la cama de Karla, pero cuando abrí la puerta todo seguía tan tranquilo y tan poco *feng shui* como cuando salí.

El mordisco amaneció en mi mano de modo carismático; parecía haberme herido con púas de luz. Karla se asustó de un modo espléndido y me puso Pomada del Tigre.

Esa mañana le hablé a Gloria para ver si había noticias del "viajero fantástico": "Todavía no", contestó de mala manera. Estaba furiosa porque había perdido su pasaporte.

Me culpó de no comprometerme en nada (Gloria no tenía el menor interés de que me comprometiera con ella por el condón perdido en su interior: quería que me comprometiera a encontrar su pasaporte).

En el viaje anterior nos habían advertido: "Los van a asaltar en el istmo de Tehuantepec". En aquella ocasión viajamos en un camión Flecha Turquesa o Astro de la Mañana. Nos asaltaron a bordo del camión. Un hombre sometió al conductor con un machete mientras otro nos revisaba los bolsillos. Recuerdo sus ojos inyectados de sangre y su aliento a mezcal cuando dijo: "Es su día de suerte: nomás imaginen que se hubieran caído a una barranca".

Esta vez nos asaltaron sin que nos diéramos cuenta. Cargamos gasolina en la montaña. Era de noche, Karla y la iguana dormían en la parte trasera del auto. El Tomate veía el infinito en el asiento de adelante.

El encargado me preguntó si iba a Yucatán y me contó una leyenda. El jaguar tenía el cuerpo moteado por haber mordido el sol; cuando acabó con la luz en Oaxaca se fue a Yucatán, pero ahí no pudo seguir comiendo lumbre porque un príncipe maya luchó con él y se ahogaron juntos en el cenote sagrado; sus cuerpos viajaron por los ríos subterráneos que recorren la península hasta salir al mar. Por eso el Caribe tenía esas fosforescencias tan extrañas. Los mexicanos no sabíamos que las fosforescencias eran valiosas, pero de Japón llegaban barcos a robárselas. La historia duró lo suficiente para que sus ayudantes me quitaran los faros traseros. El Tomate no notó nada "porque pensaba en el tiempo".

Tomamos la carretera que descendía hacia el oriente. De vez en cuando un tráiler me rebasaba, tocando un claxon alarmante. Sólo conecté esto con la ausencia de faros cuando llegamos al hotel en Villahermosa y revisé el coche. "¿Qué clase de pendejo eres?", le pregunté al Tomate. Yo tampoco advertí el robo, pero al menos escuché la leyenda maya. ¿Para qué querían los japoneses las fosforescencias marinas?, ¿serían nutritivas? Pensé en lo sencillo que era engañar a una persona como yo. Por contraste, estimé un poco más al Tomate. Me vio con una tristeza desarmante: "¿Te digo una cosa?", preguntó.

No aguardó a mi respuesta para contarme que antes de

salir del DF se había quemado las verrugas que tenía en el pecho. "Me sentía muy viejo con las verrugas". Se levantó la camisa para mostrarme sus quemaduras, como un desollado dios Xipe Tótec. Obviamente se había quemado en beneficio de Karla.

La otra noticia fue que la iguana se esfumó en el istmo. Bajamos las maletas y las botellas de agua de Karla sin que apareciera por ningún lado.

En Villahermosa nos hospedamos en unos búngalos con terraza. De tanto en tanto, un camarero se acercaba a ofrecer una copa. Karla se acostó pronto porque estaba exhausta de dormir en las curvas de la carretera.

El Tomate y yo fumamos unos puros secos que le compramos a un vendedor de flores de papel y bebimos ron hasta la madrugada. Alcanzamos el letargo amistoso en el que se está bien sin decir nada. Oímos grillos, pájaros nocturnos y, muy al fondo, el agradable achicharrarse de los insectos en una lámpara electrificada. El Tomate estropeó la calma: "¿Por qué no vas por ella?".

Pensé que hablaba de la iguana, pero sus ojos se dirigían al búngalo de Karla. Se rascó el pecho desnudo. Me concentré en sus manchas rojizas. "Me pusieron nitrógeno líquido", explicó, como un mártir futurista. Él se había quemado para acceder a Karla y sus verrugas habían ardido en un rito sacrificial, pero ahora me pedía que la buscara. "Es obvio que le gustas: hace dos días que no cambia una silla de lugar", sus palabras salieron en tono amargo, como una última bocanada de mal tabaco.

Siempre me había deprimido imaginar a mi amigo en su departamento junto al tráfico del Viaducto, escribiendo de iglesias románicas y ruinas sicilianas. Ahora no había nada más triste que verlo en ese viaje dañinamente real.

"Ya sabemos de qué lado masca la iguana", agregó, con sonrisa resignada.

Al regresar al cuarto algo se alteró dentro de mí. La pobreza del escenario —el diminuto jabón Rosa Venus, el oxidado destapador de botellas, el cenicero con el nombre de otro hotel— me hizo saber que también yo la estaba pasando mal. Me molestó que el Tomate me incitara a acercarme a Karla. Recordé el tiempo en que llevaba de un lado a otro el equipo de sonido del grupo Aztlán: aprovechó su acceso privilegiado a esa música de flautas sopladas con indignación por la miseria para acostarse con Sonia. Ahora me ofrecía a otra mujer para compensar esa deslealtad. O tal vez jugaba cartas diferentes, tal vez quería sacarle un provecho casi desesperado al viaje, conquistar la posibilidad de quejarse de mí en el futuro. Si yo me quedaba con Karla, su chantaje posterior podría ser implacable, de una refinada crueldad, como el estado de ánimo de un dios maya.

En algo tenía razón: Karla había dejado de mover los muebles, y no sólo eso: en cada restorán tomaba las galletas Premium, les untaba mantequilla y me las daba sin preguntarme.

Me bañé con el hilo de agua que salía de la regadera. Fue el preludio de una pésima jornada. Visitamos las ruinas de Palenque. El guía quiso que viéramos la efigie de un "astronauta" en la cámara interior de una pirámide. Los "mandos" de la "nave" eran mazorcas de maíz.

"Nada es auténtico", masculló el Tomate. El día entero me vio como si yo acabara de salir del búngalo al que me había propuesto entrar.

Karla advirtió que algo estaba mal entre nosotros, y se distrajo canturreando una indescifrable melodía. Visitamos de prisa las ruinas de ladrillo de Comalcalco, comimos pejelagarto sin comentar su extraño sabor, y enfilamos hacia la meseta de los reyes mayas.

Avanzábamos por una región de arbustos secos, coronados de flores lilas, cuando un curioso tableteo salió del cofre delantero. Pensé que se había roto la banda o alguna de las muchas partes que desconozco en el motor.

Cuando abrí el cofre, Karla me abrazó y me besó: la iguana nos miraba con paciencia prehistórica; su cola azotaba las bujías como un metrónomo. El animal estaba caliente pero lo atrapé con las ansias que me atribuía Karla.

En Maní revisé el coche mientras los otros bebían horchatas. La iguana había hecho un hueco en el respaldo del asiento trasero. Por ahí salió al chasis y entró al motor. El animal representaba mi karma, mi aura o mi ser en sí. También estaba agujereando mi coche.

Visitamos el templo de San Miguel de Maní, donde Fray Diego de Landa ordenó que se quemaran los códices mayas. La cosmogonía de un pueblo había desaparecido en llamas ejemplares. Le hablé a Karla de las cosas que se van y las que se quedan. La iguana pertenecía a ese entorno, como los códices quemados: tenía que reintegrarse a esa realidad. Yo había dejado de necesitarla. Ella me concedió la mirada super significativa que amerita alguien que se hospitalizó por culpa o por complicidad de sus animales interiores. El Tomate me había convertido ante ella en un caso de interesante zoología fantástica. Vi el cielo de Yucatán, de un azul purísimo, y me sentí capaz de hablar de las pérdidas creativas. Después de quemar los códices, Fray Diego escribió la historia de los mayas. Yo haría una restitución semejante. La liberación de la iguana me permitiría romper mi sequía de escritor. Tenía en mente un ciclo de poemas, *El círculo verde*, en alusión a la iguana que se muerde la cola y a los mayas que inventaron el cero. "Sólo se posee lo que se pierde a voluntad", pensé, pero no lo dije porque era pedante y porque el Tomate me vio a la distancia y volvió a formar una pistola con el índice y el pulgar; esta vez el gesto quería decir que aprobaba mi proximidad con Karla.

Así llegamos a la fase Yucatán de la iguana. Si en Oaxaca quería huir, ahí quería estar con nosotros. La liberamos sin éxito frente a la iglesia de los Tres Reyes de Tizimín, entre las piedras pálidas del inmenso atrio de Izamal, bajo los laureles de la Plaza Grande de Mérida. Tampoco se sintió atraída por la verdura que circundaba el cenote de Dzibilchaltún. Volvía a nosotros, domesticada por nuestros sabrosos moscos, por el Chevy y sus huecos posibles. "Los animales odian lo auténtico", le dije al Tomate.

Esa tarde hablé con Gloria. "Al fin salió", me dijo, y sentí un alivio cósmico. Pero ella no estaba de buen humor: "Ahora quiero saber de dónde me va a salir mi pasaporte". Supe que lo único que me unía a ella eran los problemas que podía causarle.

Cuando colgué, vi a Karla a lo lejos, parada en una piedra. Su silueta tenía una extraña inmovilidad. El cuerpo, ágil, tenso, no parecía en reposo; acumulaba energía para dar un salto.

Cerca de la zona arqueológica de Chichén Itzá encontramos un hotelito que formaba parte de un rancho de cebúes. Habíamos viajado la tarde entera, con el sol en contra. El Tomate tenía una jaqueca monumental. Se fue a domir temprano y Karla me dijo: "Se me ocurrió un nombre para la iguana".

Le puse el índice en los labios para que no dijera "Odisea", "Xóchitl" o "Tao". Ella me besó con suavidad. Esa noche acaricié hasta la madrugada su tatuaje del *yin yang*.

Fui a mi cuarto cuando rayaba el alba. Vi árboles frágiles, de intrincadas frondas; un pájaro azul cantaba entre sus ramas. Los cebúes blancos pastaban en la tierra llana. Me sentí feliz y culpable. Al entrar en mi habitación ya sólo me sentía culpable. Había arrojado al Tomate al agua porque nunca soporté que Sonia lo prefiriera; él tuvo la decencia de perdonarme y yo le pagaba con monedas falsas. Para colmo, recordé que sí fue él quien me coló a aquel concierto de Silvio Rodríguez. El Tomate se sentía viejo, llevaba años sin una relación estable, escribía en un departamento ruidoso sobre hoteles de un lujo imposible y viajes que no hacía, se había quemado las verrugas como un azteca punitivo. Pensé en diversas maneras de acercarme a él. Todas fueron innecesarias: había deslizado una nota bajo la puerta: "Te entiendo. Yo hubiera hecho lo mismo. Nos vemos en el DF". Esa nota lo incluía misteriosamente entre nosotros, como si nos hubiera espiado la noche entera.

Visité Chichén Itzá en calidad de zombi. Karla me dijo que supo que yo la amaba desde que la miré tan raro cuando comimos buñuelos frente al convento de Santo Domingo, en Oaxaca. La verdad, entonces la vi raro porque la iguana insistía en morderme donde ya me había mordido.

Subimos los 91 escalones de la pirámide de Kukulcán sin que el calor y el ejercicio le impideran hablar. Contó que había salido de Cancún hostigada por sus pretendientes. Luego señaló a un gringo de camisa hawaiana que no había dejado de fotografiarla. Se sentía acosada por incumplidos deseos ajenos; sólo el Tomate, que estaba viejo y era todo un caballero, la trataba con amistad igualitaria.

Cuando nos acercamos al cenote me sentí aún peor: el Tomate había bebido esa agua pero la profecía de regresar se cumplía en mi persona. Acaso la inmersión indebida traía esas consecuencias.

Para ese momento yo odiaba a los guías arqueológicos. Eran como peces de las profundidades. Tenían párpados hinchados y hablaban de lo que ignoraban. Había tantos que resultaba imposible no oír lo que salía de sus cabezas llenas de agua oscura. En el Tzompantli, Lugar de los Cráneos, uno de ellos contó que los mayas llevaban iguanas en sus travesías. Las rebanaban vivas porque la carne se pudre muy rápido con el calor de Yucatán. En las escalas del *sacbé*, el camino blanco que une las ciudades sagradas, arrancaban un poco de carne y seguían adelante. Mientras el corazón de la iguana siguiera latiendo, podían comerla en trozos. Luego se comían el corazón. El guía sonrió con sus dientes de pez.

Sentí un hueco en el estómago. Karla se mordió una uña con esmero. Compré mangos verdes pero ella no quiso probarlos. Vimos las delicadas calaveras del Tzompantli, la escritura en piedra de esos edificios legibles en un idioma extraviado. Pensé en la iguana sangrante que alimentaba a los peregrinos mayas. Una sensación de pérdida, de horror difuso, se apoderó de mí. Nuestra iguana nos seguía, como una mascota insensata. Recordé lo mucho que le debía al Tomate. A su manera, quiso hacerme un favor y desapareció al alba, como el Llanero Solitario. Karla miraba el cielo para no ver a la iguana. "Los guías mienten: son peces ciegos", le dije. Ella no me pidió que le explicara la frase. Debía pensar algo terrible; se sacudió, presa de un escalofrío. Tal vez la crueldad maya la impresionaba menos que el efecto de esa historia, la forma en que se cruzaba con nuestro viaje. El Tomate me había promovido ante ella como un conflicto atractivo que quizá no había alcanzado a comprobar o que empezaba a sobrarle. Apartó mi mano: "Tengo que pensar", dijo, como si las ideas le llegaran por el tacto.

Oscurecía cuando nos acercamos al cenote. La iguana se desvió al ver a cuatro o cinco ejemplares de su especie, en la tierra húmeda que rodeaba el ojo de agua. Ahí nos abandonó.

El Chevy aguardaba en el estacionamiento. Pensé en las cosas que se destruyen para que exista la poesía. Pensé en

Yeats y el amor imposible y sacrificado de los celtas. Pensé en mi incapacidad de ser crepuscular.

Karla quiso subir al asiento trasero. Le pedí que se sentara junto a mí. Esta vez no aludió a *El sistema de los objetos*: "Es el asiento de la muerte", dijo. "No soy tu chofer", contesté con un filo cortante. Ella obedeció, asustada.

Nos estrellamos a tres curvas de Chichén Itzá. El freno no me respondió. El chicote del pedal estaba roído. Karla se rompió dos costillas que le perforaron el pulmón. El Chevy fue declarado "pérdida total". Yo salí sin otra herida que el mordisco que ya tenía en la mano.

A veces pienso que Karla dejó de hablarme porque salí ileso y le pareció que así le daba intencionalidad al accidente. Había dicho demasiadas veces: "No fue tu culpa". Todo estaba mal desde antes de subir al coche, o desde un momento anterior, ya irrecuperable. ¿Qué designio cumplíamos cuando mezclamos nuestros alientos y creímos buscarnos en dos cuerpos?

Traté en vano de escribir *El círculo verde*. Durante largas tardes lo único que hice fue dibujar un animal.

En cambio, el Tomate publicó su reportaje con estupendas fotos de Oaxaca y Yucatán. Al leerlo recordé la nuca de Karla, sus manos en las mías, la piel de su espalda, resplandeciendo en la luz que sólo existe en la península.

Esa noche la vi en sueños. Le pregunté el nombre de la iguana, pero no soñé su respuesta.

LOS CULPABLES

Las tijeras estaban sobre la mesa. Tenían un tamaño desmedido. Mi padre las había usado para rebanar pollos. Desde que él murió, Jorge las lleva a todas partes. Tal vez sea normal que un psicópata duerma con su pistola bajo la almohada. Mi hermano no es un psicópata. Tampoco es normal.

Lo encontré en la habitación, encorvado, luchando para sacarse la camiseta. Estábamos a 42 grados. Jorge llevaba una camiseta de tejido burdo, ideal para adherirse como una segunda piel.

—¡Ábrela! —gritó con la cabeza envuelta por la tela. Su mano señaló un punto inexacto que no me costó trabajo adivinar.

Fui por las tijeras y corté la camiseta. Vi el tatuaje en su espalda. Me molestó que las tijeras sirvieran de algo; Jorge volvía útiles las cosas sin sentido; para él, eso significaba tener talento.

Me abrazó como si untarme su sudor fuera un bautizo. Luego me vio con sus ojos hundidos por la droga, el sufrimiento, demasiados videos. Le sobraba energía, algo inconveniente para una tarde de verano en las afueras de Sacramento. En su visita anterior, Jorge pateó el ventilador y le rompió un aspa; ahora, el aparato apenas arrojaba aire y hacía un ruido de sonaja. Ninguno de los seis hermanos pensó en cambiarlo. La granja estaba en venta. Aún olía a aves; las alambradas conservaban plumas blancas.

Yo había propuesto otro lugar para reunirnos pero él necesitaba algo que llamó "correspondencias". Ahí vivimos apiñados, leímos la Biblia a la hora de comer, subimos al techo a ver lluvias de estrellas, fuimos azotados con el rastrillo que servía para barrer el excremento de los pollos, soñamos en huir y regresar para incendiar la casa.

—Acompáñame —Jorge salió al porche. Había llegado en una camioneta Windstar, muy lujosa para él.

Sacó dos maletines de la camioneta. Estaba tan flaco que parecía sostener tanques de buceo en la absurda inmensidad del desierto. Eran máquinas de escribir.

Las colocó en las cabeceras del comedor y me asignó la que se atascaba en la eñe. Durante semanas íbamos a estar frente a frente. Jorge se creía guionista. Tenía un contacto en Tucson, que no es precisamente la meca del cine, interesado en una "historia en bruto" que en apariencia nosotros podíamos contar. La prueba de su interés eran la camioneta Windstar y dos mil dólares de anticipo. Confiaba en el cine mexicano como en un intangible guacamole; había demasiado odio y demasiada pasión en la región para no aprovecharlos en la pantalla. En Arizona, los granjeros disparaban a los migrantes extraviados en sus territorios ("un safari caliente", había dicho el hombre al que Jorge citaba como a un evangelista); luego, el improbable productor había preparado un coctel margarita color rojo. Lo "mexicano" se imponía entre un reguero de cadáveres.

La mayor extravagancia de aquel gringo era confiar en mi hermano. Jorge se preparó como cineasta paseando drogadictos norteamericanos por las costas de Oaxaca. Ellos le hablaron de películas que nunca vimos en Sacramento. Cuando se mudó a Torreón, visitó a diario un negocio de videos donde había aire acondicionado. Lo contrataron para normalizar su presencia y porque podía recomendar películas que no conocía.

Regresaba a Sacramento con ojos raros. Seguramente, esto tenía que ver con Lucía. Ella se aburría tanto en este terregal que le dio una oportunidad a Jorge. Aun entonces, cuando conservaba un peso aceptable e intacta su dentadura, mi hermano parecía un chiflado cósmico, como esos tipos que han entrado en contacto con un ovni. Tal vez tenía el pedigrí de haberse ido, el caso es que ella lo dejó entrar a la casa que habitaba atrás de la gasolinera. Costaba trabajo creer que alguien con el cuerpo y los ojos de obsidiana de Lucía no encontrara un candidato mejor entre los traileros que se detenían a cargar diésel. Jorge se dio el lujo de abandonarla.

No quería atarse a Sacramento pero lo llevaba en la piel: se había tatuado en la espalda una lluvia de estrellas, las "lágrimas de san Fortino" que caen el 12 de agosto. Fue el gran espectáculo que vimos en la infancia. Además, su segundo nombre es Fortino.

Mi hermano estaba hecho para irse pero también para volver. Preparó su regreso por teléfono: nuestras vidas rotas se parecían a las de otros cineastas, los artistas latinos la estaban haciendo en grande, el hombre de Tucson confiaba en el talento fresco. Curiosamente, la "historia en bruto" era mía. Por eso tenía frente a mí una máquina de escribir.

También yo salí de Sacramento. Durante años conduje tráileres a ambos lados de la frontera. En los cambiantes paisajes de esa época mi única constancia fue la cerveza Tecate. Ingresé en Alcóholicos Anónimos después de volcarme en Los Vidrios con un cargamento de fertilizantes. Estuve inconsciente en la carretera durante horas, respirando polvo químico para mejorar tomates. Quizá esto explica que después aceptara un trabajo donde el sufrimiento me pareció agradable. Durante cuatro años repartí bolsas con suero para los indocumentados que se extravían en el desierto. Recorrí las rutas de Agua Prieta a Douglas, de Sonoyta a Lukeville, de Nogales a Nogales (rentaba un cuarto en cada uno de los Nogales, como si viviera en una ciudad y en su reflejo). Conocí *polleros*, agentes de la *migra*, miembros del programa Paisano. Nunca vi a la gente que recogía las bolsas con suero. Los únicos indocumentados que encontré estaban detenidos. Temblaban bajo una frazada. Parecían marcianos. Tal vez sólo los coyotes bebían el suero. A la suma de cadáveres hallados en el desierto le dicen *The Body Count*. Fue el título que Jorge escogió para la película.

La soledad te vuelve charlatán. Después de manejar diez horas sin compañía escupes palabras. "Ser ex alcóholico es tirar rollos", eso me dijo alguien en AA. Una noche, a la hora de las tarifas de descuento, llamé a mi hermano. Le conté algo que no sabía cómo acomodar. Iba por una carretera de terracería cuando los faros alumbraron dos siluetas amarillentas. Migrantes. Éstos no parecían marcianos; parecían zombis. Frené y alzaron los brazos, como si fuera a detenerlos. Cuando vieron que iba desarmado, gritaron que los salvara por la Virgen y el amor de Dios. "Están locos", pensé. Echaban espuma por la boca, se aferraban a mi camisa, olían a cartón podrido. "Ya están muertos". Esta idea me pareció lógica. Uno de ellos imploró que lo llevara "donde *juese*". El otro pidió agua. Yo no traía cantimplora. Me dio miedo o asco o quién sabe qué viajar con los migrantes deshidratados y locos. Pero no podía dejarlos ahí. Les dije que los llevaría atrás. Ellos entendieron que en el asiento trasero. Tuve que usar muchas palabras para explicarles que me refería a la cajuela, el maletero, su lugar de viaje.

Quería llegar a Phoenix al amanecer. Cuando las plantas espinosas rasguñaron el cielo amarillo, me detuve a orinar. No oí ruidos en la parte trasera. Pensé que los otros se habían asfixiado o muerto de sed o hambre, pero no hice nada. Volví al coche.

Llegamos a las afueras de Phoenix. Detuve el coche y me persigné. Cuando abrí el cofre trasero, vi los cuerpos quietos y las ropas teñidas de rojo. Luego oí una carcajada. Sólo al ver las camisas salpicadas de semillas recordé que llevaba tres sandías. Los migrantes las habían devorado en forma inaudita, con todo y cáscara. Se despidieron con una felicidad alucinada que me produjo el mismo malestar que la posibilidad de matarlos mientras trataba de salvarlos.

Fue esto lo que le conté a Jorge. A los dos días llamó para decirme que teníamos una "historia en bruto". No servía para una película, pero sí para ilusionar a un productor.

Mi hermano confiaba en mi conocimiento de los cruces ilegales y en los cursos de redacción por correspondencia que tomé antes de irme de trailero, cuando soñaba en ser corresponsal de guerra sólo porque eso garantizaba ir lejos.

Durante seis semanas sudamos uno frente al otro. Desde su cabecera, Jorge gritaba: "¡Los productores son pendejos, los directores son pendejos, los actores son pendejos!". Escribíamos para un comando de pendejos. Era nuestra ventaja: sin que se dieran cuenta, los obligaríamos a transmitir una verdad incómoda. A esto Jorge le decía "el silbato de Chaplin". En una película, Chaplin se traga un silbato que sigue sonando en su estómago. Así sería nuestro guión, el silbato que tragarían los pendejos: sonaría dentro de ellos sin que pudieran evitarlo.

Pero yo no podía armar la historia, como si todas las palabras llevaran la eñe que se atascaba en mi teclado. Entonces Jorge habló como nuestro padre lo había hecho en esa mesa: nos faltaba sentirnos culpables. Éramos demasiado indiferentes. Teníamos que jodernos para merecer la historia.

Fuimos a unas peleas de perros y apostamos los dos mil dólares del anticipo. Escogimos un perro con una cicatriz en equis en el lomo. Parecía tuerto. Luego supimos que la furia le hacía guiñar un ojo. Ganamos seis mil dólares. La suerte nos consentía, pésima noticia para un guionista, según Jorge.

No sé si él tomó alguna droga o una pastilla, lo cierto es que no dormía. Se quedaba en una mecedora en el porche, viendo los huizaches del desierto y los gallineros abandonados, con las tijeras abiertas sobre el pecho. Al día siguiente, cuando yo revolvía el nescafé, me gritaba con ojos insomnes: "¡Sin culpa no hay historia!". El problema, *mi* problema, es que yo ya era culpable. Jorge nunca me preguntó qué estaba haciendo en la carretera de terracería a bordo de un Spirit que no era mío, y yo no deseaba mencionarlo.

Cuando mi hermano abandonó a Lucía, ella se fue con el primer cliente que llegó a la gasolinera. Pasó de un sitio a otro de la frontera, de un Jeff a un Bill y a un Kevin, hasta que hubo alguien llamado Gamaliel que pareció suficientemente estable (casado con otra, pero dispuesto a mantenerla). No era un migrante sino un "gringo nuevo", hijo de *hippies* que buscaban nombres en las biblias de los migrantes. La propia Lucía me puso al tanto. Hablaba de cuando en cuando y se aseguraba de tener mis datos, como si yo fuera algo que ojalá no tuviera que usar. Un seguro en la nada.

Una tarde llamó para pedir "un favorsote". Necesitaba enviar un paquete y yo conocía bien las carreteras. Curiosamente, me mandó a un lugar al que nunca había ido, cerca de Various Ranches. A partir de entonces me usó para despachar paquetes pequeños. Me dijo que contenían medicinas que aquí podían comprarse sin receta y valían mucho al otro lado, pero sonrió de modo extraño al decirlo, como si "medicinas" fuera un código para droga o dinero. Nunca abrí un sobre. Fue mi lealtad hacia Lucía. Mi lealtad hacia Jorge fue no pensar demasiado en los pechos bajo la blusa, las manos delgadas, sin anillos, los ojos que aguardaban un remedio.

Cuando decidimos vender la granja, los seis hermanos nos reunimos por primera vez en mucho tiempo. Discutimos de precios y tonterías prácticas. Fue entonces cuando Jorge pateó el ventilador. Nos maldijo entre frases sacadas de la Biblia, habló de lobos y corderos, la mesa donde se ponía un lugar al enemigo. Luego encendió el ventilador y oyó el ruido de sonaja. Sonrió, como si eso fuera divertido. El hermano que me ayudaba a bajarme los pantalones después de los azotes para sentir la fría delicia del río se creía ahora un cineasta con méritos suficientes para patear ventiladores. Lo detesté, como nunca lo había hecho.

La siguiente vez que Lucía me llamó para recoger un envío no salí de su casa hasta el día siguiente. Le dije que mi coche estaba fallando. Me prestó el Spirit que le había regalado Gamaliel. Yo quería seguir tocando algo de Lucía, aunque el coche viniera de otro hombre. Pensé en esto en la carretera y quise aportarle un toque personal al Spirit. Por eso me detuve a comprar sandías.

No volví a ver a Lucía. Devolví el coche cuando ella no estaba en casa y arrojé las llaves al buzón. Sentí un sabor acre en la boca, ganas de romper algo. En la noche llamé a Jorge. Le conté de los zombis y las sandías.

Al cabo de seis semanas, marcas azules circundaban los ojos de mi hermano. Cortó en cuadritos los dólares que ganamos en las peleas de perros pero tampoco así nos llegó la culpa creativa. No sé si sacó esa idea de los castigos en la granja, a manos de un padre de fanática religiosidad, o si las drogas en la costa de Oaxaca le expandieron la mente de ese modo, un campo donde se cosecha con remordimientos.

—Asalta un banco —le dije.

—El crimen no cuenta. Necesitamos una culpa superable.

Estuve a punto de decir que me había acostado con Lucía, pero las tijeras para pollos estaban demasiado cerca.

Horas más tarde, Jorge fumaba un cigarro torcido. Olía a mariguana, pero no lo suficiente para mitigar la peste de las aves de corral. Vio la mancha de salitre donde había estado la imagen de la Virgen. Luego me contó que seguía en contacto con Lucía. Ella tenía un negocio modesto. Medicinas de contrabando. Era ilícito pero nadie se condena por repartir medicinas. Me preguntó si yo tenía algo que decirle.

Por primera vez pensé que el guion era un montaje para obligarme a confesar. Salí al porche, sin decir palabra, y vi la Windstar. ¿Era posible que el "productor" fuese Gamaliel y los dólares y la camioneta vinieran de él? ¿Jorge era su mensajero? ¿Traía a la casa los celos de otra persona? ¿Podía haberse degradado con tanto cálculo?

Regresé a mi silla y escribí sin parar, la noche entera. Exageré mis encuentros eróticos con Lucía. En esa confesión indirecta, el descaro podía encubrirme. Mi personaje asumió los defectos de un perfecto hijo de puta. A Jorge le hubiera parecido creíble y repugnante que yo actuara como el hombre débil que era, pero no podía atribuirme esa magnífica vileza. Al día siguiente, *The Body Count* estaba listo. Sin eñes, pero listo.

—Siempre puedes confiar en un ex alcóholico para satisfacer un vicio —me dijo. No supe si se refería a su vicio de convertir la culpa en cine o de saciar celos ajenos.

Jorge le hizo cortes al guion con las tijeras para pollos. El más significativo fue mi nombre. Él ganó dinero con *The Body Count*, pero fue un éxito insulso. Nadie oyó el silbato de Chaplin.

En lo que a mí toca, algo me retuvo ante la máquina de escribir, tal vez una frase de mi hermano en su última noche en la granja:

—La cicatriz está en el otro tobillo.

Me había acostado con Lucía pero no recordaba el sitio de su cicatriz. Mi refugio era imaginar las cosas. ¿Era ése el vicio al que se refería Jorge? Seguiría escribiendo.

Esa noche me limité a decir:

—Perdón, perdóname.

No sé si lloré. Mi cara estaba mojada por el sudor o por lágrimas que no sentí. Me dolían los ojos. La noche se abría ante nosotros, como cuando éramos niños y subíamos al techo a pedir deseos. Una luz rayó el cielo.

—12 de agosto —dijo Jorge.

Pasamos el resto de la noche viendo estrellas fugaces, como cuerpos perdidos en el desierto.

COYOTE

EL AMIGO de Hilda había tomado el tren bala pero habló maravillas de la lentitud: atravesarían el desierto poco a poco, al cabo de las horas el horizonte ya no estaría en las ventanas sino en sus rostros, enrojecidos reflejos de la tierra donde crecía el peyote. A Pedro le pareció un cretino; por desgracia, sólo se convenció después de hacerle caso.

Cambiaron de tren en una aldea donde los rieles se perdían hasta el fin del mundo. Un vagón de madera con demasiados pájaros vivos. Predominó el olor a inmundicias animales hasta que alguien se orinó allá al fondo. Las bancas iban llenas de mujeres de una juventud castigada por el polvo, ojos neutros que ya no esperaban nada. Se diría que habían recogido a una generación del desierto para llevarla a un impreciso exterminio. Un soldado dormitaba sobre su carabina. Julieta quiso rescatar algo de esa miseria y habló de realismo mágico. Pedro se preguntó en qué momento aquella imbécil se había convertido en una gran amiga.

La verdad, el viaje empezó a oler raro desde que Hilda presentó a Alfredo. Las personas que se visten enteramente de negro suelen retraerse al borde de la monomanía o exhibirse sin recato. Alfredo contradecía ambos extremos. Todo en él escapaba a las definiciones rápidas: usaba cola de caballo, era abogado —asuntos internacionales: narcotráfico—, consumía drogas naturales.

Con él se completó el grupo de seis: Clara y Pedro, Julieta y Sergio, Hilda y Alfredo. Cenaron en un lugar donde las crepas parecían hechas de tela. Sergio criticó mucho la harina; era capaz de hablar con pericia de esas cosas. Avisó que no tomaría peyote; después de una década de psicotrópicos —que incluía a un amigo arrojándose de la pirámide de Tepoztlán y cuatro meses en un hospital de San Diego—, estaba curado de paraísos provisionales:

—Los acompaño pero no me meto nada.

Nadie mejor que él para vigilarlos. Sergio era de quienes

le encuentran utilidad hasta a las cosas que desconocen y preparan guisos exquisitos con legumbres impresentables.

Julieta, su mujer, escribía obras de teatro que, según Pedro, tenían un éxito inmoderado: había despreciado cada uno de sus dramas hasta enterarse de que cumplía trescientas representaciones.

Alfredo dejó la mesa un momento (al pagar la cuenta, con su manera silenciosa de decidir por todos) y Clara se acercó a Hilda, le dijo algo al oído, rieron mucho.

Pedro vio a Clara, contenta de ir al valle con su mejor amiga, y sintió la emoción intensa y triste de estar ante algo bueno que ya no tenía remedio: los ojos encendidos de Clara no lo incluían, probar algo de esa dicha se convertía en una forma de hacerse daño. Un recuerdo lo hirió con su felicidad remota: Clara en el desborde del primer encuentro, abierta al futuro y sus promesas, con su vida todavía intacta.

Durante semanas que parecieron meses Pedro había despotricado contra el regreso. ¿No era una contradicción repetir un rito iniciático? ¿Tenía sentido buscar la magia que habían arruinado con dos años de convivencia? Una vez, en otro siglo, se amaron en el alto desierto, ¿a dónde se fugó la energía que compartieron, la desnuda plenitud de esas horas, acaso las únicas en que existieron sin consecuencias, sin otros lazos que ellos mismos? Esa tarde, en una ciudad de calles numerosas, habían peleado por un paraguas roto. ¡En un tiempo sin lluvias! ¿Qué tenían que ver sus quejas, el departamento insuficiente, los aparatos descompuestos con el despojado paraíso del desierto? No, no había segundos viajes. Sin embargo, ante la sonrisa de Clara y sus ojos de niña hechizada por el mundo, supo que volvería; pocas veces la había deseado tanto, aunque en ese momento nada fuera tan difícil como estar con ella: Clara se encontraba en otro sitio, más allá de sí misma, en el viaje que, a su manera, ya había empezado.

La idea de tomar un tren lento se impuso sin trabas: los peregrinos escogían la ruta más ardua. Sin embargo, después de medio día de canícula, la elección pareció fatal. Fue entonces que Alfredo habló del tren bala. La mirada de Pedro lo redujo al silencio. Hilda se mordió las uñas hasta hacerse sangre.

—Cálmate, mensa —le dijo Clara.

En el siguiente pueblo Alfredo bajó a comprar jugos: seis bolsas de hule llenas de un agua blancuzca que sin embargo todos bebieron.

La tierra, a veces amarilla, casi siempre roja, se deslizaba por las ventanas. En la tarde vieron un borde fracturado, los riscos que anunciaban la entrada al valle. Avanzaron tan despacio que fue una tortura adicional tener el punto de llegada detenido a lo lejos.

El tren paró junto a un tendajón de lámina en medio de la nada. Dos hombres subieron a bordo. Llevaban rifles de alto calibre.

Después de media hora —algo que en la dilatación del viaje equivalía a un instante— lograron esquivar a los cuerpos sentados en el pasillo y ubicarse junto a ellos.

Julieta había administrado su jugo; la bolsa fofa se calentaba entre sus manos. Uno de los hombres señaló el líquido, pero al hablar se dirigió a Sergio:

—¿No prefiere un fuerte, compa?

La cantimplora circuló de boca en boca. Un mezcal ardiente.

—¿Van a cazar venado? —preguntó Sergio— Todo lo que se mueva —y señaló la tierra donde nada, absolutamente nada se movía.

El sol había trabajado los rostros de los cazadores de un modo extraño, como si los quemara en parches: mejillas encendidas por una circulación que no se comunicaba al resto de la cara, cuellos violáceos. No tenían casi nada que decir pero parecían muy deseosos de decirlo; se atropellaron para hablar con Sergio de caza menor, preguntaron si iban "de campamento", desviando la vista a las mujeres.

Bastaba ver los lentes oscuros de Hilda para saber que iban por peyote.

—Los huicholes no viajan en tren. Caminan desde la costa —un filo de agresividad apareció en la voz del cazador.

Pedro no fue el único en ver el *walkman* de Hilda. ¿Había algo más ridículo que esos seis turistas espirituales? Seguramente sacarían la peor parte de ese encuentro en el tren; sin embargo, como en tantas ocasiones improbables, Julieta salvó la situación. Se apartó el fleco con un soplido y quiso saber algo acerca de los gambusinos. Uno de los cazadores se quitó su gorra de beisbolista y se rascó el pelo.

—La gente que lava la arena en los ríos, en busca de oro —explicó Julieta.

—Aquí no hay ríos —dijo el hombre. El diálogo siguió, igual de absurdo. Julieta tramaba una escena para su siguiente obra.

Los cazadores iban a un cañón que se llamaba o le decían "Sal si puedes".

—Ahí nomás —señalaron, la palma en vertical, los cinco dedos apuntando a un sitio indescifrable.

—Miren —les tendieron la mira telescópica de un rifle: rocas muy lejanas, el aire vibrando en el círculo ranurado.

—¿Todavía quedan berrendos? —preguntó Sergio.

—Casi no.

—¿Pumas?

—¡Qué va!

¿Qué animales justificaban el esfuerzo de llegar al cañón? Un par de liebres, acaso una codorniz.

Se despidieron cuando empezaba a oscurecer.

—Tenga, por si las moscas.

Pedro no había abierto la boca. Se sorprendió tanto de ser el escogido para el regalo que no pudo rechazarlo. Un cuchillo de monte, con una inscripción en la hoja: "Soy de mi dueño".

El crepúsculo compensó las fatigas. Un cielo de un azul intenso que se condensó en una última línea roja.

El tren se detuvo en una oquedad rodeada de noche.

Alfredo reconoció la parada.

En aquel sitio no había ni un techo de zinc. Descendieron, sintiendo el doloroso alivio de estirar las piernas. Una lámpara de keroseno se balanceó en la locomotora en señal de despedida.

La noche era tan cerrada que los rieles se perdían a tres metros de distancia. Sin embargo, se demoraron en encender las linternas: ruidos de insectos, el reclamo de una lechuza. El paisaje inerte, contemplado durante un día abrasador, revivía de un modo minucioso. A lo lejos, unas chispas que podían ser luciérnagas. No había luna, un cielo de arena brillante, finita. Después de todo habían hecho bien; llegaban por la puerta exacta.

Encendieron las luces. Alfredo los guió a una rinconada donde hallaron cenizas de fogatas.

—Aquí el viento pega menos.

Sólo entonces Pedro sintió el aire insidioso que empujaba arbustos redondos.

—Se llaman brujas —explicó Sergio; luego se dedicó a juntar piedras y ramas. Encendió una hoguera formidable que a Pedro le hubiera llevado horas.

Clara propuso que buscaran constelaciones, sabiendo que sólo darían con el cinto de Orión. Pedro la besó; su lengua fresca, húmeda, conservaba el regusto quemante del mezcal. Se tendieron en el suelo áspero y él creyó ver una estrella fugaz.

—¿Te fijaste?

Clara se había dormido en su hombro. Le acarició el cuello y al contacto con la piel suave se dio cuenta de que tenía arena en los dedos. Despertó muy temprano, sintiendo la nuca de piedra. Los restos de la fogata despedían un agradable olor a leña. Un cielo azul claro, todavía sin sol.

Un poco después los seis bebían café, lo único que tomarían en el día. Pedro vio los rostros contentos, aunque algo degradados por las molestias del viaje, la noche helada y dura, el muro de nopales donde iban a orinar y defecar. Hilda parecía no haber dormido en eras. Mostró dos aspirinas y las tragó con su café.

—El pinche mezcal —dijo.

Alfredo enrolló la cobija con su bota y se la echó al hombro, un movimiento arquetípico, de comercial donde intervienen vaqueros.

Pedro pensó en los cazadores. ¿Qué buscaban en aquel páramo? Alfredo pareció adivinarle el pensamiento porque habló de animales enjaulados rumbo a los zoológicos del extranjero:

—Se llevan hasta los correcaminos —se cepilló el pelo con furia, se anudó la cola de caballo, señaló una cactácea imponente—: los japoneses las arrancan de raíz y vámonos, al otro lado del Pacífico.

Tenía demandas al respecto en su escritorio. ¿Demandas

de quién, del dueño del desierto, de los imposibles vigilantes de esa foresta sin agua?

Pedro empezó a caminar. El beso de Clara se le secó de inmediato; una sensación borrosa en la boca. Respiró un aire limpio, caluroso, insoportable. Cada quien tenía que encontrar su propio peyote, los rosetones verde pálido que se ocultan para los indignos. La idea del desierto saqueado le daba vueltas en la mente.

Se adentró en un terreno de mezquites y huizaches; al fondo, una colina le servía de orientación. "El aire del desierto es tan puro que las cosas parecen más cercanas". ¿Quién le advirtió eso? Avanzó sin acercarse a la colina. Se fijó una meta más próxima: un árbol que parecía partido por un rayo. Los cactus impedían caminar en línea recta; esquivó un sinfín de plantas antes de llegar al tronco muerto, lleno de hormigas rojas. Se quitó el sombrero de palma, como si el árbol aún arrojara sombra. Tenía el pelo empapado. A una distancia próxima, aunque incalculable, se alzaba la colina; sus flancos vibraban en un tono azulenco. Sacó su cantimplora, hizo un buche, escupió.

Siguió caminando, y al cabo de un rato percibió el efecto benéfico del sol: cocerse así, infinitamente, hasta quedar sin pensamientos, sin palabras en la cabeza. Un zopilote detenido en el cielo, tunas como coágulos de sangre. La colina no era otra cosa que una extensión que pasaba del azul al verde al marrón.

Sentía más calor que cansancio y subió sin gran esfuerzo, chorreando sudor. En la cima vio sus tobillos mojados, los calcetines le recordaron transmisiones de tenis donde los cronistas hablaban de deshidratación. Se tendió en un claro sin espinas. Su cuerpo despedía un olor agrio, intenso, sexual. Por un momento recordó un cuarto de hotel, un trópico pobrísimo donde había copulado con una mujer sin nombre. El mismo olor a sábana húmeda, a cuerpos ajenos, inencontrables, a la cama donde una mujer lo recibía con violencia y se fundía en un incendio que le borraba el rostro.

¿En qué rincón del desierto estaría sudando Clara? No tuvo energías para seguir pensando. Se incorporó. El valle se extendía, rayado de sombras. Una ardua inmensidad de plantas lastimadas. Las nubes flotaban, densas, afiladas, en una formación rígida, casi pétrea. No tapaban el sol, sólo arrojaban manchas aceitosas en el alto desierto. Muy a lo lejos vio puntos en movimiento. Podían ser hombres. Huicholes siguiendo a su *marakame*, tal vez. Estaba en la región de los cinco altares azules resguardados por el venado fabuloso. De noche celebrarían el rito del fuego donde se queman las palabras. ¿Cuál era el sentido de estar ahí, tan lejos de la ceremonia? Dos años antes, en la hacienda de un amigo, habían bebido licuados de peyote con una fruición de novatos. Después del purgatorio de náuseas ("¡Una droga para mexicanos!", se quejó Clara) exudaron un aroma espeso, vegetal. Luego, cuando se convencían de que aquello no era sino sufrimiento y vómito, vinieron unas horas prodigiosas: una prístina electricidad cerebral: asteriscos, espirales, estrellas rosadas, amarillas, celestes. Pedro salió a orinar y contempló el pueblito solitario a la distancia, con sus paredes fluorescentes. Las estrellas eran líquidas y los árboles palpitaban. Rompió una rama entre sus manos y se sintió dueño de un poder preciso. Clara lo esperaba adentro y por primera vez supo que la protegía, de un modo físico, contra el frío y la tierra inacabable; la vida adquiría una proximidad sanguínea, el campo despedía un olor fresco, arrebatado, la lumbre se reflejaba en los ojos de una muchacha.

¿Tenía algo que ver con esas noches de su vida: el cuerpo ardiendo entre sus manos en un puerto casi olvidado, los ojos de Clara ante la chimenea? Y al mismo tiempo, ¿tenía algo que ver con la ciudad que los venció minuciosamente con sus cargas, sus horarios fracturados, sus botones inservibles? Clara sólo conocía una solución para el descontento: volver al valle. Ahora estaban ahí, rodeados de tierra, los ánimos un tanto vencidos por el cansancio, el sol que a ratos lograba arrebatarle pensamientos.

La procesión avanzaba a lo lejos, seguida de una cortina de polvo.

Pedro se volvió al otro lado; a una distancia casi inconcebible vio unas manchitas de colores que debían ser sus amigos. Decidió seguir adelante; la colina le serviría de orientación, regresaría al cabo de unas horas a compartir el viaje con los demás. Por el momento, sin embargo, podía disfrutar de esa vastedad sin rutas, poblada de cactus y minerales, abierta al viento, a las nubes que nunca acabarían de cubrirla.

Descendió la colina y se internó en un bosque de huizaches. De golpe perdió la perspectiva. Un acercamiento total: pájaros pequeños saltaban de nopal en nopal; tunas moradas, amarillas. Imaginó el sitio por el que avanzaban los huicholes, imaginó una ruta directa, que pasaba sobre las plantas, y trató de corregir sus pasos quebrados. Tan absorbente era la tarea de esquivar magueyes que casi se olvidó del peyote; en algún momento tocó la bolsa de hule que llevaba al cinto, un jirón ardiente, molesto.

Llegó a una zona donde el suelo cobraba una consistencia arenosa; los cactus se abrían, formando un claro presidido por una gran roca. Un bloque hexagonal, pulido por el viento. Pedro se aproximó: la roca le daba al pecho.

Curioso no encontrar cenizas, migajas, pintura vegetal, muestras de que otros ya habían experimentado la atracción de la piedra. Se raspó los antebrazos al subir. Observó la superficie con detenimiento. No sabía nada de minerales pero sintió que ahí se consumaba una suerte de ideal, de perfección abstracta. De algún modo, el bloque establecía un orden en la dispersión de cactus, como si ahí cristalizara otra lógica, llana, inextricable. Nada más lejano a un refugio que esos cantos afilados: la roca no servía de nada, pero en su bruta simplicidad fascinaba como un símbolo de los usos que tal vez llegaría a cumplir: una mesa, un altar, un cenotafio.

Se tendió en el hexágono de piedra. El sol había subido mucho. Sintió la mente endurecida, casi inerte. Aun con el sombrero sobre el rostro y los ojos cerrados, vio una vibrante película amarilla. Tuvo miedo de insolarse y se incorporó: los huizaches tenían círculos tornasolados. Miró en todas direcciones. Sólo entonces supo que la colina había desaparecido.

¿En qué momento el terreno lo llevó a esa meseta? Pedro no pudo reconocer el costado por el que subió a la roca. Buscó huellas de sus zapatos tenis. Nada. Tampoco encontró, a la distancia, un brote de polvo que atestiguara la caminata de los peregrinos. El corazón le latía con fuerza. Se había perdido, en la deriva inmóvil de esa balsa de piedra.

Sintió el vértigo de bajar, de hundirse en cualquiera de los flancos de plantas verdosas. Buscó una seña, algo que revelara su paso a la roca. Un punto grisáceo, artificial, le devolvió la cordura. ¡Ahí abajo había un botón! Se le había desprendido de la camisa al subir. Saltó y recogió el círculo de plástico, agradable al tacto. Después de horas en el desierto, no disponía de otro hallazgo que aquel trozo de su ropa. Al menos sabía por dónde había llegado. Caminó, resuelto, hacia el horizonte irregular, espinoso, que significaba el regreso.

De nuevo procuró seguir una recta imaginaria pero se vio obligado a dar rodeos. La vegetación se fue cerrando; debía haber una humedad soterrada en esa región; los órganos se alzaban muy por encima de su cabeza, un caos que se abría y luego se juntaba. Avanzó con pasos laterales, agachándose ante los brazos de las biznagas, sin desprender la vista de los cactus pequeños dispersos en el suelo.

Se desvió de su ruta: en el camino de ida no había pasado por ese enredijo de hojas endurecidas. Sólo pensaba en salir, en llegar a un paraíso donde los cactus fueran menos, cuando resbaló y fue a dar contra una planta redonda, con espinas dispuestas en doble fila, que de un modo exacto, absurdo, le recordó la magnificación de un virus de gripe que vio en un museo. Las espinas se ensartaron en sus manos. Espinas gordas, que pudo extraer con facilidad. Se limpió la sangre en los muslos. ¿Qué carajos tenía que hacer ahí él, que ante una planta innombrable pensaba en un virus de vinilo?

Pasó un buen rato buscando una mata de sábila. Cuando finalmente la halló, la sangre se le había secado. Aun así, extrajo el cuchillo de monte, cortó una penca y sintió el beneficio de la baba en sus heridas.

En algún momento se dio cuenta de que no había orinado en todo el día. Le costó trabajo expulsar unas gotas; la transpiración lo secaba por dentro. Se detuvo a cortar tunas. Una de las pocas cosas que sabía del desierto era que la cáscara tiene espinas invisibles. Partió las tunas con el cuchillo y comió golosamente. Sólo entonces advirtió que se moría de sed y hambre.

De cuando en cuando eructaba el aroma perfumado de

las tunas. Lo único agradable en esa soledad sin fin. Los cactus lo forzaban a dar pasos que acaso trazaran una sola curva imperceptible. La idea de recorrer un círculo infinito lo hizo gritar, sabiendo que nadie lo escucharía.

Cuando el sol bajó, vio el salto de una liebre, correrías de codornices, animales rápidos que habían evitado el calor. Distinguió un breñal a unos metros y tuvo deseos de tumbarse entre los terrones arenosos; sólo un demente se atrevía a perturbar las horas que equivalían a la verdadera noche del desierto, a su incendiado reposo.

Entonces pateó un guijarro, luego otro; la tierra se volvió más seca, un rumor áspero bajo sus zapatos. Pudo caminar unos metros sin esquivar plantas, una zona que en aquel mundo elemental equivalía a una salida. Se arrodilló, exhausto, con una alegría que de algún modo humillado, primario, tenía que ver con los nopales que se apartaban más y más.

Cuando volvió a caminar el sol se perdía a la distancia. Una franja verde apareció ante sus ojos. Una ilusión de su mente calcinada, de seguro. Supuso que se disolvería de un paso a otro. La franja siguió ahí. Una empalizada de nopales, una hilera definida, un sembradío, una cerca. Corrió para ver lo que había del otro lado: un desierto idéntico al que se extendía, inacabable, a sus espaldas. La muralla parecía separar una imagen de su reflejo. Se sentó en una piedra. Volvió a ver el otro desierto, con el resignado asombro de quien contempla una maravilla inservible.

Cerró los ojos. La sombra de un pájaro acarició su cuerpo. Lloró, durante largo rato, sorprendido de que su cuerpo aún pudiera soltar esa humedad.

Cuando abrió los ojos el cielo adquiría un tono profundo. Una estrella acuosa brillaba a lo lejos.

Entonces oyó un disparo.

Saber que alguien, por ahí cerca, mataba algo, le provocó un gozo inesperado, animal. Gritó, o mejor dicho, quiso gritar: un rugido afónico, como si tuviera la garganta llena de polvo.

Otro disparo. Luego un silencio desafiante. Se arrastró hacia el sitio de donde venían los tiros: la dicha de encontrar a alguien empezaba a mezclarse con el temor de convertirse en su blanco. Tal vez no perseguía un disparo sino su eco fugado en el desierto. ¿Podía confiar en alguno de sus sentidos? Aun así, siguió reptando, raspándose las rodillas y los antebrazos, temiendo caer en una emboscada o, peor aún, llegar demasiado tarde, cuando sólo quedara un rastro de sangre.

Pedro se encontró en un sitio de arbustos bajos, silencioso.

Se incorporó apenas: a una distancia que parecía próxima distinguió un círculo de aves negras. Volvió a caminar erguido.

Pasó a una zona de aridez extrema, un mar de piedra caliza y fósiles; de cuando en cuando, un abrojo alzaba un muñón exangüe. El círculo de pájaros se disolvió en un cielo donde ya era difícil distinguir otra cosa que las estrellas.

Su situación era tan absurda que cualquier cambio la mejoraba; le dio tanto gusto ver las sombras de unos huizaches como antes le había dado salir del laberinto de plantas.

Se dirigió a la cortina de sombras y en la oscuridad menospreció las pencas dispersas en el suelo. Una hoja de nopal se le clavó como una segunda suela. La desprendió con el cuchillo, los ojos anegados en lágrimas.

Al cabo de un rato le sorprendió su facilidad para caminar con un pie herido; el cansancio replegaba sus sensaciones. Alcanzó las ramas erizadas de los huizaches y no tuvo tiempo de recuperar la respiración. Del otro lado, en una hondonada, había lámparas, fogatas, una intensa actividad. Pensó en los huicholes y su rito del fuego; por obra de un complejo azar había alcanzado a los peregrinos. En eso, una sombra inmensa inquietó el desierto. Se oyó un rechinido ácido. Pedro descubrió la grúa, las poleas tensas que alzaba una configuración monstruosa, una planta llena de extremidades que en la noche lucían como tentáculos desaforados. Los hombres de allá abajo arrancaban un órgano de raíz. No se estremeció; en el caos de ese día era un desorden menor confundir a los huicholes con saqueadores de plantas. Se resignó a bajar hacia la excavación. Entonces sonó un disparo. Hubo gritos en el campamento, el cactus se balanceó en el aire, los hombres patearon tierra sobre las fogatas, hubo sombras desquiciadas por todas partes.

Pedro se lanzó al suelo, sobre una consistencia vegetal, pestífera. Otro disparo lo congeló en esa podredumbre. El campamento respondía al fuego. De algún reducto de su mente le llegó la expresión "fuego cruzado", ahí estaba él, en la línea donde los atacantes se confunden con los defensores. Rezó en ese médano de sombra, sabiendo que al terminar la balacera no podría arriesgarse hacia ninguno de los dos bandos.

Después, cuando volvía a caminar hacia un punto incierto, se preguntó si realmente se alejaba de las balas o si volvería a caer en otra sorda refriega.

Se tendió en el suelo pero no cerró los ojos, los párpados detenidos por un tenso agotamiento; además se dio cuenta, con una tristeza infinita, que cerrar los ojos era ya su única opción de regresar: no quería imaginar las manos suaves de Clara ni la lumbre donde sus amigos hablaban de él; no podía ceder a esa locura donde el regreso se convertía en una precisa imaginación.

Se había acostumbrado a la oscuridad; sin embargo, más que ver, percibió una proximidad extraña. Un cuerpo caliente había ingresado a la penumbra. Se volvió, muy despacio, tratando de dosificar su asombro, el cuello casi descoyuntado, la sangre vibrando en su garganta.

Nada lo hubiera preparado para el encuentro: un coyote con tres patas miraba a Pedro, los colmillos trabados en el hocico del que salía un rugido parejo, casi un ronroneo. El animal sangraba visiblemente. Pedro no pudo apartar la vista del muñón descarnado, movió la mano para tomar su cuchillo y el coyote saltó sobre él. Las fauces se trabaron en sus dedos; logró protegerse con la mano izquierda mientras la derecha luchaba entre un pataleo insoportable hasta encajar el cuchillo con fuerza y abrir al animal de tres patas. Sintió el pecho bañado de sangre, los colmillos aflojaron la mordida. El último contacto: un lengüetazo suave en el cuello.

Una energía singular se apoderó de sus miembros: había sobrevivido, cuerpo a cuerpo. Limpió la hoja del cuchillo y desgarró la camisa para cubrirse las heridas. El animal yacía, enorme, sobre una mancha negra. Trató de cargarlo pero era muy pesado. Se arrodilló, extrajo las vísceras calientes y sintió un indecible alivio al sumir sus manos dolidas en esa consistencia suave y húmeda. Si con el coyote luchó segundos, con el cadáver luchó horas. Finalmente logró desprender la piel. No podía estar muy seguro de su resultado pero se la echó a la espalda, orgulloso, y volvió a andar.

La exultación no repite su momento; Pedro no podía describir sus sensaciones, avanzaba, aún lleno de ese instante, el cuerpo avivado, respirando el viento ácido, hecho de metales finísimos.

Vio el cielo estrellado. En otra parte, Clara también estaría mirando el cielo que desconocían.

De cuando en cuando se golpeaba con ramas que quizá tuvieran espinas. Estaba al borde de su capacidad física. Algo se le clavó en el muslo, lo desprendió sin detenerse. En algún momento advirtió que llevaba el cuchillo desenvainado: un resplandor insensato vaciló en la hoja. Le costó mucho trabajo devolverlo a la funda; perdía el control de sus actos más nimios. Cayó al suelo. Antes o después de dormirse vio la bóveda estrellada, una arena radiante.

Despertó con la piel del coyote pegada a la espalda, envuelto en un olor acre. Amanecía. Sintió un regusto salino en la boca. Escuchó un zumbido cercanísimo; se incorporó, rodeado de moscardones. El desierto vibraba como una extensión difusa. Le costó trabajo enfocar el promontorio a la distancia y quizás esto mitigó su felicidad: había vuelto a la colina.

Alcanzó la ladera al mediodía. El sol caía en una vertical quemante, las sienes le latían, afiebradas; aun así, al llegar a la cima, pudo ver un paisaje nítido: el otro valle y dos columnas de humo. El campamento.

Enfiló hacia la distancia en la que estaban sus amigos, a un ritmo que le pareció veloz y seguramente fue lentísimo. Llegó al atardecer.

Después de extraviarse en una tierra donde sólo el verde sucedía al café, sintió una alegría incomunicable al ver las camisetas coloridas. Gritó, o más bien trató de hacerlo. Un vahído seco hizo que Julieta se volviera y lanzara un auténtico alarido.

Se quedó quieto hasta que escuchó pasos que se acercaban con una energía inaudita: Sergio, el protector, con un aspecto de molesta lucidez, una mirada de intenso reproche, y Clara, el rostro exángüe, desvelado de tanto esperarlo. Sergio se detuvo a unos metros, tal vez para que Clara fuera la primera en abrazarlo. Pedro cerró los ojos, anticipando las manos que lo rodearían. Cuando los abrió, Clara seguía ahí, a tres pasos lejanísimos.

—¿Qué hiciste? —preguntó ella, en un tono de asombro ya cansado, muy parecido al asco.

Pedro tragó una saliva densa.

—¿Qué mierda es esa? —Clara señaló la piel en su espalda.

Recordó el combate nocturno y trató de comunicar su oscura victoria: ¡se había salvado, traía un trofeo! Sin embargo, sólo logró hacer un ademán confuso.

—¿Dónde estuviste? —Sergio se acercó un paso.

¿Dónde? ¿Dónde? ¿Dónde? La pregunta rebotó en su cabeza. ¿Dónde estaban los demás, en qué rinconada alucinaban esa escena? Pedro cayó de rodillas.

—¡Puta, qué asquerosidad! ¿Por qué? —la voz de Clara adquiría un timbre corrosivo.

—Dame la cantimplora —ordenó Sergio.

Recibió un frío chisguetazo y bebió el líquido que le escurría por la cara, un regusto ácido, en el que se mezclaban su sangre y la del animal.

—Vamos a quitarle esa chingadera —propuso una voz obsesiva, capaz de decir "chingadera" con una calma infinita.

Sintió que le desprendían una costra. La piel cayó junto a sus rodillas.

—¡Qué peste, carajo!

Se hizo un silencio lento. Clara se arrodilló junto a él, sin tocarlo; lo vio desde una distancia indefinible.

Sergio regresó al poco rato, con una pala:

—Entiérralo, mano —y le palmeó la nuca, el primer contacto después de la lucha con el coyote, un roce de una suavidad electrizante—. Hay que dejarlo solo.

Se alejaron.

Oscurecía. Palpó el pellejo con el que había recorrido el desierto. Sonrió y un dolor agudo le cruzó los pómulos, cualquier gesto inútil se convertía en una forma de derrochar su vida. Alzó la vista. El cielo volvía a llenarse de estrellas desconocidas. Empezó a cavar.

Tiró el amasijo en el agujero y aplanó la tierra con cuidado, formando una capa muelle con sus manos llagadas. Apoyó la nuca en la arena. Un poco antes de entrar al sueño escuchó un gemido, pero ya no quiso abrir los ojos. Había regresado. Podía dormir. Aquí. Ahora.

LA CASA PIERDE

TERRALES fue fundado por gente desprevenida, que se quedó sin gasolina en la sierra y no quiso volver a pie a los soles del desierto. El único sitio de reunión (aunque sería más exacto decir "de paso") era un galpón destartalado donde los traileros jugaban póquer. Por un motivo que nadie conocía, ahí le llamaban "Terrales" a la tercia de ases. Esas barajas siempre traían mala suerte.

El Radio mostró sus tres cartas perdedoras. No tuvo que enseñar las otras dos.

—¿Un fuerte? —Guadalupe se acercó a la mesa.

La dueña de La Polar conocía los sitios de donde venían los camioneros; había recorrido el norte con Los Intrépidos, unos músicos que se vestían como vaqueros del espacio. Durante unos años les consiguió tocadas, supervisó el escenario (que ella llamaba *"stend"*) en todos los pueblos de la frontera y pasó una temporada en Monterrey, en una casa con dos antenas parabólicas. Su momento de gloria ocurrió en Estados Unidos: vivió con un gringo que la llevó a ver *El cascanueces sobre hielo*.

Su "anticlímax" (le gustaba repetir la palabra que sacó de la cambiante fortuna de Los Intrépidos) también ocurrió del otro lado: el gringo la dejó en un dentista y no pasó por ella, como si anticipara las fundas de porcelana que le iban a "desfigurar la risa".

—"A mí me falta corazón…" —una voz lastimera salía de las luces y las burbujas de plástico de la rocola.

Guadalupe tocó la camisa del *Radio* con sus dedos fuertes, los mismos con los que una vez hurgó en su pantalón. Él guardaba un recuerdo turbio de la mañana en que llegó a La Polar por un café; los dos habían pasado la noche en vela, él en la cabina de transmisiones de Paso de Montaña y ella sirviendo mesas. Se miraron como sonámbulos hasta que un estruendo partió el aire: "Las avionetas", dijo Guadalupe. Se asomaron a la cañada y vieron los aviones fumigadores que soltaban ráfagas de veneno color de rosa. Sin que mediara otro contacto entre ellos, Guadalupe le bajó el cierre y lo acarició con su habilidad para abrir botellas con una sola mano. *El Radio* había visto a una mujer romper con los dientes el cordón umbilical de un recién nacido. Guadalupe actuó de un modo similar, con una urgencia práctica. Cuando él sintió que se vaciaba hacia el precipicio, ella dijo: "Va a crecer una mandrágora", una de las cosas raras que aprendió con Los Intrépidos, o en Monterrey, o con el gringo que la llevó a un ballet sobre hielo.

No repitieron el encuentro ni hablaron de él. Desde entonces *el Radio* supuso que los secretos de Guadalupe eran más importantes que sus historias en las ciudades.

Las nubes de humo rosado, el aire frío, las picadas de las avionetas y la caricia casi insoportable se fundieron en una sola palabra: *mandrágora*. Nunca preguntó el significado porque deseaba que siguiera significando las cosas inconexas de esa madrugada.

—…y en el depósito llevaba mil sandías —Guadalupe hablaba sin destinatario preciso; empezaba una frase en la trastienda y la completaba en cualquiera de las mesas de lámina—. ¡La casa pierde! —exclamó, al ver que alguien entraba por la puerta.

El hombre tenía la cara enrojecida; sus ojos fijos delataban que había recorrido sin tregua la recta de Quemada y que no había dejado de odiarla. Avanzó sin despegar las botas del piso, como si hubiera olvidado la forma de caminar. Se detuvo junto a la imagen de San Cristóbal; estudió la "Oración del chofer":

Dame, Dios mío, mano firme y mirada vigilante
para que a mi paso no cause daño a nadie…

—Por aquí —Guadalupe lo tomó del brazo.

—Vengo desde Zapata —dijo el hombre. En cualquier municipio del país había un pueblo que se llamaba así. Para producir ese rostro y esos movimientos aletargados, el Zapata del trailero debía quedar a dos días sin descanso.

—¿No trae ayudante? —preguntó Guadalupe.

—¿Dónde está el *water*?

Guadalupe lo acompañó al fondo, por el pasillo de tablones de madera mohosa. ¿Lo ayudaría hasta el final, con esas manos duras, lastimadas, que reparaban todo? *El Radio* la miró sin prisa cuando regresó a la sala; el cuerpo flaco de la mujer, sus ojos inyectados, revelaban el trabajo excesivo, las horas partiendo bloques de hielo para enfriar cervezas que de por sí estaban frías, las noches lidiando con borrachos y vómitos sin el menor asco. ¿Qué milagro o qué tragedia la habían colocado ahí? ¿Qué le pasó en otro sitio para que eso fuera mejor?

—¿Puedo? —una mano con anillo de calavera señaló la silla vacía— ¿De a cómo va la fregadera? ¿Las Vegas o póquer normal?

Aunque los separaban dos sillas, *el Radio* pudo oler el chaleco de borrego del recién llegado. El hombre recogió las barajas y vació una Estrella que nadie le había ofrecido. Lucía recompuesto, dueño de una atención tensa. Debía de tener suficiente cocaína para viajar a Zapata de ida y vuelta.

—¿Va a la frontera? —le preguntó alguien.

—¿A dónde más?

Después de un par de juegos insulsos, el hombre vio al *Radio:*

—¿Tú trabajas en Paso de Montaña?

—¿Cómo sabes?

—Por el chingado escudito —señaló la camisa del *Radio*: un micrófono atravesado de rayos—. No sabía que llevaras uniforme, hemos hablado muchas veces, tu voz se oye más recia en el micrófono.

La camisa era uno de los regalos absurdos que le dejaban los traileros, la propaganda de una radiodifusora del Misisipi; los rayos rojos, ribeteados de hilo amarillo, sugerían a un superhéroe de cómic.

Había cinco jugadores en la mesa, pero el trailero sólo se presentó con *el Radio*:

—Chuy Mendoza —le tendió una mano gorda.

—¿Qué llevas en el tráiler? —preguntó otro jugador.

Mendoza estudió sus cartas, respiró hondo, se tocó el pecho con cautela, como si tuviera un piquete que ya había rascado demasiadas veces:

—Maderas finas.

El Radio pensó en árboles prohibidos, un aserradero clandestino, la aduana sobornada para pasar las tablas al otro lado. No le extrañó que el otro dijera:

—¿Subimos las apuestas?

Dos jugadores vieron sus relojes y se pusieron de pie. Al fondo del local, Guadalupe pulía el elefante de plomo que rescató de un accidente. También el paisaje que adornaba el negocio provenía de un choque. Un tráiler cervecero se volcó muy cerca y ella se quedó con la lámina que representaba una bahía entre el hielo. De ahí sacó el nombre de La Polar. Al fondo del cuadro, bajo una aurora boreal, se veían bultos que podían ser osos o iglúes. *El Radio* se concentró en ese punto final de la pintura hasta que sintió una mano en el antebrazo:

—Tú hablas.

Pidió dos cartas. Se asombró de su tranquilidad para perder la partida; empujó las corcholatas que hacían las veces de fichas.

—¿Entras a las siete, verdad? —le preguntó Chuy Mendoza—. Nos queda media hora; si quieres te acompaño a Paso de Montaña y le seguimos ahí, hasta que el cuerpo aguante. Traigo barajas.

Una vez más, sólo se dirigió a él. Conocía sus horarios, su gusto por las cartas. Volvió a presionarse el pecho, se aflojó un botón para rascarse; *el Radio* pudo ver un collar con un animal de oro, el tipo de joya que Los Intrépidos usarían cuando triunfaran.

Luego revisó las despellejadas botas de piel de víbora, muy costosas, muy jodidas. El nombre de Chuy Mendoza sonaba falso, a pistolero en una película de los hermanos Almada. Las maderas finas debían ser otro invento. Lo único cierto es que quería pasar la noche en vela; tal vez necesitaba llegar a la *línea* con el turno de madrugada.

—Me corto —dijo el otro jugador que seguía en la mesa, facilitando la respuesta del *Radio*.

Guadalupe pulía el elefante con una dedicación perturbadora. *El Radio* hubiera preferido que los demás siguieran ahí como si nada, con la indiferencia con que oían al gringo que cada sábado llegaba a hablar de la guerra nuclear y proponía construir un refugio en la montaña. Ahora, todo mundo fingía estar en lo suyo, con molesta discreción. ¿Qué le sabía el trailero? Conocía su voz, las palabras que ayudaban a los camiones a pasar entre la niebla; había llegado como si tuvieran una cita. Tal vez estaba al tanto, tal vez sus conversaciones por radio habían sido una confesión confusa, mil veces interrumpida, pero una confesión al fin y al cabo. No, ni Guadalupe lo sabía, él no era sino un micrófono nocturno, incluso se había acostumbrado a pensar en sí mismo como *el Radio* y se sobresaltó cuando Patricia gritó su nombre la primera vez que durmieron juntos. Su turno empezaba en quince minutos.

Se levantó de prisa, ignorando el aire impositivo de su adversario: —Yo pago.

La puerta se había hinchado con las lluvias; tuvo que empujarla con el hombro. Se preguntó si el rechinido despertaría a Patricia o a la niña.

Encontró un termo de café en la mesa; encendió la luz de la cabina, activó el micrófono. El hombre lo siguió con pasos que vibraron de un modo peculiar en la madera. Las botas de víbora, tal vez.

Escuchó el reporte del meteorológico de San Vicente Piedra: una noche de niebla cerrada y tráilers estacionados en la sierra. Pensó en la resistencia del intruso (de golpe se le presentaba en esa condición). ¿En cuánto tiempo cedería el efecto de la droga? ¿Llevaba más? Vio sus uñas brillosas, con medias lunas negras. A la luz del foco desnudo, sus ojos lucían amarillentos; sus pestañas eran tiesas, como cerdas de escobeta. Volvió a rascarse el pecho. *El Radio* imaginó mordeduras de insectos del desierto, animales que abrían la piel para depositar sus huevecillos, aguijones que inyectaban un veneno lento. Tal vez en un par de horas Chuy Mendoza se desmayaría sobre las corcholatas que había puesto en la mesa.

Las voces de los traileros rara vez tenían acentos norteños; hablaban de otro modo en el micrófono, como si desearan probar algo en la banda civil. *El Radio* orientó un camión rumbo al acotamiento del kilómetro ciento cuarenta, otro a la explanada del ciento sesenta y siete. Les dijo que pasaran ahí la noche, con las calaveras encendidas. De vez en cuando llegaba una canción de fondo, la infinita tristeza de Los Bukis.

Chuy Mendoza estaba muy atento a los mensajes que se oían en la cabina, como si pasara al reverso de una película. ¿Cuántas veces habría hablado con él?

—¿Vienes mucho por aquí?

—Cuando hace falta. Partes tú.

—¿De a cómo va a ser?

Chuy sacó unos dólares, los contó con parsimonia, dejó tres billetes en la mesa; *el Radio* esperaba una apuesta más alta.

En una laguna de silencio, mientras miraban sus cartas como si cada una llevara dos mensajes, algo crujió en el dormitorio. Tal vez Patricia tenía una pesadilla. Los sueños de la mujer llegaban a la cabina como rechinidos en la madera.

El *Radio* sirvió café, más por calentarse las manos en la taza de zinc que por beber algo.

—¿Tienes un fuerte? —Chuy Mendoza dejó caer cinco diamantes.

Él buscó en la alacena. Detrás de dos bolsas de harina, estaba la botella. Sirvió en un vaso que había contenido una veladora.

El hombre bebió deprisa:

—¡Pura mierda! —dijo en tono elogioso. Acarició la cruz en el asiento del vaso.

Un tráiler que se identificó como *la Marisca* quería pasar a toda costa; el conductor hablaba como si se lavara la boca con diesel: *tenía* que llegar a la frontera antes del amanecer.

—Esos cabrones tienen cita con su novia —comentó Chuy.

También *el Radio* conocía los turnos del contrabando: las novias llevaban una 45 reglamentaria, botas de cuero, lociones penetrantes, anteojos oscuros y se corrompían con horario fijo; si el pretendiente llegaba tarde, podían pasarle muchas cosas, pero ninguna conducía al otro lado. Las novias despechadas eran los mejores policías: se vengaban tasajeando respaldos y desinflando llantas en busca de drogas finas.

En la sierra todos hablaban del altar, el pretendiente, el infaltable monaguillo, la aduana como un cortejo negociable. Había un curioso respeto en este sistema de representación: los hombres sobornados no eran putas; podían ser novias hijas de la chingada, pero nunca putas.

La Marisca aceptó detenerse cuando ya iba muy arriba —escucharon el ronquido metálico de la palanca que parecía pasar de sexta a quinta velocidad—; el tráiler entró al acotamiento de grava del doscientos treinta y seis. Fue como si algo lo engullera allá arriba: un silencio absoluto, con el cv encendido, y luego la melodía de una armónica, un sonido lastimero, de rieles que se pierden en la noche.

—La novia se quedó sin serenata —Chuy Mendoza dijo lo que hubiera dicho cualquiera. Desde que entró a La Polar no había mostrado otra singularidad que la de ganar con una constancia pasmosa. Sus uñas tamborileaban en la mesa. *El Radio* sirvió el resto del aguardiente.

Entraron a una zona de cartas bajas y dispersas, donde un par parecía un triunfo.

—La miseria le ganó a la pobreza —dijo Chuy al perder una mano—. ¿Dónde consigues esta mierda?

Guadalupe recibía el aguardiente en tambos de metal y lo vaciaba en botellas con un embudo. El hombre estaba fascinado con el mal sabor de la bebida.

La luz del cuarto impedía ver hacia afuera. En los días despejados, Nuevo Terrales parecía muy cerca, pero las curvas lo apartaban unas diez horas. De niño, *el Radio* había visto rodar remolques destartalados; recordaba la sorpresa del primer camión frigorífico que entró a sacar fresas del Bajío. La sierra había sido la misma, sólo cambiaban las cosas que la atravesaban. Ahora el campo de avionetas al otro lado, la estación meteorológica, la cabina de radio, el avance nocturno de los tráileres (difícil ver un coche en esa ruta sin ciudades), dependían de radares y ondas invisibles. *El Radio* no conocía a los dueños del meteorológico, ni siquiera sabía quién le pagaba para vigilar las travesías nocturnas. Una *pick-up*, nunca conducida por el mismo hombre, le traía billetes atados con una liga; en ocasiones, los dólares se mezclaban con los pesos y tenían un dejo perfumado, como si vinieran de las novias de la aduana. Cada tanto le subían la tarifa, revelando que había un orden, que alguien se interesaba en las pistas de aterrizaje y el rodar de las mercancías. En Terrales nadie sabía cuánto dinero pasaba por las carreteras estrechas, donde los oyameles formaban túneles verdes. Según Guadalupe se trataba de fortunas, pero a ella le gustaba imaginar lo peor: la verdad siempre era más ruin. El pueblo y el puesto de Paso de Montaña vivían de los traficantes: "Los sultanes del *swing* mueven todo; somos sus esbirros", ella hablaba de sus lejanos benefactores con idénticas dosis de odio y admiración.

El Radio ganó un par de juegos; quizá se trataba del único método para el azar; no concentrarse, tener una atención divagante.

—Voy a mear —Chuy se levantó para romper la racha.

El Radio salió con él. Orinaron hacia el desfiladero; les llegó el olor de los cedros en la niebla. Los orines cayeron como si el vacío fuese interminable. ¿La mandrágora sería algo que sólo existía muy abajo?

El llamado de un tráiler hizo que *el Radio* regresara a la cabina. Quizás el otro aprovechó para sacar un pase de cocaína. En todo caso, cuando regresó al cuarto lucía igual de alerta y cansado.

—¿Hasta cuánto puedes llegar? —puso un dedo en la estrella de una corcholata— ¿Le subimos tres ceros?

En La Polar, la propuesta hubiera detenido las conversaciones, pero ahí, con la cabeza llena de cartas malbarajadas y tráileres repartidos en los acotamientos (las luces palpitando como una constelación perdida), esa cantidad empezaba a ser posible. Chuy Mendoza lo calaba, con un fastidio tranquilo, como si revisara un motor que aún no quería desarmar.

El Radio vio las manos que tomaban las cartas; en forma física, como si un segundo cansancio le presionara la nuca, supo que Mendoza conocía su hallazgo y había llegado a jugar por él. Sólo eso explicaba la apuesta. Las habitaciones de madera, la piel de tejón clavada en una pared, el quinqué en la mesa de la cocina, al lado de una caja de cereal y dos cucharas desiguales, el micrófono de pera (un desecho de la segunda guerra que asombrosamente funcionaba), los tambos de gasolina junto a la puerta con tela de alambre, hacían que una sola mano como la que proponía el visitante fuese absurda. A partir de ese momento, también era lógica.

—Nos quedan dos horas —a eso había ido Chuy, a que la niebla los cercara hasta el amanecer. La bocina emitía una estática pareja que significaba el sueño de los otros. *El Radio* se preguntó si el otro actuaba por su cuenta o si lo habían mandado. Quizás unas manos distantes, con los anillos imposiblemente lujosos descritos por Guadalupe, habían encontrado la manera de alcanzarlo. Hubiera sido más fácil enviarle a uno de los recaudadores que recorrían la sierra y podían enterrarlo en cualquier cañada. ¿Por qué condicionar el rescate al juego? Sólo entonces, con un asombro incomodo, advirtió que aún podía ganar. En tal caso, ¿cómo le pagaría Mendoza? Las botas de piel de víbora y el animal de oro hablaban de mejores días, pero el chaleco de borrego, el cansancio contenido a base de coca o benzedrinas, las uñas destrozadas, sugerían un destino acorralado. Tal vez había planeado durante meses el encuentro: subió y bajó la sierra comunicándose con *el Radio*, los insectos mancharon mil veces su parabrisas, su antebrazo izquierdo recibió la marca de la interminable recta de Quemada, mantuvo sus citas en las aduanas, fue uno con su cansancio hasta que de esa obstinada travesía salió la forma de llegar a lo que ocultaba la cabina de radio, el secreto de las colinas donde se acababan las gasolineras.

El Radio estudió la voz de Chuy Mendoza; cuando se volcó el Thornton, otro tráiler venía detrás; él lo detuvo con la frase acordada: "Hubo un extraño". Luego se puso una manga y tomó una linterna sorda para salir a la tormenta a buscar los restos del Thornton. Mientras tanto, alguien aguardaba a pocos kilómetros, en la "curva del berrendo". ¿Pero cómo supo que entre los cuerpos desnucados del chofer y su ayudante estaba la caja de metal? Tal vez tardó en atar los cabos; también él se enteró mucho más tarde de que el galgódromo de Quemada había perdido una fortuna (el dinero que mandaban al otro lado para comprar perros). Cuando le preguntó a Guadalupe, ella agregó detalles sucios: el verdadero negocio eran las peleas de perros. Por alguna razón, se sintió aliviado de que la caja de metal viniera de un juego de azar; los galgos habían corrido para eso; los desconocidos perros de pelea se habían destazado para eso. Sin embargo, sólo la abrió una vez y no contó los billetes. Buscó una forma de hablar del dinero con Patricia. No encontró ninguna. Guardó la caja en el galpón, a doscientos metros de su cabina de radio. Su padre había pasado ahí sus últimos años, sin hacer otra cosa que fumar mariguana y ver el horizonte. "Este cuarto es chico por dentro y enorme por fuera", decía, refiriéndose a la vastedad que lo rodeaba. Desde la ventana se dominaba el valle, el campo de las avionetas, la carretera con líneas punteadas donde su padre había esperado el regreso de un auto pasado de moda, el Valiant que cerraría el círculo.

El Radio apenas recordaba los años en que sus padres tuvieron un búngalo con dos cuartos de alquiler en Terrales. Muy rara vez un viajero decidía pasar allí la noche. En rigor, lo único que le quedaba de ese tiempo era una escena obsesiva. La había repasado tantas veces, agregando detalles exactos, dañinos, que le llegaba con un realismo acrecentado, como si la hubiera visto en distintas edades. El búngalo era un entorno borroso, pero la luz de la cocina estaba encendida. El calvo usaba camiseta de basquetbolista; era verano y un óvalo de sudor le cubría el vientre hinchado. Debía de tener unos cincuenta años; su pecho estaba cubierto de canas; en el dorso de las manos, sus cabellos seguían siendo rojizos. Sonreía sin tregua ni objeto, como si la estupidez fuera un regalo para compartir. Pasó tres días con ellos, una eternidad en esa región de tránsito. Mataba el tiempo haciendo hombres con cerillos. Tal vez conocía a su madre desde antes; en todo caso, el recuerdo lo convertía en un huésped sin sentido, que retorcía cerillos hasta llegar a la noche en la cocina. Lo más relevante era su deterioro físico, los brazos blancuzcos, la respiración asmática, la calva abrillantada de sudor, la sonrisa imbécil y, sin embargo, había logrado tender a su madre en la mesa de la cocina. Con insoportable lentitud, *el Radio* recordaba las manos con vellos pelirrojos retirando el calzón, las piernas alzadas, los absurdos zapatos de tacón en el cuello del hombre, y el rostro de indecible entrega; no el contacto desapasionado, el desahogo de dos solitarios en la sierra, la ayuda sin complicaciones de Guadalupe, sino una alegría incomunicable, como si el cuerpo joven de su madre no esperara otra cosa que ser penetrado en esa mesa. Tal vez fallaba algo en el recuerdo, tal vez *el*

Radio lo estropeaba adrede para hacer más ruin la huida posterior; en todo caso, la cabeza que volteó a verlo fue real, los ojos repentinamente abiertos fueron reales: su madre lo descubrió en el pasillo y esto la decidió a irse; no hubiera soportado que el testigo de su mejor noche en la montaña creciera junto a ella. Al día siguiente, salió de la casa con una maleta de cuero. El hombre la esperaba junto al Valiant, se le acercó, trató de tomarla de la cintura. Ella se zafó, subió al auto.

Habían pasado suficientes años para que *el Radio* admitiera una fría revisión de la escena: ¿por qué no apagaron la luz de la cocina? Todo tenía un tono sobreexpuesto, la piel demasiado blanca, el sudor brillante, el vestido estampado de flores, los zapatos ribeteados de lodo, el hombre de cerillo que cayó al suelo, la mesa con un clavo a punto de zafarse. Si el clavo hubiera cedido, su padre se habría despertado, ahorrándose los siguientes veinte años, la escopeta con un cartucho para cada quien, la mirada fija en la carretera.

En la pared del galpón había un cuadro donde ella sonreía, un poco a la manera del calvo. Era un retrato coloreado: los ojos azules de tan negros, las mejillas color frambuesa. El recuerdo en la cocina se parecía a esa foto.

Cuando *el Radio* iba al galpón por alguna herramienta, veía el retrato de reojo. Le parecía increíble que esa mujer, más joven de lo que él era ahora, retocada por colores falsos, hubiera vivido allí. De ese cuerpo había comido.

Su padre murió en el sueño, de cara a la ventana, la parte "grande" de su casa. A veces, *el Radio* imaginaba que había muerto con la escopeta en las rodillas; luego retiraba esta obviedad: murió con placidez, como si una espera tan larga fuese otra forma de cumplir su venganza.

Escucharon unos pasos, los pies de Patricia en la madera.

La mujer se recargó en el quicio de la puerta, de un modo incómodo, el rostro suavemente hinchado por el sueño, el pelo sobre los ojos:

—¡Qué frío! —siempre decía "Qué frío" y caminaba descalza, como si no supiera que estaba en Paso de Montaña. Llevaba un fondo celeste que apenas la abrigaba. Dio unos pasos, se acurrucó en una banca. *El Radio* vio los dedos de sus pies, donde la piel cambiaba de color y se volvía muy blanca.

Fue por una cobija al cuarto donde dormía la niña. En la penumbra, distinguió una botella de refresco. La almohada olía a fomentos de eucalipto. Lo primero que conoció de Patricia fue a la hermosa niña que sonreía detrás de la puerta de tela de alambre y decía que su coche "estaba roto".

Desde la primera noche en que durmió con él y gritó su nombre y se convirtió en la única persona que no le decía *Radio*, Patricia le dejó una palabra caliente en el oído: "Vámonos". Pero se quedó allí y consiguió un trabajo en la planta de fibra de vidrio, a quince kilómetros de Terrales. *El Radio* había visto las humaredas a la distancia; según Guadalupe, el trabajo envenenaba y unas astillas de cristal se formaban en los pulmones. Patricia trabajaba con tapabocas y rociaba sustancias con una manguera de aspersión. Le gustaba imaginarla tras las nubes del *spray;* de algún modo, ella miraba las cosas como si interpusiera una sustancia vaporosa, una tela de alambre, un filtro que le permitía estar donde no quería.

El accidente del Thornton ocurrió pocas semanas después de que Patricia empezó a hacer la casa habitable y a pedir que se fueran. Él estuvo de acuerdo, pensó en un óvalo de arena, perfectamente iluminado, donde los perros rápidos decidían la suerte, y luego, como si eso no tuviera relación, en los billetes que no había contado.

Descartó la idea de usar el dinero; no supo ni cómo lo hizo; lentamente algo se apoderó de él y le impidió contárselo a Patricia; todo asumió la forma de un secreto amargo. Patricia tenía tantos deseos de irse que la caja escondida en el galpón se convirtió en la esperanza que él traicionaba sin que ella lo supiera. *El Radio* colocó la frazada sobre Patricia; la vio sonreír como si soñara algo bueno e intransferible. Volvió a la mesa de juego. Casi sintió alivio cuando recogió la tercia de ases. "Terrales", dijo para sí mismo. Pidió dos cartas. Con lenta monotonía, fue a todo lo que apostó Mendoza. Perdió la partida y desvió la vista a la ventana acariciada por la niebla. La bocina produjo un siseo en el que no hubo palabras. ¿Cuántas noches había velado junto al termo de café, aplastando migajas en la mesa, memorizando *scores* de bateo, extendiendo las barajas de un *solitario*? Alguien tenía que estar despierto para que los demás pasaran. Así de sencillo. Ese era el sentido del rumor en la bocina y de sus ojos ante la ventana donde sólo se veía un vapor oscuro.

Después de horas de silencio, la primera voz sonó extraña en la bocina:

—¿Tienes un tráiler allá arriba?

Chuy Mendoza se rascaba el pecho. *El Radio* lo vio a los ojos. Chuy negó con la cabeza.

—No —respondió—. ¿Por qué?

Reconoció la voz. Le hablaban del meteorólogo:

—Hay un vato fuera de ruta. Pasó por Terrales. ¿Algún extraño?

—Nada.

El hombre repartió las barajas, sin agradecer la mentira. ¿Alguien lo vigilaba? ¿Alguien esperaba su descenso con la caja? Sus ojos amarillentos se concentraron en *el Radio*:

—¿Cuánto falta? —señaló sus corcholatas, una ventaja abrumadora.

¿Qué era peor, perder el valle, las luces de neón, la vida abierta a la que podía descender con Patricia o que ella nunca conociera el tesoro intacto en la caja de metal? Era como si apostara el sueño de la mujer. Cuando ella abriera los ojos, volvería al cuarto pobre, a las cosas que pensaba abandonar y que, sin embargo, mejoraba.

Tuvo que ir por una bolsa con corcholatas perforadas que habían servido como rondanas para clavos. Hubiera sido más fácil regalárselas al hombre, pero continuó el ritual, perdió un juego tras otro, hasta que las sumas se hicieron innecesarias.

—¿Dónde la tienes? —preguntó Chuy Mendoza.

Una luz parda se untaba a la ventana; en unos minutos los tráileres encenderían sus motores y pedirían señas para volver a la carretera.

Salieron al aire fresco; tomaron el camino de tierra apisonada que llevaba al galpón.

El Radio empujó la puerta y respiró el polvo. Se asomó a la ventana; la niebla se desvanecía, vio la carretera distante, la línea punteada.

La caja estaba bajo el retrato de su madre, a un lado de la escopeta. ¿Estaría cargada? Le pareció curioso no saberlo.

—Aquí —retiró la frazada que envolvía la caja, abrió la

tapa—: ni siquiera los conté —los billetes lucían tiesos, rasposos, como si hubieran sido impresos durante la noche.

El hombre salió de la caseta con indiferencia, como un recolector de bloques perdidos en la sierra. Después de unos minutos, *el Radio* escuchó el motor del tráiler.

Vio la foto en la pared, el suéter guinda, el cuerpo débil del que había comido, la mujer joven que no reconocería cuando volviera a Terrales, porque iba a regresar, tal vez sólo por unos minutos, lo suficiente para verificar una parte de su vida o, como tantos, para demostrar que en ese punto perdido era posible detenerse.

Se acercó a la ventana. La tierra se extendía, como si la anchura fuera una oportunidad. Las luces de la pista de aterrizaje se apagaban una a una, como cuentas de oro. Se llevó los dedos a la nariz, tenían un olor metálico, de tanto empujar corcholatas.

El galpón era el último punto de mira en la montaña. Se preguntó qué pasaría si alguien, en algún sitio, pudiera observarlo. ¿Sabría por qué estaba ahí? ¿Comprendería lo que significan un hombre de cerillo y una tercia de ases? ¿Imaginaría la boca de Patricia, abandonada a lo que cambiaba durante su sueño? ¿Sentiría lo mismo que él? ¿Pensaría que había perdido o ganado algo? ¿Entendería lo que empieza cuando la gente se queda sin gasolina?

LA JAULA DEL MUNDO

A Sergio Hernández

El corazón. Yo lo usaba con los ojos.
Gilberto Owen

¿Qué hay en un nombre?
Shakespeare

Algo cambió con la enfermedad de Remigio. Dejó de ser el amigo un poco ausente, que se conformaba con las circunstancias de una vida sin sobresaltos, para transformarse en el paciente ejemplar que hablaba con entereza y sentido del humor de su sangre envenenada.

Lo conocí hace treinta y cinco años en la Casa del Teatro, un inmueble de dos plantas a punto de venirse abajo frente a una plaza de Coyoacán.

Remigio —que desde entonces se convirtió en el ubicuo aunque nunca protagónico Remi— había heredado una cadena de farmacias. Vivía con desahogo en una época en que no existían "becas para creadores" y en la que para montar una obra tenías que vender tu Volkswagen.

Hacia 1975 yo escribía dramas que no siempre llegaban a la escena y debía mi reputación de "joven promesa" a que Arturo Vladsky había decidido tener paciencia al menos con un dramaturgo.

Todo espíritu, por mezquino que sea, se reserva un momento de generosidad. El implacable Vladsky había llegado de Ucrania para inculcarnos que la humillación estimula y lo indigno es pedagógico. Curiosamente, a mí me trataba con desconcertante deferencia. Tal vez me usaba como efecto de contraste, para que los actores pensaran que a ellos los insultaba porque lo merecían.

Aproveché sin miramientos esta condición. Cuando Vladsky desnudó a tres actrices en pleno diciembre para que se

163

sintieran en la estepa rusa, fui por cobijas para envolverlas y no dejé de frotarlas el resto de la temporada. Su viaje al festival de Avignon me permitió sustituirlo en su taller de dramaturgia. Destrocé los textos de autores apenas tres o cuatro años más jóvenes que yo (en especial los de un sinaloense que tenía un talento insoportable). Así perfeccioné mi fama de "promesa", alguien cuya arrogancia se iba a justificar en el futuro.

Remi se presentó en la Casa del Teatro con una sonrisa que no encajaba ahí. Ignoraba que la intensidad es lúgubre. En el feudo de Vladsky, la inteligencia era una forma del sufrimiento. En cambio, el recién llegado enfrentaba los regaños sin preocuparse; no aceptaba que la vida pudiera tener molestias.

Para alguien tan convulso como Vladsky, mi amigo representaba un acertijo. Supo que no podía alterarlo y acabó por acostumbrarse a él en calidad de comparsa (el mozo esquivo que podía servir el té en *Tres hermanas*).

Remi fue mi primer lector entusiasta; me preguntaba de dónde había sacado tal idea, subrayaba pasajes, elogiaba un adjetivo. Es algo que no se olvida. Con los demás actores, mis textos tardaban en encontrar su suerte. Cuando un notario lee una escritura por primera vez, sigue el ritmo del idioma aunque pronuncie cláusulas abstrusas. En cambio, los actores vacilan ante un texto que todavía no es "suyo". Sólo cuando memorizan los parlamentos y los incorporan a sus emociones a un nivel preconsciente logran decirlos de forma natural. Remi, que nunca actuaría de maravilla, sabía leer.

Durante treinta y cinco años ha sido el amigo detallista que regresa de sus viajes con un libro, un programa de mano, un DVD que me interesa.

En el teatro "de búsqueda" el éxito apenas se distingue del fracaso; sin embargo, no dejo de masticar antiácidos el día del estreno y necesito la compañía de un amigo leal. Esa noche todo puede ser peor o mejor. La constancia de Remi ha sido esencial para saber que mis palabras no caen en el vacío.

Su cadena de farmacias se ha debilitado con la gestión, inevitablemente pusilánime, de alguien que antepone su comodidad a cualquier riesgo. Además, la llegada de los medicamentos genéricos estuvo a punto de llevarlo a la quiebra. Acorralado, permitió que la angustia le diera ideas, eliminó el apellido de su negocio y buscó ayuda religiosa en su nombre de pila: las Farmacias Bermúdez se transformaron en Farmacias San Remigio.

En México, la medicina es una rama de la fe. Hay tantas farmacias con nombres de santos que las San Remigio parecieron estar ahí desde siempre, respaldadas por la tradición. En los muros y en la papelería membretada escribió el lema con el que el santo explicó su conversión al catolicismo en el siglo VI: "Adora lo que hasta ahora has quemado; quema lo que hasta aquí has adorado". ¿Qué es un tratamiento médico si no una conversión?

El cambio de nombre comercial, o quizá sólo la buena suerte, lo mantuvo a flote. Continuó una vida ajena a los obstáculos y las molestias cotidianas hasta que la enfermedad lo volvió distinto. No me refiero a un deterioro físico, sino a una profunda transformación de la personalidad. El amigo que había vivido para agradar a los demás y estar un poco al margen de sí mismo, en la zona neutra en la que no es necesario comprometerse ni tomar decisiones, reveló una insospechada reserva moral y se dispuso a morir con nobleza. Habló con desafiante ironía de la leucemia, fundó una ONG para socorrer a niños pobres, estuvo aún más pendiente de sus amigos, supo consolar a quienes pasaban por problemas semejantes, permitió, en suma, que afloraran las muchas virtudes que en su tranquila existencia anterior no habían sido necesarias.

En la antesala de la muerte, se interesó por primera vez en su propia vida; se atrevió a ser cursi e incorrecto, aunque casi siempre logró mantenerse estoico. Nadie lo hubiera juzgado capaz de eso. Me conmovió ser testigo del cambio. En alguna ocasión, elogié su madurez para asumir el mal. "Debe haber formas más sencillas de recibir tu aprecio", bromeó.

Que un comerciante de medicinas se vuelva interesante con la enfermedad demuestra que la vida es una comedia oscura. Que eso pueda ser visto como una conversión espiritual, demuestra que la vida es un enigma.

—Necesito que vengas —Remi fue cortante en el teléfono.

Pidió que fuera a su casa ese mismo día. El tono de su voz no admitía rechazo. ¿Otra mala noticia de su sangre?

Entré a la casa donde siento una rara paz. Escribo "rara" porque considero que la monogamia es el único vicio sin recompensa; no soportaría el presidio matrimonial, pero el hogar de los Bermúdez me parece perfecto.

Malena me saludó con efusividad (su pelo olía a una maravillosa flor inexistente) y me pasó a la primera sala. Tal vez la casa me gusta tanto porque tiene distintos lugares "para estar". Vi el avión de hélice de Juan Soriano, volando sobre un mar de ondulaciones azul turquesa, y los terrosos sapos de Francisco Toledo. En la siguiente sala, la que da al jardín, estaba la escuela abstracta, las delicadas veladuras de Lilia Carrillo y una explosión geométrica de Vicente Rojo.

Sentado en un sillón de cuero, entendí algo que debía haber sabido desde siempre. Los cuadros demostraban que el dueño de la casa era no sólo alguien de dinero y buen gusto, sino capaz de apasionarse. El temperamento que se agudizó con la enfermedad ya estaba en el coleccionista. En la mesa de centro reposaba el catálogo de una exposición de De Kooning. La portada mostraba un rostro femenino maltratado con maestría.

Remi había perdido peso y se veía débil, pero se movió con agilidad entre los muebles. Me dio un abrazo más fuerte de lo que podía esperarse. Estaba furioso porque le habían vendido un lote de medicinas a punto de caducar. Le pregunté qué quería decir "a punto". Su respuesta me sorprendió:

—Sólo les queda un año.

Era un plazo razonable para agotar existencias. Sin embargo, la fecha de caducidad parecía aportarle un anhelo de vida: si las medicinas duraban más, él duraría con ellas.

—Vamos junto a la ventana —propuso—. Aquí está muy oscuro.

Nos acercamos al jardín. Al otro lado del cristal se alzaba una escultura de Manuel Felguérez: una pelvis con dos agujeros que permitían ver plantas a la distancia y daban profundidad a la pieza.

Malena nos alcanzó con el café. Iba a poner la charola sobre una caja en la mesa de centro cuando Remigio exclamó:

—¡El *Popol Vuh*! —se volvió hacia mí—: Quiero que veas esto.

Abrió una caja que contenía grabados de Sergio Hernández, hechos a partir del libro sagrado de los mayas.

Conocía el interés de Remi por el artista oaxaqueño. El comedor estaba presidido por un espléndido óleo de Hernández, una selva inquietada por insectos y murciélagos (una "naturaleza viva"), y en distintos rincones de la casa había grabados protagonizados por calaveras, herramientas, felinos, cuchillos, amenazas que el pintor transformaba en formas de la dicha.

—Luisito se va a casar —dijo mi amigo.

—¿Quién es Luisito?

—¿No te acuerdas? El hijo de Ocaranza. Quiere que seamos testigos de la boda. ¿No te ha hablado?

—No.

—Te va a hablar.

También Salvador Ocaranza estuvo en la Casa del Teatro. Su apellido era tan contundente que borró su nombre de pila. Fue el protagonista de mi primer estreno, *Quecosaedro, descripción del animal*, y participó en todas mis puestas hasta la noche en que llegó a la función en un Grand Marquis negro, conducido por un chofer al que no le dio las gracias. La primera señal de que había descubierto una droga más poderosa que la cocaína.

En un tiempo pobre en que fumábamos mariguana y bebíamos cubas, Ocaranza era un profeta de la coca. Hablaba con tal pericia de cortes y procesos de laboratorio que Remi estuvo a punto de contratarlo para sus farmacias.

No tenía suficiente dinero para su adicción, de modo que Remi le prestaba: "Invierto en ti: vas a acabar en mi farmacia".

Ocaranza fue Hamlet, fue el gesticulador, fue Wozzeck. Arturo Vladsky no lo quería. Le resultaba imposible querer a alguien que devoraba la escena y anulaba al director. Lo toleraba como un mal necesario.

El actor revelación era tan virtuoso que podía interpretar papeles lentos forrado de cocaína. Si entrabas a un cuarto donde veinte actores se preparaban para salir a escena, tu mirada lo singularizaba de inmediato. Destacaba sin esfuerzo.

Todo mundo romantiza lo que descubrió en su juventud. Decir que no he conocido a un actor más dotado parece un alarde nostálgico y, sin embargo, es cierto. Remi, que ha visto montajes en el Globe, las salas *under* de Buenos Aires y el Off-Off-Broadway, está de acuerdo, pero agrega: "Si siguiera actuando, ya le hubiéramos encontrado defectos".

Nuestro amigo no siguió actuando. Para colmo, nadie lo filmó. Los papeles que llegó a representar son impecables porque los perfecciona nuestra memoria. En *Quecosaedro* me convenció de que podía ser dramaturgo. La pedantería con que acorazaba mi inseguridad dejó de ser necesaria: su voz me dio confianza.

Empecé a escribir pensando en sus gestos, su entonación, sus riquísimos matices. Las palabras no surgían de mi boca sino de los riesgos asumidos por la suya.

Cuesta trabajo entender por qué alguien renuncia a su talento o decide ejercerlo de un modo casi opuesto. Lo cierto, lo que nunca entendimos, fue que Ocaranza entrara a la política. Quien haya leído los periódicos de los últimos veinte años conoce al personaje.

Fuimos inseparables hasta que buscó otros círculos. Acabó la carrera de Ciencias Políticas que había interrumpido, se recibió al vapor (o compró el título) y no hizo una fiesta para celebrarlo (o no nos enteramos de ella). Se cortó el pelo, eliminó su eterna barba de tres días, comenzó a correr en el Nuevo Chapultepec. El Grand Marquis que lo dejó en el teatro demostró que tenía otros contactos.

Remi y yo nos creíamos sus confidentes, pero él actuó como si ensayara un papel secreto para una compañía enemiga (en el código de Vladsky, todas las demás lo eran).

De madrugada, sentados en una banca de hierro de la pequeña plaza de Coyoacán, imaginábamos el último círculo del infierno teatral: para Remi, el mayor desprestigio era salir en una telenovela histórica, ser un Zapata maquillado; para mí, la caída definitiva era presentar La Hora Nacional.

La apostasía de Ocaranza fue más severa y ni siquiera tuvo que ver con el teatro. El hombre que fue Hamlet dejó de dudar y se convirtió en líder juvenil del PRI.

Meses después de que el actor se alejara de los foros, Remi y yo comíamos en una fonda. De pronto, mi amigo detuvo la cuchara que se llevaba a la boca: Ocaranza estaba en la televisión. Hablaba en un mitin tropical; llevaba puesta una guayabera y hacía los ademanes contundentes del que arenga en nombre de cosas vagas pero grandilocuentes (la patria, la independencia, la dignidad). Desempeñaba el más sencillo de sus papeles, el de demagogo. Lo habíamos visto en *El gesticulador*, de Usigli. Ahora mostraba menos recursos, pero resultaba eficaz en un doble plano; cautivaba a la multitud y cambiaba de tono para mandar un mensaje, más sereno pero igualmente seductor, a la televisión. Lo peculiar, su sello distintivo, es que lucía espontáneo. El teatro lo había preparado para eso.

Vladsky sintió una honda decepción al conocer el destino de Ocaranza, y reafirmó su radicalismo: el teatro pobre, el teatro de la crueldad, el teatro laboratorio no podía tener estrellas. Salvador Ocaranza había sido la excepción que confirmaba la regla. Gracias a su deserción podíamos ser, felizmente, parias en una catacumba.

Aunque Remi trató de seguir en contacto con él, Ocaranza se esfumó de nuestras vidas. Quizá le dábamos vergüenza, o le daba vergüenza verse en el espejo que representábamos para él.

En una época en que el PRI aún creía en el carisma, nuestro antiguo amigo se encumbró sin trabas. Fue líder juvenil, diputado, subsecretario y dos veces secretario de Estado. Treinta años "en el candelero".

Estaba en campaña para senador cuando la revista *Proceso* publicó copias de transferencias bancarias que lo implicaban en una red de tráfico de influencias y lavado de dinero. El monto alcanzaba millones de dólares y explicaban su ostentosa mansión en Bosques de Las Lomas, su casa para esquiar en Vail, su *penthouse* en Nuevo Vallarta. Luego de estas filtraciones (la fotocopia de un cheque a su nombre ocupaba media página de la revista), renunció a su carrera al Senado para dedicarse a "limpiar su imagen". Poco después fue secuestrado.

Los detalles del asalto confirmaron lo lejos que estábamos de alguien con quien habíamos compartido sueños y complicidades. Los secuestradores detuvieron su camioneta blindada cuando él salía de jugar tenis con un directivo de HSBC

169

y le extirparon el chip, del tamaño de un grano de arroz, que tenía en el cuello para ser localizado por radar. Los rastros de sangre correspondían al tipo de Ocaranza.

Resultaba inverosímil que el joven que recitaba con fervor a Thomas Bernhard se hubiera transformado en el potentado que lleva un chip bajo la piel.

Su desaparición duró dos meses y estuvo rodeada de especulaciones. La fortuna amasada en tres décadas en la política lo convertía en alguien secuestrable, pero existía la posibilidad de un montaje, un recurso desesperado para desviar la atención en el momento en que se investigaba el origen de sus bienes.

En forma inédita, la presidencia y los consorcios televisivos sellaron un pacto para no dar pistas falsas de su paradero. De pronto, una foto llegó a los medios: Ocaranza en su encierro, demacrado, con bolsas bajo los ojos. Sostenía un letrero en el que declaraba: "Estoy bien. No se preocupen por mí. Los quiero a todos". Esa imagen lo transformó en víctima.

Regresó en forma extraña, conduciendo su camioneta como si hubiera viajado a una realidad paralela de la que ahora volvía, con la melena que tuvo en *El rey se muere*. Había adelgazado pero su piel mostraba un buen color. Sus declaraciones fueron un homenaje al teatro del absurdo. Elogió a sus secuestradores, los llamó "patriotas", agradeció a su familia, minimizó la importancia del rescate ("una bagatela a cambio de la vida"), dijo que nada rompería su amor al país y se refirió a Dios con un fervor místico que hasta entonces nadie le había oído. Parecía un astronauta recién regresado a la Tierra.

Tocado por el drama, fue readmitido en reuniones del PRI, no en calidad de protagonista, sino de precursor, como el veterano, ya legendario, que pertenece a una tradición dolorosa que los íntimos reconocen como heroica: el venerable tío de la Gran Familia Revolucionaria.

No se volvió a hablar de sus estafas económicas, tan parecidas a las de muchos otros.

Remi y yo nos unimos en la confusión al enterarnos de todo esto. Ocaranza había sido un amigo cercanísimo sin que intuyéramos que se convertiría en la contrafigura de nuestras ilusiones. ¿Cómo pudo pasar eso?

Comenté que Remi ha presenciado los estrenos de todas mis obras. Es capaz de cancelar un viaje a Italia con tal de ser uno de los ochenta espectadores del Teatro Santa Catarina. En cada ocasión celebramos el mismo rito. Me acompaña a la cena con los actores y luego vamos a su casa. El pretexto es hablar de la obra. Eso nos toma unos veinte minutos. Después hablamos de Ocaranza. ¿Cómo no supimos? ¿Con quién creíamos que estábamos?

Cuando volvió del secuestro, la melena de nuestro antiguo cómplice parecía la de un director que se dispone a rematar una sinfonía con frenesí. Su sonrisa era franca, expansiva. "El cabrón se salió con la suya", pensé, y sentí un escalofrío de gusto. Estaba contento de que siguiera con vida. La opinión pública lo exoneró por piedad, yo lo exoneré por afecto.

Esa tarde fui a un ensayo donde se habló mucho del actor que en otros tiempos había encarnado la simulación política en una obra de Usigli. No me atreví a decir lo que sentía. Admiraba la trama que había urdido (el autosecuestro era para mí una certeza). Decirlo hubiera sido reaccionario; pensar de otro modo hubiera sido hipócrita. Recordé una frase de Gramsci: "La verdad es siempre revolucionaria". Se refería a la historia pública, no a la privada. El afecto siempre es contradictorio.

A los pocos días, Ocaranza dio una larga entrevista en televisión. Por "razones de seguridad", se negó a ofrecer detalles de lo ocurrido. La conversación transcurrió de modo insulso hasta que soltó una frase que luego sería muy comentada: "Agradece a tu enemigo la posibilidad de superarlo". ¡Era un parlamento mío! La sorpresa no acabó ahí. El entrevistador insistió en que dijera algo sobre las negociaciones para su liberación. Informó que a través de su familia había contratado a expertos ingleses. Durante el cautiverio, los negociadores se referían a él con un seudónimo, pues temían que interceptaran sus llamadas. El entrevistador preguntó cómo se había llamado en la clandestinidad. Asombrosamente, Ocaranza pronunció mi nombre.

Esta revelación tuvo una consecuencia insospechada. Un crítico literario que no sabía de mi existencia, publicó el ensayo "Ocaranza, dramaturgo". Había conseguido mis obras en librerías de viejo, pero no me las atribuyó a mí, sino al político que, presuntamente, las firmaba con seudónimo. Aunque se trataba de un funcionario abyecto, había que reconocer su talento para la dramaturgia, clave oculta de su éxito en la arena pública.

Verme reducido a un alias fue menos decepcionante que leer otro artículo, "El enigma Ocaranza", escrito por el talentoso sinaloense que desprecié en la Casa del Teatro. Afirmaba que el nombre pertenecía a una persona real, un dramaturgo menor ya eclipsado, que en su juventud había servido de máscara a un político deseoso de ejercer el teatro en forma clandestina para no manchar su carrera pública. Aunque nunca había elogiado mi trabajo, ahora le resultaba "excepcional", pues lo atribuía a otra persona.

Pensé que me vería borrado para siempre como autor de mis textos, pero la realidad demostró su capacidad para transcurrir de manera simultánea en planos que no se tocan. Mi antiguo amigo vivía en la superficie donde se venden periódicos y yo en el inframundo del teatro de búsqueda. Los seguidores de Ocaranza agotaron mis libros en las mesas de saldos sin saber que el autor era otra persona y mis actores no supieron que mis obras eran atribuidas a un político.

Unos meses después, el Museo de la Revolución develó una pared con frases célebres. Entre ellas estaba: "Agradece a tu enemigo la posibilidad de superarlo", atribuida a Salvador Ocaranza.

La Revolución había ocurrido para convertirse en museo y el teatro para justificar a un político. Escribí una carta, reclamando la autoría de la frase. El director de comunicación social del museo me informó que "el licenciado" había usado un seudónimo en su juventud. ¿Quién era yo para adjudicarme la propiedad del texto? "No tiene caso combatir la originalidad de un personaje público de probada verticalidad ideológica", concluía la insólita respuesta.

Me pareció ocioso luchar contra ese autor fantasma. La tensión con mi antiguo amigo alcanzaba una fase incómoda. Secretamente, un enemigo existe para mejorarte, para que ofrezcas algo que sólo surge gracias a que él se te resiste. Ocaranza regresaba de las sombras como oponente, pero no me hacía mejor; me devoraba.

—No puedes faltar a la boda —Remi abrió la caja.

Vimos escenas del *Popol Vuh*: una calavera comía un pez, dos ratones producían un monstruo al hablar, un gato miraba al espectador con agudeza de crítico literario, un conejo discutía. En este bestiario los hombres eran esqueletos, historia vieja, algo que ya había sido y se resignaba a perdurar de otra manera.

El *Popol Vuh* es un mito de la creación, pero las imágenes de Hernández representaban su posteridad, el mundo más allá de la presencia humana. Un territorio de telarañas, aullidos, pájaros, lenguas largas que lamen la materia.

Conocíamos la trayectoria de Hernández, pintor de nuestra generación. Hijo de un carpintero que en una ocasión sintió la presencia del Diablo y lo encerró en un ataúd, comenzó a dibujar con clavos. Abandonó la escuela, y a los dieciséis años se mudó a la Ciudad de México. Dormía en un banco, comía en un merendero para ciegos y tallaba Cristos para mantenerse. El terremoto de 1985 lo sorprendió en la calle de Argentina. Vivía frente a la tlapalería La Paleta Moderna, donde contemplaba desarmadores, tornillos, espátulas, seguetas y otros instrumentos que parecían diseñados para la tortura. Comenzó a pintarlos con la precisión con que retrataba los insectos que llenaron su infancia de zumbidos (les tenía miedo, no se acercaba a ellos, los conocía de oídas, los imaginaba...). El terremoto cubrió de polvo la parte más antigua de la ciudad. Los lienzos de Hernández quedaron tapizados por una película opaca, una costra resistente. Entonces volvió a utilizar un clavo para extraer figuras. Poco después viajó a París, donde soñó con el *Popol Vuh*. Quizá en ello influyó el viaje que hizo a Colmar. El tallador de Cristos contempló ahí el tríptico de la crucifixión de Grünewald. Ante esa perfecta versión del Gólgota entendió que en su sangre circulaba otra mitología, un llamado anterior al cristianismo. La inmersión en los delirios del mezcal le produjo pancreatitis y lo llevó a su origen: las visiones nocturnas de la serie de óleos *Negro mezcal* y los luminosos grabados sobre el *Popol Vuh*. Desde que encontró la raíz en llamas de su pintura, su obra creció con el fecundo desorden de la selva. Hernández se había enfrentado al mundo con un clavo. Esa magra herramienta subrayaba la magnitud de su conquista. Nada impediría que pintara. Con los años, el universo de sus imágenes se volvió tan vasto que parecía un resultado natural, el saldo de un organismo invadido por la luz. Pero todo podía haber sido distinto. En cierta forma, los grabados del *Popol Vuh* significaban una reconciliación con sus miedos de infancia: ahora la vida orgánica había dejado de ser una amenaza; vibraba, con inaudita belleza, separada del hombre que ya sólo era un recuerdo.

La trayectoria de Ocaranza era la opuesta; tuvo todo para renovar el teatro y negó su vocación, o la expresó en clave perversa.

La sala quedó tapizada de grabados. Asumí que el *Popol Vuh* de Sergio Hernández sería el regalo de bodas de Luisito. ¿Valía la pena darle ese tesoro?

—No vayas a la boda —le dije—. Ocaranza es un cerdo.

—También es nuestro amigo.

—Hace siglos que no lo vemos.

—Las bodas existen para eso, para admitir que llevas treinta años sin ver a tus mejores amigos.

—Qué pendejo te has vuelto —dije y me arrepentí en el acto. Remi se estaba muriendo.

No se ofendió. Sonrió al decir:

—"Además de muerto, pendejo". ¡Ya tengo mi epitafio!

—Perdón, Remi. Las bodas me ponen de malas.

—Te hubieras casado al menos una vez para sufrir con conocimiento de causa.

—La mafia del PRI va estar ahí. No estamos hablando de gente desagradable, estamos hablando de sospechosos de asesinato. Pueden subir tu foto a Facebook, abrazado a un canalla.

—Me quedan unos meses de vida, eso es lo que menos me importa. El que tiene miedo de ir eres tú, el dramaturgo que todavía se cree rebelde. Las bodas pertenecen al género teatral, es increíble que no lo sepas. ¿Tienes miedo de encontrar a tu doble? —dijo con énfasis histriónico—. ¿Te acuerdas de Florencia?

No esperó mi respuesta. Salió del cuarto.

Al fondo, la tarde creaba una red luminosa en el follaje. La escultura de Felguérez refulgía, como hecha de obsidiana.

Una sirvienta entró a la sala. Recogió los grabados uno a uno.

Después de unos minutos, la misma sirvienta regresó con un teléfono:

—Para usted.

Me sorprendió que alguien me llamara ahí. Tomé maquinalmente el aparato. Una voz de otros tiempos dijo:

—¡Pinche Josecho! No te dejas ver. Te he seguido, cabrón. Tu última obra me rompió la madre. Te busqué en los camerinos. ¿No te dijeron? Te habías ido a Cuautla o a otro bastión cultural. Siempre supe que alebrestarías el gallinero. Le pones demasiadas cucharadas de *stoppard* a tus diálogos, pero eres un chingón de su puta madre.

No pude recordar si antes usaba tantas groserías. Sonaba como alguien hambriento de naturalidad. Me pareció aún más detestable.

—Tampoco tú dejaste el teatro —dije, procurando sonar agresivo.

—¡Ni te imaginas! Tengo que fingir por la patria. Deberías darte una vuelta por mi oficina para que te muestre mis archivos, gordito. Contienen una cantidad de mierda que no has visto en los escenarios. Nadie es tan crítico del poder como alguien que se ha ensuciado con él. Lo que tú me cuentes al respecto, sonará ingenuo. Te puedo ayudar en tu próxima obra.

¿Era el momento de reclamarle que hubiera usurpado mi nombre en su secuestro? Por alguna razón, preferí escucharlo:

—La mierda es el principal recurso del genio, ¿no decía eso Vladsky? El PRI es peor de lo que piensas, pero los artistas pueden soñar porque nosotros limpiamos la mierda. No dejes de soñar, gordito, lo haces de maravilla. ¿Ya te dijo Remi?

—¿Qué?

—De la boda, pendejo. ¿En qué planeta pagas renta? Quiero que seas testigo.

—Es la boda de tu hijo, no lo conozco.

—Es mi regreso a la sociedad. Quiero estar con mis amigos de toda la vida.

—Salvador, hace más de treinta años que no nos vemos. —¡Esos son los amigos de toda la vida!

Estaba exultante. Ignoraba que alguien podía contradecirlo.

—Cuento contigo, gordito —colgó el teléfono.

Me molestó que me localizara en ese sitio. Eso implicaba una complicidad entre él y Remi. Imaginé lo que habrían dicho de mí: "Ya conoces a Josecho; hay que decirle las cosas poco a poco; es un resentido; le ha ido mejor de lo que podía irle, pero no se da cuenta; se pone pedo a cada rato y se vuelve intratable; demasiadas mujeres han descubierto que no es imprescindible, nunca lo será; lo más jodido es que se siente puro; ha recibido todas las becas del gobierno, pero se cree de oposición; irá a la boda porque a fin de cuentas nos quiere, no puede traicionar su afecto, y porque podrá invitar a una actriz que le gusta, demasiado joven para él, y que finalmente no le hará caso; Josecho es así: reniega y luego acepta; un artista: quiere que le roguemos, siempre lo ha querido".

Remi me había dicho de mil modos cosas similares, casi siempre con amabilidad y atemorizada vergüenza, haciendo pausas por si yo deseaba frenarlo. Generalmente, pronunciaba ese afectuoso balance negativo después de regalarme un libro estupendo o pagar la cuenta en un restaurante caro. Al final agregaba un detalle que me hacía sentir bien, recordaba algo que yo había dicho, una puntada genial sobre una tenista rusa, una frase ingeniosa que él atesoraba y yo había olvidado.

Mi amigo volvió a la sala con una botella de mezcal Pierde Almas y dos vasos pequeños, hechos para contener veladoras. No mencionó la llamada de Ocaranza.

—Odio las bodas —insistí.

Nunca he podido con esos rituales de la vanidad y la inconsciencia. De golpe, el primo al que no has visto en décadas te invita a la ceremonia de su hijo. No tiene la menor idea de quién eres; si acaso, recuerda que a los seis años le escupiste puré en la cara, pero necesita juntar a trescientas personas para sentirse poderoso y abastecer de electrodomésticos la casa de su hijo. Hace mucho que me niego a regalarle licuadoras a gente que no conozco.

Estaba con alguien que aceptaba sin chistar el más horrendo ritual de la época, esa congregación pudorosa que finge que nadie se ha cogido a la novia.

Lo vi a los ojos, tratando de que leyera el desprecio que sentía por su falta de carácter. Sólo logré que preguntara:

—¿Te sientes bien?

—¿Dónde es la boda? —no alcé la voz porque quería controlar mi rabia, esperando que dijera "en Cuernavaca" o "en San Miguel de Allende" para estallar con fuerza. De modo decepcionante dijo:

—En casa de Ocaranza. No tienes que salir del D.F.

—Luisito no merece un regalo. Cualquier cosa que le demos, él la dará de *roperazo* en otra boda.

—Esta caja es mi Caballo de Troya.

Hay cosas que sólo puede decir un moribundo. A pesar de mi enojo, me sentí obligado a respetar esa frase solemne. Durante años, Remi había estado en una grata periferia; ahora se interesaba por todo, ganaba intensidad, pasión. Es posible que la amistad sirva para eso, para entender lo que alguien con leucemia quiere confesarte. Remi iba a decir algo pero no dejaba de ser Remi: tanteaba el terreno, daba rodeos.

—¿El *Popol Vuh* es tu Caballo de Troya? —pregunté.

—Adaptaste *El Libro del Consejo* —señaló la caja para indicar que mi remota obra de teatro y los grabados tenían el mismo origen—. Te interesaba el tema de los gemelos que van al inframundo. Ocaranza jugaba a la pelota con los dioses, era decapitado, su cabeza colgaba de un árbol como un fruto. Florencia se acercaba a ese árbol y él le escupía saliva en la mano. Ella quedaba preñada... Luego los dioses hacían una pelota con las cenizas de Ocaranza. Era lo mejor de la obra: la pelota como un deporte de los muertos. ¿Te acuerdas de todo eso? Alucinaste cuando supiste que la vulcanización del hule comenzó en México, usando cenizas de los muertos. Los pendejos de Dunlop descubrieron lo mismo hasta el siglo xx. Pero no usaron cadáveres; por eso no tuvieron el mismo efecto: las pelotas normales necesitan atletas, las pelotas del *Popol Vuh* tienen vida propia, o mejor dicho, muerte propia.

—La obra fue un desastre; estuvo tres semanas en cartelera.

—No es fácil adaptar mitologías. Un personaje era Brujo Nocturno, otro Brujo Lunar, todo era demasiado trascendente.

Tenía razón. En los grabados de Sergio Hernández no había esa grandilocuencia. Sus insectos de patas afiladas, sus pájaros de ojos grandes y sus roedores se reían de lo que fue el hombre: un error divertido. La historia pasa pero quedan las moscas.

Remi dijo:

—Mataste a Ocaranza. Lo decapitaste. Lo convertiste en una pelota que botaba.

Bajo las órdenes de Arturo Vladsky, Ocaranza había muerto varias veces, de repente y por etapas; había muerto desnudo y con hábito de obispo; había sido cubierto de yogur azul y había recibido una ducha de agua helada que le encogía miserablemente el pene. ¿Qué importancia tenía que también hubiera sido decapitado como un gemelo maya?

—¿Te acuerdas de Florencia? —Remi habló despacio, subrayando sus palabras.

—Pertenece a la prehistoria.

—Una prehistoria caliente.

—No éramos calientes; nadie se daba cuenta de con quién se acostaba; hacíamos teatro, nos creíamos distintos.

—¿Qué recuerdas de ella?

—Florencia tenía un mancha en forma de V en la espalda, una mancha rojiza, que parecía hecha con dos dedos. Todo mundo vio esa mancha: salió desnuda en tres obras, ¿o fueron cuatro? Nadie se acuerda de ese tiempo. ¿A quién le importa?

—A él. Siempre le importó. ¿Por qué crees que dejó el teatro? Competiste con él al estilo de los gemelos del *Popol Vuh*; querías ser el otro, el que sobrevive.

Hizo una pausa para volver a llenar los vasos de mezcal. Recordé el ciclorama azul que sirvió de trasfondo a *El Libro del Consejo*. La iluminación le daba una consistencia de luz llovida. El origen del mundo, nuestro mundo.

Una pelota botaba en el escenario vacío… la cabeza del héroe convertida en cenizas… el movimiento que mantenía vivo un universo en pugna…

Fue la última vez que trabajé con Ocaranza. Pensé que su alejamiento se debía al fracaso de la puesta; luego entendí que dejaba el teatro para siempre, animado por otra vocación.

—Florencia tampoco volvió a actuar —la voz de mi amigo recuperaba impulso a ratos—. Cambió de nombre y de nariz. De nombre una vez (ahora se llama Natalia Palmer);

de nariz, varias… No hay datos de ella en las hemerotecas. Tengo unas fotografías de la Casa del Teatro, pero nadie puede asociar a la mujer del licenciado Ocaranza con la chava que sonríe como un conejo. ¡Ah, también se cambió los dientes! Somos demasiado viejos, pertenecemos a una época anterior a Internet, cuando el pasado podía borrarse.

Florencia había sido un vocablo en la exaltada gramática de Vladsky. Podía ser sustituida. No me importó que se fuera con Ocaranza ni que se casaran al poco tiempo, en una boda de misticismo indígena en la pirámide de Tepoztlán. Supe de eso por otros actores. Remi y yo no fuimos convidados.

—Si no nos invitó a su boda, ¿por qué nos invita a la de su hijo? —pregunté.

Volvió a destapar la botella de Pierde Almas:

—Él se enamoró de Florencia como un perro. Escribiste la más extraña erótica para ellos: él escupía su baba en la palma de ella.

—¡Eso está en el *Popol Vuh*!

—Le indignó que no tomaras en serio a Florencia.

—¿Quería ligársela o quería que eso me doliera? ¡No era un partido de tenis!

—Ahí está el misterio. Ocaranza es sentimental; pensó que disputarían por Florencia y pasó lo peor: te dijo que la amaba y te valió madres. Ni siquiera le contestaste, pusiste tu sonrisa de "joven promesa": no podías perder el tiempo con un actor incapaz de entender sus parlamentos. Escribías para él. Tus mejores obras son las de esa época. Estrenas cada cuatro años pero el público prefiere tus reposiciones.

Durante años, Ocaranza había sido el cuerpo del que yo era la sombra. Las palabras acaban siendo de quien las dice. Yo aportaba las cenizas.

—Usó mi nombre cuando lo secuestraron. Algunos pendejos creen que escribió mis obras.

—Eso a nadie le importa: esas personas viven en una realidad paralela.

—Si vivimos en mundos aparte, ¿qué caso tiene que nos veamos?

—¡De eso trata el *Popol Vuh*! Tienes que buscar a tu gemelo.

—No es mi gemelo.

Remi hablaba como un demente. ¿Había combinado el mezcal con sus pastillas? Mi amigo estaba en el límite, minado por la quimioterapia. Aun así, insistía en beber.

—Te faltó generosidad para tener celos —dijo con voz arrastrada—. Fuiste egoísta, Josecho. Una vez lo encontré llorando en el cuartucho que usábamos de camerino. Yo era una sombra de reparto, él era un actorazo; sentía las emociones en los huesos.

Quizá la enfermedad llevaba a mi amigo a entender en exceso a Ocaranza, a convertir aquella lejana pasión en un admirable malestar físico. Con voz casi inaudible, continuó:

—Se clavó con Florencia como un pinche fanático. Quería que ella lo amara "hasta el delirio", eso dijo esa noche; no lo conseguía ni creía que podría hacerlo, pero lo logró. Ella se alejó de nosotros y del teatro. Fuimos enredos pasajeros y no le costó trabajo olvidarnos. Pero él quería que eso importara. ¡Se estaba llevando a la mejor mujer del mundo!, así lo veía él. ¿Y qué hiciste? Nada. Te hubiera dolido más que se llevara un par de sillas, que siempre nos hacían falta...

Recordé que Vladsky encomiaba el valor artístico del egoísmo: nada debía distraernos de la meta. Las emociones ajenas al foro eran ataduras, molestias que pertenecían a la intemperie, ese set de telenovelas.

Remi amagó un acceso de hipo con el puño. Respiró hondo. Habló, en tono recompuesto:

—Usaste a Ocaranza como los mayas usaban las cenizas para que botara una pelota. Por eso se siente con derecho a apropiarse de tu nombre. Se casó con una mujer que había sido tuya y no te dio ni frío ni calor. Eso lo ofendió, es alguien que se enciende rápido.

—¿Cómo sabes que se ofendió?

—Me lo ha dicho.

—¿Lo ves?

—A veces, en subastas o inauguraciones de exposiciones. Me estoy muriendo, Josecho: tienes que ir a la boda.

—¿Eso qué tiene que ver contigo?

—Es un rito, un viaje al inframundo con la gente que has querido, nuestro propio *Popol Vuh*. Es tu gemelo, gordito —usó la odiosa muletilla favorita del político.

Ocaranza se había enriquecido con dinero ajeno, se salvó de la cárcel montando un secuestro que lo congració con la opinión pública. Remi lo consideraba mi gemelo y de pronto me decía "gordito".

—Es una boda de las de antes —continuó—. Llevan año y medio planeándola: lo suficiente para que la novia adelgace y las etnias preparen sus tributos. Esperamos mucho para decírtelo, no sabíamos cómo ibas a reaccionar.

El plural fue desconcertante.

—No es la boda de tu hijo.

—Da lo mismo; es la última oportunidad de que estemos juntos. Hazlo en nombre del pasado, lo único que nos queda.

La tarde había caído en el jardín. El cielo era un jirón violáceo. Afuera, la escultura condensaba oscuridad, como un relieve producido por la noche.

Mi amigo vio el piso. Pensé en la espalda de Florencia, en la mancha rojiza en forma de V, como la que un arqueólogo puede dejar en una tumba cubierta de cinabrio. La había visto en los periódicos, transfigurada. Sin ser fea, desconcertaba por artificial. Vista a la ligera mantenía cierto atractivo; estudiada con atención, daba susto. Su cabellera leonada hacía pensar en el pelo de otra persona y sus facciones delataban a un cirujano de inspiración cubista. En mi recuerdo era una presencia borrosa y agradable, una mancha pálida que "estuvo ahí". En el presente era una mujer costosa, notoria, ornamentada, glacial, temible: una posibilidad de primera dama.

Como si siguiera mis ideas, Remi dijo:

—Ocaranza la adora. No te perdona porque la adora. No te perdona porque te adoraba —su voz era somnolienta—. ¿Quieres a alguien, Josecho? ¿Puedes hacerlo?

Soltó un suspiro. Me pareció que escupía algo muerto. Su boca no sacaba aire sino el recuerdo de que ahí hubo aire.

Habló con voz débil:

—He tenido sueños muy raros. Durante mucho tiempo no pude soñar con mis hijas. Ahora sueño todas las noches con ellas, son pequeñas y te quieren conocer.

—Me conocen.

—En el sueño aún no te conocen. Estás muy solo.

—Me gusta que me dejen en paz.

—Ocaranza te adoraba, las niñas te quieren conocer —dijo en tono lunático, los ojos llenos de lágrimas.

Un amargo entendimiento se abrió paso en la oscuridad de la sala. Los cuadros que tan bien conocía eran plastas difusas. Remi estaba a punto de irse, de borrarse para siempre, y quería dejar algo, legarme su confusión, sus dudas, sus afectos, acaso sus rencores. Para eso están los amigos. Los dos sabíamos que Ocaranza era un hijo de puta; no teníamos que corroborarlo; su inmundicia llenaba los periódicos. Pero Remi hablaba como si los dos fuéramos uno; eso fue lo que comprendí, el veneno que me invadió en la sala.

Ocaranza había amado como yo no lo había hecho; se enamoró de una mujer que en el recuerdo me parecía insulsa y en el presente artificiosa, desapareció de la arena pública y negoció su regreso con mi nombre, recitó una frase sobre la importancia de los enemigos, cobró fuerza mientras yo perdía la voz, escribía cada vez menos, seguramente peor. No le envidiaba su destino pero esa noche le envidié sus pasiones. En el sueño de Remi yo era alguien que sus hijas no lograban conocer. Ocaranza se había atrevido a vivir; se ensució hasta encumbrarse, medró en el oprobio; fue exitoso y ruin. Mientras yo revolvía cenizas, él manipulaba realidades.

En su agonía, Remi me revelaba lo importante que fui para el actor que lloraba en su camerino y la indiferencia con que lo traté, la arrogancia con que juzgué prescindible su partida. Pude hacer algo más y no lo hice. Acepté que traicionara su vida; no traté de retenerlo en la Casa del Teatro; se hundió, lejos de nosotros.

Encendí un cerillo, sólo por hacer algo, y traté de ser irónico:

—¿Él ha destruido al país por despecho? ¿Es político por mi culpa?

—No seas animal, las cosas no son tan simples. ¿Tienes a alguien que te acompañe a la boda?

Remi subrayaba mi soledad; su mirada parecía repasar la cadena de rupturas y promesas sentimentales de la que yo estaba orgulloso y cansado, cada vez más cansado.

—Sí —contesté para joderlo.

Pensé en una alumna, o más bien en los pechos que levantaban su eterna blusa oaxaqueña, y en una investigadora que revisaba el archivo de Vladsky; cuando se quitaba los lentes miraba el mundo con suave desconcierto. Ninguna de las dos tenía mayor relación conmigo, pero eran opciones.

—Vamos juntos al inframundo —Remi tapó la botella.

La casa en Bosque de Las Lomas era idéntica a la idea que los peores enemigos de Ocaranza podían tener de ella. Había alardes de buen gusto, pero la ostentación ahogaba cualquier efecto decorativo. Un inmenso óleo de Tamayo era tapado por un biombo chino, una escultura de Brancusi descansaba sobre una mesa con incrustaciones de marquetería, una monja coronada novohispana alternaba con un Hidalgo de mirada flamígera, pintado por un artista que usaba morados y rosas psicodélicos y que ni siquiera Remi conocía.

Decidí ir a la boda civil pero no a la religiosa. No me veía bailando "No rompas más" con la clase política. En cambio, un acto ciudadano podía reunir rivales sin que eso fuera comprometedor. "Te equivocas", dijo Remi: "en México no hay leyes: sólo hay ceremonias".

Dos días antes de la boda un mensajero pasó en motocicleta por la fotocopia de mi pasaporte. Sería testigo, daría fe, con la extraña autoridad de quien proviene del pasado.

No invité a la alumna ni la investigadora sino a Elisa, terapeuta del lenguaje y amiga de Malena que me había ayudado a construir a un personaje con afasia. Quería estar con alguien que no me gustara ni me inquietara. Me dio vergüenza convocarla sin una aproximación previa y le pedí a Malena que la sondeara. "Acepta ser tu tapadera", fue la halagadora respuesta.

Al llegar a la fiesta descubrí otra virtud de Elisa: se conduce como si la riqueza no significara nada. No le importó que el Jetta de Malena quedara entre dos Mercedes blindados, no se deslumbró con las esculturas de marfil, los estofados virreinales ni las alfombras persas que incluso cubrían parte del patio. Apreció, eso sí, algunos cuadros y vio con ironía a varios prominentes canallas (un líder sindical, el conductor de un noticiero servil, un candidato a gobernador). La acompañante ideal para un trance en el que yo deseaba estar al margen.

Luisito resultó ser un apuesto arquitecto que no recordaba físicamente ni a su padre ni a su madre. La novia tenía un cuerpo tan espectacular que lucía de maravilla en el cilindro elástico, color marfil, en el que se había embutido. En forma seguramente involuntaria, ese vestido simbolizaba su auténtico papel en la boda: no la hacía ver como un emblema de la pureza, sino como un trofeo.

—Está buenísima, ¿verdad? —Ocaranza me saludó con el triple abrazo de la clase política, ávidamente registrado por los fotógrafos.

Tuve un arranque de vanidad: me preocupó aparecer en los medios, rendido ante un político nefasto.

—Qué bueno que viniste, gordito —me dijo.

—"Agradece a tu enemigo la posibilidad de superarlo".

—Gran frase, ¿no?

—Ahora te la atribuyen.

—¿Te molesta? —se hizo hacia atrás, abriendo los brazos—; es algo que llevaba dentro de mí, desde hacía mucho. La dije con el corazón. ¿Quieres que rectifique, gordito? —señaló a un reportero junto al fotógrafo.

—Te atribuyen mis obras, han escrito sobre eso...

—¡Lo mismo le pasó a Shakespeare! ¿Quieres que me identifique como el conde de Oxford, la figura pública que, para decepción de los morbosos, no escribió las obras del gran bardo? ¿Quieres que diga eso, Shakespirito? —me tomó del cuello— Estás en tu casa, tú mandas, cabrón... ¡Dichosos los ojos! —se dirigió a un anciano que venía detrás de mí.

Me alejé de él, respirando el olor de su colonia en mi ropa. Algo me irritó profundamente: la frase que le atribuían en verdad parecía más suya que mía. Él me superaba en su venganza.

Seguí a Elisa, que había pasado sin detenerse ante los padres de los novios. El ambiente era de una solemnidad pasmosa; faltaba gente joven. Un cuarteto de cuerdas tocaba en forma lánguida. Entre la fauna acaudalada, un par de muchachos vestidos con excesivo esmero representaba a la nueva generación. Tal vez los amigos de Luisito asistirían a la boda religiosa. No los imaginaba con *piercings* y tatuajes. Posiblemente en algunos años hasta los hijos de los políticos tendrían un aspecto marginal; por ahora, ese elenco negaba los años locos de Ocaranza y su esposa, los años de los que no quedaba rastro.

"¿Cómo entra lo nuevo en el mundo?", me pregunté en esa cripta de tiempo detenido. Luego pensé que el verdadero enigma no era ése, sino cómo entra el pasado en el mundo. Suponemos que está ahí, disponible; es lo ya sucedido. Pero el pasado no siempre ocupa la escena y regresa de distintos modos. Ocaranza me convocaba en nombre de algo previo para reinventarlo. Esta vez, él se creía mi autor.

Vi a Remi a la distancia, el único de nosotros que en verdad quería quedarse en el pasado y temía su futuro.

Fue un alivio ver su rostro entre tantos desconocidos a los que no quería acercarme.

—¡Cuánto tiempo! —escuché una voz tiplauda.

Florencia. Recordé por qué Vladsky le había asignado papeles mudos o gimientes. ¿Qué tenía que ver la chica que durmió en mis brazos con la señora acorazada de joyas que ahora alzaba la mano y movía dos dedos con imperial displicencia, ordenándole a alguien que se acercara?

Una mujer vestida de negro, con un auricular en la oreja, llegó a recibir órdenes.

—Natalia —dije.

—No seas mamón: me puedes decir Florencia —puso una palma en mi solapa—: no has cambiado —habló como si eso fuera triste. Me había quedado donde ella me dejó.

—Tú estás igualita —contesté para ofenderla.

No me escuchó porque se fundió en un abrazo con una anciana de pelo azul.

Natalia Palmer se sentía tan protegida en su nueva vida que podía darse el lujo de mencionar su antiguo nombre. Durante un instante podía ser Florencia para mí. En caso de que yo dijera algo al respecto, ella me desmentiría con eficacia. Vivíamos en universos paralelos. Mis palabras no tenían eco en el suyo.

Me aburrí con Elisa hablando de sus pacientes. Al cabo de una eternidad, Remi llegó a decir que la juez había tenido un accidente de tráfico. Luego Luisito se acercó para agradecer el regalo de bodas de Malena y Remi:

—El cuadro está increíble. ¡Me fascina Toledo!

Pensé que confundía a Sergio Hernández con su maestro, pero siguieron hablando del asunto y quedó claro que Remi le había dado un óleo con cangrejos. ¿Y los grabados del *Popol Vuh*? ¿No eran su "Caballo de Troya"?

Luisito contó que iría de luna de miel a Sudáfrica. Vi a su mujer estatua, la presa del safari en el que estábamos inmersos.

—Gracias por firmar —me dijo—, mi papá te adora.

No agradeció la vieja edición de Sor Juana que le di. Me había costado mucho encontrar esa edición de *Los empeños de una casa*. Tal vez el título —lo único que leería— le pareció sarcástico.

La juez llegó maravillosamente despeinada por el accidente. No le había pasado nada pero se llevó un "sustazo tremendo". Una mujer delgada, de unos cuarenta años, con mirada inteligente.

Desde que la "epístola de Melchor Ocampo" dejó de recitarse, las bodas civiles pueden ser tan aburridas como la expedición de un pasaporte. Aquella vieja prédica, fascinante por ridícula, le daba sentido teatral al acto. Al oírla, yo encontraba motivos para no casarme. Melchor Ocampo hizo lo mismo: describió el matrimonio como una cárcel tan sublime que no se casó nunca.

Ahora ese vacío se llena según la inspiración del juez. En este caso hubo un monólogo bastante eficaz sobre la importancia cívica del amor. Mientras hablaba, la mujer que representaba a la ley me pareció más atractiva que la novia. Al final dijo:

—No tengan miedo de que el otro sea distinto: "Sólo con un oponente sacas lo mejor de ti mismo".

¡Otra frase de *El Libro del Consejo*, ahora transformado en manual de autoayuda! Ocaranza había intervenido en el discurso.

Fui el décimo y último en firmar como aval del novio. Ninguno de sus amigos —en caso de que en verdad los tuviera— fue solicitado.

No hubo carcajadas, ni orquesta, ni bufé presidido por un cisne de hielo. El cuarteto se deslizó hacia una zona casi insonora de la música. La reunión se mantuvo en la cifra "íntima" de la ostentación: ciento cincuenta invitados.

Luisito sonreía vagamente rumbo a la nada, acaso pensando en la boda religiosa y la fiesta posterior en la que al fin podría bailar sobre una mesa, con la corbata en la frente como un desafío *cherokee*.

Vi a Ocaranza a la distancia. Acompañaba a la juez a la salida, le decía algo al oído, tomándola del brazo. Ya en la puerta, sostuvo su mano en la espalda de ella, lo suficiente para hacerme suponer que la había tocado otras veces. Le envidié esa amante de ojos inteligentes, dispuesta a recitar con descaro sus palabras a unos metros de Natalia Palmer, la esfumada Florencia.

La esposa de mi antiguo amigo sobreactuaba su papel de primera dama. En cambio, la amante fingía con naturalidad. "El verdadero teatro no se nota, es clandestino", decía Arturo Vladsky.

Los meseros circulaban con copas de champaña y fantasiosos canapés. Yo no tenía sed ni apetito. Había dejado de fumar hacía ocho años, pero de pronto sentí urgencia de salir al patio, donde surgía un humo que prometía gente distinta.

Encontré los mismos rostros de cine mexicano de los años cuarenta y los mismos cuerpos vestidos como maniquíes.

Regresaba al salón principal cuando alguien me tocó la espalda. Me volví para encontrar un rostro hinchado:

—¿Qué pasó, Josecho? —dijo un hombre de patillas canosas en forma de palos de golf, barriga en la que reposaban dos juegos de lentes atados con cordeles, ojos enrojecidos: la Cebolla Pimentel.

No me dio el triple abrazo de los políticos sino el abrazo sostenido de la gente de teatro.

También él había estado con Vladsky. Fue un Falstaff notable y un gorila convincente en *Informe a la Academia*. Luego aceptó representar a un reloj en una comedia musical, le perdimos la pista y ya no supimos si se envileció con éxito o no.

—¿Qué te has hecho? —le pregunté, contento de hablar con alguien conocido.

También la Cebolla parecía feliz de separarse del ambiente general. Recordé que, en otro tiempo, le decíamos así porque sus historias tenían demasiadas capas y todas eran pestilentes.

Me puso al corriente de su vida: veinte años como jefe de asesores de Ocaranza. El teatro comercial había sido un paréntesis en su vida. Siempre se sintió político "de raza".

Tal vez era famoso y yo no lo sabía. Apenas leo los periódicos. Estaba al tanto de Ocaranza porque su vida pertenecía a un grado superior de las noticias: la atmósfera del país.

—Soy su Boswell —dijo.

—¿De quién?

—¡De Ocaranza! ¿De quién va a ser?

Explicó que nuestro viejo amigo dictaba sus memorias. Como el Dr. Johnson, tenía una inteligencia impaciente; no podía detenerse a escribir; necesitaba un secretario que tomara apuntes.

—¿Sabes quién pagó esta boda? —preguntó cuando un mesero llegó con una inmensa fuente de mariscos.

Pimentel se llevó dos camarones a la boca.

—¡La pagaste tú! —su carcajada rompió el ambiente.

Se atragantó y tosió como sólo puede hacerlo alguien que ha sido Falstaff. Un mesero le acercó un vaso con agua mineral.

—Sólo bebo champaña.

Le trajeron una charola en la que burbujeaban varias copas. Trasegó tres antes de sentirse mejor. Gruesos lagrimones le escurrieron por las mejillas.

Me tomó de los hombros, como si tuviera que sostenerse para no venirse abajo:

—Esta boda la pagaron los contribuyentes. ¡Es dinero del pueblo! —sonrió con divertido cinismo— Cuando digo que la pagaste tú, me refiero a tu pequeña aportación. Supongo que no pagas muchos impuestos. Se nota por el pinche trajecito que traes. El único Sidi en este rancho.

La ebriedad parecía darle una molesta lucidez: mi traje, en efecto, era Sidi.

—Tengo que ir al baño. La champaña es el mejor diurético.

Aposté a que iba a esnifar cocaína. ¿Ocaranza habría conservado el hábito? Las adicciones crean más complicidades que las creencias, tal vez eso lo unió al Cebolla.

Me quedé en mi sitio, sin que nadie me dirigiera la palabra. El testigo invisible. Pimentel llegó recompuesto. La coca le había hecho magnífico efecto.

—Perdóname, casi te escupo un camarón. Te decía que estoy revisando el pasado de Ocaranza. Es un memorialista fantástico. La política te da una retentiva increíble. A los setenta años es dificilísimo que un actor se aprenda los monólogos del Rey Lear, pero cualquier político de esa edad los puede retener. La mente se ejercita con la paranoia.

—¿Ya saludaste a Remi? —pregunté para incluir a alguien más en el círculo memorioso.

—Se está muriendo, ¿lo sabías? No creo que coma romeritos en Navidad. Fue un gran amigo. Siempre tranquilo. Presente, pero de lejos. Tú te eclipsaste.

—Seguí en el teatro, Cebolla, es lo mío. Los políticos no van al teatro.

—Te voy a decir una cosa que sólo ahora entiendo: tú hiciste a Ocaranza.

—¿Hablas de mi "pequeña aportación" como contribuyente?

—No seas mamón, Josecho. ¡Tú lo hiciste! En las memorias eso está clarísimo. Él llegó al teatro con todo tipo de inseguridades, tú le adaptaste textos, le explicaste la entonación del Siglo de Oro para que no recitara como locutor de la Hora Nacional. ¿Te acuerdas que odiabas la Hora Nacional? Escribiste para él, encontraste su voz. Creció con tus palabras y le permitiste escribir. Sus discursos tienen tu tono, incluso ha metido frases tuyas.

Sentí un frío en la espalda. Muchas veces, ante un actor balbuceante, había pensado en lo sencillo que sería que ese parlamento saliera de la boca de Ocaranza.

Pimentel alcanzó otra copa. La gente lo veía con alarmada admiración. Un gigante que hacía buches de champaña antes de soltar otra ráfaga verbal. El Gran Asesor, la inteligencia desaforada. Nadie quería ser como él, pero todos querían tenerlo cerca. Volvió a hablar:

—Una vez le dijiste que un actor no se valora cuando habla sino cuando calla. Un incompetente sólo actúa cuando habla. Lo difícil es reaccionar ante las emociones de los otros, ser su espejo expresivo. Ocaranza aprendió a callar gracias a ti; en las asambleas y las reuniones de partido oye a los demás con un interés que los derrite. Copió tu estilo para hablar y callar, y, con todo respeto, gordito: lo mejoró.

—Usa frases mías, creen que escribió mis obras —de inmediato me arrepentí del recelo en mi voz. Me debilitaba ante Pimentel.

—Es natural. Lleva años haciéndolo. Si lees sus comparecencias en el Congreso, verás que están llenas de frases de la Casa del Teatro. Te digo que no olvida nada. Supongo que no ves el Canal del Congreso.

—Supones bien.

—Es un hombre público, Josecho; tú haces teatro en secreto. Las palabras son de quien las vuelve ciertas. Lo necesitabas más de lo que él te necesitaba. El autor es un parásito: chupa la sangre de sus personajes y es menos creíble que ellos —sus ojos echaban lumbre, con un odio antiguo.

Nunca aprecié gran cosa al Cebolla. Ahora lo apreciaba menos. Sospechó que quería alejarme de él y me aferró del brazo:

—Le dijiste a Ocaranza que en Estados Unidos un mal actor puede ser presidente. Ahí, ése es un papel de reparto. Luego dijiste que en México el presidente debe actuar tan bien que nadie debe descubrirlo.

—¿Todavía se mete coca? —pregunté, harto de oírlo.

—No seas irreverente, gordito. El licenciado te puede oír. Todos somos sus orejas —formó una concha acústica con su mano, luego llamó a un mesero, tomó otra flauta de champaña y me tendió un *whisky*—. Siempre te ha gustado el *whisky*. Bébelo, por los viejos tiempos. ¡Lo pagaste tú! —soltó otra carcajada— Después de eso vino tu adaptación del *Popol Vuh*. Fue la última obra de Ocaranza. Ahí cambió de piel. ¿Te acuerdas de que su cabeza se convertía en una pelota? ¡Qué escena tan chingona! De pronto el público sabía que las cenizas hacían que esa pelota botara en la cancha donde los mayas resolvían su política, su religión, su agricultura, sus sacrificios —hizo una pausa—. También Florencia, la señora Natalia, te aprecia mucho, eso se nota a leguas. ¿Recuerdas cuando él le escupía su baba y ella quedaba embarazada? Eso los calentó mucho. ¡Escribiste su romance!

—La obra fue un fracaso.

—¡En este país la grandeza es secreta! ¡La mejor representación es la vida pública! —sus pupilas vacilaban; estaba borracho, cruzado, tal vez loco— Él te debe tanto que tenía miedo de verte: "No quiero encontrarme con mi autor". Eso dijo. Te adora, Josecho, te adora. Te dice gordito y eres flaco. Yo soy un marrano, jamás me diría así. Te adora... eres "gordito"... Te voy a decir una cosa —añadió como si llevara minutos en silencio; me tomó del cuello, acercó su boca lo suficiente para que yo respirara su aliento—: la primera vez que se acostó con Florencia, ella tenía una línea de sangre en la pierna —juntó los dedos, como si aplastara una migaja—, una costra delgadita, que no se notaba mucho pero que él tenía que detectar, una herida que le habías hecho tú.

—¿Yo?

—Tú, sin querer, con la uña del pie. Tenías las uñas demasiado largas. La higiene nunca fue lo tuyo. Pasaste tu pie sobre su pierna y la rasgaste. Él vio la herida. ¿Te acordabas de eso?

—No.

—¿Lo ves? ¡Él sí se acuerda! Estuvo así —sus dedos regordetes crearon un hueco ínfimo— de ser presidente, pero no olvida los detalles íntimos. Su novia se acostaba antes con un cerdillo que no se cortaba las uñas de los pies —los ojos bailaron en sus órbitas—. Él lo recuerda cada vez que te dice "gordito". Esas son las cosas que deciden el universo: él la rescató, besó la carne viva que había abierto un parásito. No tuviste la generosidad de cortarte las uñas, es algo que se hace por respeto, algo que no conoces —su voz subió de tono; dos o tres personas se volvieron hacia nosotros—, los intelectuales son así: necesitan una beca para que alguien les corte las uñas. Te doy una noticia: ¡ya existen cortaúñas! —blandió una pequeña brocheta y se la llevó a la boca.

No podía más, la cabeza me daba vueltas. Me alejé sin despedirme de Pimentel. Me costó un trabajo indecible llegar al baño. Recorrí uno, dos, tres salones, me perdí en un pasillo, abrí una puerta, di con una habitación repleta de regalos. Un almacén del lujo, oloroso a celofanes, tan excesivo que parecía decomisado. Ahí debían estar el óleo de los cangrejos aportado por Remi y acaso mi ejemplar de Sor Juana.

Una sirvienta de uniforme llegó en mi auxilio. Me indicó dónde estaba el baño.

Me lavé la cara con agua fría. La cabeza me estallaba.

Regresé al salón principal y le avisé a Elisa que debía irme.

—Te ves pésimo —dijo Malena—. ¿Llamo un taxi?

Insistí en que no era necesario, pedí que me despidieran de Remi.

Quería salir sin ser notado, pero Florencia y Ocaranza estaban en la puerta, despidiendo a los comensales tempraneros. Hice cola detrás de otras personas. Sobre un mueble había una flotilla de fotografías, con marcos plateados. Ninguna imagen pertenecía a la época en que Natalia Palmer había sido Florencia Cisneros, el mundo remoto del que yo provenía.

—¿Tan pronto? —me preguntó él.

—Me estalla la cabeza, mañana tengo ensayo, mil disculpas —dije con voz casi inaudible.

Ocaranza me dio un fuerte abrazo, luego me susurró en la oreja:

—Te quiero mucho, hijo de puta, mucho.

Acto seguido, me mordió la oreja. No lo hizo con fuerza. Un mordisco juguetón, infantil. Me pareció tan irreal que lo puse en duda. Pero la presión de sus dientes me acompañó rumbo a la calle.

Me volví por inercia. Ocaranza enmarcado en la puerta. Sonriente. Carismático. Magnífico.

Caminé sin rumbo hasta que detuve un taxi. Me hundí en el asiento oloroso a trapos.

—¿A descansar, mi jefe? —preguntó el conductor—.¿Viene de una fiesta?

Mi traje, desacreditado por Pimentel, podía ser lujoso para el taxista. No me hubiera importado que me secuestrara y me dejara sin ropas en una barranca. Cualquier cambio drástico mejoraría mi situación.

—Vengo del inframundo —dije.

—¿No será Dormimundo? —el taxista señaló una tienda de colchones al otro lado de la avenida.

—Eso: Dormimundo.

Venía de un sueño extravagante que de manera asombrosa tenía que ver conmigo. Sentí una insoportable presión en las sienes. Recordé que Sergio Hernández pintaba con clavos. Era como si me esgrafiara el cerebro. Cerré los ojos y vi centellas de luz enferma, demonios del *Popol Vuh*.

Tal vez lo que más me afectaba no era la pugna con Ocaranza, la tensión que nos complementó en la juventud y se había convertido en un pleito indisoluble, sino que él fuera la parte triunfadora, dichosa, de una historia que yo había vivido como un sonámbulo. Rodeado de afectos, capaz de quererme, se había dado el lujo de morderme la oreja.

El denso tráfico de los viernes, las luces de los coches, los claxonazos, los continuos enfrenones del taxista, el olor a trapos rancios, aumentaron mi jaqueca. No soportaba la presión del nervio óptico; con los ojos cerrados percibí un aura lumínica. Pedí que buscáramos una farmacia.

Tardamos media hora en encontrarla. Bajé del taxi sintiendo un casco de lumbre en la cabeza.

Quería algo que acabara con el dolor aunque acabara conmigo. No usé esas palabras para pedir las medicinas, pero mi tono fue ése.

Alcé la vista. Sólo entonces advertí que estaba en una farmacia San Remigio, propiedad del más leal de mis amigos, que moriría pronto.

Vi el lema en la pared: "Adora lo que hasta ahora has quemado; quema lo que hasta aquí has adorado".

Las palabras de un converso. Con ellas Remi pretendía aludir a la sanación. Probablemente nadie entendía el mensaje.

Pedí un vaso de agua.

—Sólo tenemos botellitas —dijo el empleado.

Este detalle mezquino no iba con Remi pero sí con el país. Compré una botella. El farmacéutico me dijo que tomara dos pastillas. Tragué tres.

El mejor discípulo de San Remigio había sido Ocaranza: quemó el teatro, adoró la política.

Volví al taxi. El camino de expiación se prolongó durante una hora más hasta mi casa en Tlalpan. Oí la voz del Cebolla Pimentel: "No quiero encontrarme con mi autor". Según su desenfrenada verborrea, yo había ayudado a Ocaranza en su transfiguración.

En *El Libro del Consejo*, los gemelos prodigiosos debían pasar por pruebas que sólo podían superar con trampas.

Una de ellas consistía en fumar un cigarro sin que se consumiera. Para engañar a los dioses, atrapaban una luciérnaga y fingían que el punto luminoso venía del tabaco.

Ocaranza aprendió esos trucos: la gente creyó en su secuestro, algunos lo consideraban autor de mis obras, nadie dudaba de sus frases célebres, mis palabras se habían vuelto suyas en el Museo de la Revolución.

¿Qué tenía que ver yo con el personaje que vivía con un chip bajo el cuello para ser localizado?

Los clavos aflojaban su tortura; volví a sentir latidos suaves en las sienes, como si mi cráneo fuese la caja de resonancia del corazón.

Tal vez las memorias de Ocaranza no existían ni existirían. Ningún político mexicano revela lo que ocurrió en secreto. Pimentel lo había dicho para intrigarme, para interesarme, para justificar nuestro pasado (Xibalbá, el mundo de los muertos), y acaso, para que yo escribiera la historia. En cierta forma, recibía dictado de Ocaranza. Yo era el oído, no la voz. Sentí sus dientes en mi piel.

No quería pensar, necesitaba calmarme. Poco a poco ganaba una molesta lucidez química.

Cuando llegué a la casa, las manos me temblaban, tal vez a causa de las pastillas. Me equivoqué tres veces de llave al abrir la puerta.

Entré a la sala, respiré un aroma conocido, el que yo mismo había impregnado en las paredes, después de tantos años. Hubiera querido que Elisa estuviera ahí, no como pareja, sino como terapeuta del lenguaje.

Prendí la luz. Entonces vi la caja, en la mesa de centro. Una tarjeta firmada por Remi decía: "Para el amigo de siempre". El *Popol Vuh* de Sergio Hernández.

Los viernes Juliana hacía la limpieza. Tenía un juego de llaves para entrar y salir sin molestarme. Remi lo sabía. Aprovechó mi ausencia para mandar la caja y darme una sorpresa. El "Caballo de Troya" era para mí. En su casa, había repartido los grabados como barajas de la suerte. Hice lo mismo en mi pequeña sala. Extendí el cosmos donde los hombres son esqueletos y los animales viven con fuerza insólita. Vi arañas, ratones, jaguares, monos, gatos, águilas, búhos, serpientes, ranas. Las pastillas me habían quitado el dolor. Lentamente, los grabados lograron que aceptara mi cabeza. Los metí en su caja, la jaula del mundo.

Dos personas se necesitan tanto que deben separarse para que cada una lleve a la otra en su interior, como las cenizas del muerto que dan vida a una pelota. ¿Era ésa la historia sugerida por Pimentel? Si me hubiera cortado las uñas de los pies, ¿todo habría sido distinto? ¿De esas minucias depende el destino, la venganza, la redención? Quería a Ocaranza como me quería a mí mismo, sin dejar de despreciarlo.

Me tendí en el sofá. Cerré los ojos.

Me vi en un paisaje de luz llovida, un sitio lejano donde el futuro existía de otra manera y aún tenía que conocer a las hijas de Remigio, que seguían siendo pequeñas.

Escribiría la historia. La firmaría con mi nombre, el mismo que usé como testigo de la boda, el mismo que Ocaranza usó en su cautiverio.

Pero seguramente se la atribuirían a él, el gemelo que daba vida a mis cenizas.

EL PLANETA PROHIBIDO

Como todos los inviernos, ese era el peor. Tormentas de nieve, pies mojados, vitaminas que oscurecían la orina.

Fernández se compró unas botas pesadísimas y un sombrero de fieltro de cazador de hurones ("Setenta por ciento del calor corporal se va por la cabeza", le había dicho la secretaria del Departamento de Economía, una mujer con pasión por los tejidos y las estadísticas).

Sus cuartos amueblados daban a una fila de chimeneas de ladrillo, lotes con autos bloqueados por la nieve, un edificio color turquesa con una bandera demasiado densa para ondear y, muy al fondo, un cielo parejo y blancuzco. Estaba en el centro de New Haven, pero el paisaje hacía pensar en las afueras. Tardó una semana en descubrir que detrás de todo eso estaba el mar. Una mañana de viento distinguió grúas, gaviotas y, si sus ojos no lo engañaban, mástiles de yates. Se reconcilió un poco con aquella vista, quizá también porque ese lunes le habló su hija Juliana. De golpe, a ella le parecía urgente (¿o dijo "básico"?) saber cómo vivía, supervisar su comida en el refrigerador, cerciorarse de que no acosara a demasiadas rubias.

—¿Cómo te va de "cerebro mojado"?

Elizabeth lo había comparado con los "espaldas mojadas" que trabajaban en el valle de la fresa para bajarle los humos de profesor visitante. Le gustó que la hija de su primer matrimonio usara una expresión de su segunda mujer.

—¿Cuándo vienes? —preguntó Fernández.

Con enorme entusiasmo, Juliana contestó que no sabía. Oírla era eso: un arrebato seguido de posposiciones.

Su hija se interesaba en tecnologías alternativas y destrezas difusas que giraban en torno a un nombre unificador: "realidad virtual". En sus siguientes llamadas de larga distancia, describió sus compromisos con unos japoneses que estaban en México, la gripe de Rodriguito, el talentoso proyecto de Rodrigo, las cambiantes razones que la retenían en México.

Para Fernández, la posposición del viaje de Juliana al menos tenía una ventaja: no tener noticias de su yerno. Detestaba a Rodrigo de un modo íntegro, con razón y sin razón. En siete años no había podido acomodarlo en su vida. De nada servía el comentario de Elizabeth: "Odiarías igual a cualquier compañero de tu hija" (¿por qué tenía que asumir esa pose liberal? ¿Desde cuándo un cretino de tiempo completo calificaba como "compañero"?).

A saber cómo hubiera reaccionado con otro yerno. Juliana tuvo pocos novios y él los ignoró a todos. Sólo cuando ella anunció su matrimonio, detuvo la vista en aquel inolvidable suéter de cuello redondo, sin camisa abajo. Rodrigo tenía la nariz fina, la quijada fuerte y las manos firmes y cuidadas en las que el mundo confía para anunciar lociones, alguien enteramente dispuesto a fascinarse a sí mismo. ¿De dónde sacó su hija a ese embaucador capaz de cortar el aire con sus dedos bronceados mientras hablaba del "lenguaje multimedia"? A Elizabeth le pareció fantástico, y ese fue otro golpe.

—¿Viste qué nalguitas? —ella sonrió, disfrutando la molestia que causaban sus palabras. Fernández trató de suprimir el recuerdo de Elizabeth, descalza en un parque de hacía veinte años, cuando dijo algo parecido de él.

Sí, Rodrigo tenía nalgas estupendas. Y lo sabía.

Después de varias reuniones forzosas y de un intenso esfuerzo neurológico para concentrarse en lo que decía Rodrigo, Fernández supo que su pasión era la "vida al aire libre". Sin embargo, lo importante de este impulso rústico es que ocurría en una computadora. Rodrigo trabajaba en un programa para alpinistas virtuales.

Al cepillarse los dientes, Fernández empezó a hacer cuentas de todos los dentistas y los juegos de frenos que le pagó a Juliana.

La noche en que cenaron con Juliana y Rodrigo para saber cómo les había ido en su luna de miel, Fernández contempló demasiadas fotos con desgano y, ya en la casa, abrió un frasco de somníferos ante Elizabeth. Ella lo miró con aire comprensivo, le untó en el pecho un ungüento de eucalipto, lo abrazó sin importarle que el fomento se le embarrara en el camisón, bajó su mano hacia el pene, terminó de provocar la erección y él no tuvo valor para rechazarla. Le molestaba que el ardor del momento proviniera del contacto con la joven pareja, de cuerpos hermosos que no eran los suyos. Tal vez las manos de su hija tocaban las nalgas de Rodrigo mientras él soportaba la lengua deliciosa y aguda en la oreja, demasiado tarde para encontrar una excusa convincente y demasiado pronto para fingir el efecto del somnífero. Fernández cedió a esa suave aquiescencia, aceptó el acoso que dependía de otro abrazo, las manos perfectas y vacías que dominaban a su hija.

El matrimonio de Juliana tenía que durar poco, no tanto por la capacidad autocrítica de su hija, sino por el egoísmo de Rodrigo y su aptitud para encandilar a otras mujeres. Pero durante siete años sólo Fernández pareció advertir ese egoísmo. Camelia, su primera mujer, elogiaba a Rodrigo sin parar, una excepción en un país de machos, siempre dispuesto a cambiar pañales, rebanar sushi y otras tareas desagradables.

Juliana parecía feliz entre los dos Rodrigos, al menos se sentía suficientemente bien para rechazar la ayuda de su padre. "No me gustan los apoyos de arriba abajo", comentó en una ocasión, como si fuera una Organización No Gubernamental y como si el dinero paterno pudiese llegar de otra manera.

Fernández delegó en Elizabeth la compra de regalos y la elección de los restoranes donde debían reunirse. Le pidió a Rodrigo que le hablara de tú y escuchó con amarga atención lo que su yerno tenía que decir: avanzaba en su programa para alpinistas sedentarios; gracias a una fina red de estímulos electrónicos, las memorias del frío y la ascensión serían tan auténticas como las de quienes se arriesgaban en la limitada vida real. El proyecto estaría listo en el siguiente siglo, cuando Fernández hubiera muerto. "Los celos que no tienes como esposo los tienes como padre", le decía Elizabeth. Era cierto; con Camelia jamás padeció las vejaciones de la inseguridad amorosa; cuando supo que se acostaba con Ramiro Leal, lo único que le asombró fue aquel paradójico apellido; para entonces, el matrimonio estaba liquidado, él ya había descubierto a Elizabeth y fue un alivio que también Camelia tuviera adónde irse.

Pero la mente necesita sus zonas conspiratorias y él desplazó su reserva de celos a Juliana y a la competencia en el trabajo. Jamás combatía por un ascenso en forma consciente, pero no toleraba ser "saltado". En buena medida, por eso permaneció tantos años en secretarías de Estado; el sistema cortesano, con sus alianzas de pasillo y sus intrigas sutiles, se prestaba para que tres o cuatro grupos en pugna lo reclamaran como aliado y mitigaran toda noción de competencia directa. En su calidad de asesor de finanzas, en el techo teórico de la macroeconomía, podía conservar el puesto aunque el peso se desplomara y la deuda creciera. Nunca tuvo cargos de decisión, de modo que sus gestiones en la sombra se cubrían de una ambigüedad protectora: muchas veces las medidas se tomaban en contra de sus sugerencias.

Durante dos sexenios fue coordinador de asesores, una sombra entre las sombras, a suficiente distancia para decir sin trabas que todos los políticos son corruptos, y a suficiente cercanía para preciarse de mitigar sus daños. En los buenos días, olvidaba que uno de sus asesores estaba ahí porque el secretario odiaba al subsecretario del que ellos dependían y había decidido vigilarlo desde la "alberca de especulación" de Fernández. De cualquier forma, las alianzas eran tan complejas que en ocasiones su único apoyo era el espía del secretario.

Al cumplir sesenta hizo toda clase de cálculos para un "retiro anticipado". Tarde o temprano tendría que volver a la academia de la que juraba no haber salido. Además, el Tratado de Libre Comercio necesitaba otra clase de celebradores. En cierta forma, él había contribuido a los cambios; los jóvenes ambiciosos, con el pelo cubierto de *mousse* y la cabeza llena de nociones de "primer mundo", eran su oblicua herencia, pero faltaba poco para que lo encontraran demasiado lento, casi petrificado en el sillón de cuero donde había visto el ocaso de incontables políticos. El retiro estaba lleno de virtudes: libre de presiones y pactos de lealtad, narraría la intensa picaresca de sus oficinas, ejercería una feroz autocrítica a destiempo. También se sentía capaz de negociar que le dejaran el chofer para ir tres veces a la semana a su seminario en El Colegio de México.

Los lunes en la mañana, al regresar de su casa en Tepoztlán, aprovechaba la carretera para pulir sus próximos años. El paisaje arbolado se fundía en planes inciertos que, sin embargo, le dejaban la impresión de que el porvenir era un sitio donde él estaba contento.

Curiosamente, la señal de alarma estalló en Tepoztlán, donde las llamadas parecían venir de una estepa barrida por el viento. Apenas logró oír la voz del subsecretario.

Apagó maquinalmente el velador del cuarto, encendió la luz del baño, buscó su rostro en la pared —una mancha parda y azulina en los mosaicos de Talavera, una barba descuidada en el espejo—, se rasuró minuciosamente, pasando dos veces la hoja, para no dar la ventaja de un rostro humillado.

Elizabeth lo vio salir sin preguntarle nada; sabía de dónde llegaba la orden que lo hacía meter papeles en el portafolios (más una superstición que un recurso).

—¿Te espero a cenar? Estoy descongelando un pescado.

—A lo mejor —sabía que era imposible, pero quiso darse ese lujo, una cita posible, el pelo cenizo de Elizabeth bajo las copas colgadas del entrepaño, los cristales cubiertos por el vapor cargado de laurel.

El chofer iba a recogerlo hasta el lunes y tuvo que manejar bajo una lluvia constante y tenue.

Gómez Uría lo recibió con un enfático apretón de manos. La temperatura de la oficina era tibia, pero el subsecretario llevaba un suéter bajo el saco, una costumbre adquirida en sus años de Oxford. La ropa contrastaba con el bronceado del rostro. Gómez Uría explicó que había ido a la Copa Davis. Toda la clase política estaba ahí.

México perdió, pero de chiripa.

Fernández vio los libros de arte en la mesa de centro, inútiles tomos sobre el muralismo, el mole poblano, los peces del Golfo. Entonces le llegó la palabra *ciclo*.

¿Valía la pena continuar el rito? El hombre que seguramente sudaba bajo su suéter estupendo habló con expresión neutra, como si los ciclos pertenecieran al mundo maya y no al despido que estaba por hacer.

—¿Dónde te firmo la renuncia?

—No es necesario. No estás contratado.

Aunque merecía explicaciones, supo que ninguna lo dejaría satisfecho. Escuchó la oferta de conservar el coche con chofer.

—El mayor golpe de salir del presupuesto es quedarte sin chofer en una ciudad del carajo —Gómez Uría sonrió con desgano.

Era lo que él había pensado tantas veces en la carretera donde se inventaba retiros.

—El coche está en la puerta —Fernández tiró las llaves sobre el libro de peces, con una sobreactuación que jamás había mostrado en sus relaciones con las mujeres.

Durante años había jugado ajedrez con Elizabeth, pero a últimas fechas jugaba solo, contra la computadora que le regaló Juliana. El sistema de retadores en las competencias oficiales sugería una infinita cadena de la inteligencia: de las cafeterías de barriada a la estepa casi metafísica donde oficiaba el último genio ruso. Bobby Fisher, con su locura y su hueca vanidad de superestrella, era el eslabón roto en la cadena, el imbécil genial que a veces asaltaba el tablero.

Después de hablar con Gómez Uría se encerró en su estudio a reproducir "la lanzadera", de Carlos Torre. Poco a poco, el tablero lo llevó a otros recuerdos, la agotadora batalla de Karpov contra Kasparov. Al principio estaba con Kasparov, el retador ególatra y fantasioso. Cinco veces Kasparov demostró su inventiva audacia, y cinco veces pagó el precio. Faltaba una partida para que Karpov retuviera el título, cuando el otro K cambió de estrategia: convencido de que no podía ganar, jugó a no perder. Los titanes comenzaron a empatar. Al finalizar el invierno, habían hecho tablas cuarenta veces. Karpov lucía demacrado, a una jugada de la demencia. Fue entonces que Fernández cambió de favorito. La tortura del triunfo siempre aplazado lo hizo ponerse de parte del hombre que llevaba cuarenta empates a punto de retener el título. Ya no importaba quién era mejor sino quién resistía la devastación nerviosa. Lentamente el joven Kasparov hacía que Karpov descendiera hacia él, la cadena de la inteligencia era alterada por otra forma de la sucesión: la resistencia física. Kasparov *heredaría* el título por agotamiento del veterano. Cuando la Federación interrumpió el campeonato, Fernández sintió un profundo alivio. Kasparov había demostrado una enervante capacidad de ascenso: mientras el campeón enfermaba de empates, él aprendía a combatirlo.

Estuvo hasta la madrugada ante el tablero inmóvil. En cuanto amaneciera, uno de sus alumnos se iba a sentar en su sillón de cuero y decidiría cambiarlo por un armatoste aerodinámico. El invierno de los empates había concluido, las piezas se difuminaban ante su vista cansada, algo más fuerte y lejano que Gómez Uría había decidido esa partida.

Aceptó dar un curso sobre la privatización de las empresas públicas y se asombró de lo fácil que le resultaba comunicarse con jóvenes que no fueran sus hijos. Juliana era demasiado nerviosa y Sebastián un lánguido desastre; desde los catorce años (y ya iban dieciocho) tenía un pelo que le cubría la mitad del rostro a la manera de Lana Turner (aunque seguramente él se comparaba con alguna potestad del rock pesado) y un rostro pálido que fascinaba a todas las muchachas autistas de México; no podía llegar a Tepoztlán sin una adolescente que se sentaba en el pasto a contar hormigas en una postura incomodísima, no comía nada ni disfrutaba otra cosa que no fuera arruinarle el día a los otros. Sebastián siempre acababa de reprobar cuatro materias, llevaba animales raros a casa de Camelia (la cadena del psicópata: del hámster al halcón) y sólo había tenido un trabajo, como cargador de cables de un músico electrónico que vendió sus sintetizadores para pagarse una operación de cambio de sexo. Una tarde, Fernández lo espió en el jardín de Tepoztlán: durante una hora su hijo mordió una rama. Trató de recordar la caída que le secó el seso en la infancia, el trauma que lo llevó a esa inmovilidad pasmosa. De niño, Sebastián no se orinaba en la cama ni era pirómano ni quería sacarle los ojos a un conejo. No dio señas de una mente perturbada, aunque tampoco mostró el menor sentido del dinamismo. Dormía en calzones y camiseta porque, en su religión de la calma, la pijama aún era una investidura inmerecida. Sólo se salvaba del calificativo de *mediocre* por la ocasión en que llegó rapado, con una rata de agua amarrada al antebrazo y una novia de trece años y ojos azorados, como si todas las cosas despidieran quinientos watts, y por la tarde en que fue a dar al hospital por beber pintura de aceite. Fernández lo hubiera sometido con gusto a una batería de pruebas psicológicas, pero Elizabeth lo detuvo. Su hijo no sólo era normal sino inteligente, lo decía no sólo como su madrastra sino como psiquiatra. Por desgracia, nadie podía explicarle por qué usaba su inteligencia para beber pintura.

Las discusiones en torno al Tratado de Libre Comercio llevaron a Fernández a varios programas de televisión. Sus ideas no habían cambiado desde que estuvo en Hacienda, repitió las críticas que fueron puntualmente ignoradas por sus jefes. "La mejor forma de volver al gobierno es criticarlo como tú lo haces", le dijo un amigo que llevaba treinta años fracasando en la oposición.

A los pocos meses, Gómez Uría, apurado por cerrar un nuevo ciclo, le ofreció su viejo empleo. El subsecretario elogió su habilidad para hablar sin "tapujos" y brindar "datos duros" en sus ocasionales artículos de periódico. La sinceridad que antes le hubiera costado el puesto se había convertido en su camino de regreso.

Disfrutó intensamente decir que no. Tenía otros planes: "Voy a dar un curso en Yale", mencionó la universidad porque el hombre de saco de *tweed* y coderas de cuero la tomaba por un santuario.

Elizabeth tenía demasiados pacientes para acompañarlo durante un semestre. Además, había decidido ampliar la casa de Tepoztlán: un estudio con vista al valle para que él escribiera su libro definitivo.

En el avión, pidió un *bloody mary*. Tal vez porque había dormido mal y porque nunca bebía a esa hora, se sumió en una blanda melancolía: sus meses sin Elizabeth serían un desastre. Ya extrañaba el contacto con sus pies fríos en la cama, su ardor rápido, sus opiniones decididas; era incapaz de leer el periódico sin dialogar mentalmente con ella (lo extraño es que rara vez anticipaba sus opiniones: imposible prever a Elizabeth, imposible mejorarla en la imaginación).

Después de diez años de películas de Bergman y otros diez de películas de Woody Allen, parecía una falta de carácter querer a alguien con pareja intensidad. Sin embargo, así había sido con Elizabeth; el misterio superior consistía en averiguar lo que ella veía en él. Se recordó a los treinta y seis años, cuando la conoció: le habían recomendado una raíz zapoteca para luchar contra la calvicie y reía con la boca torcida para no mostrar sus dientes. Su único rasgo virtuoso era la lengua que podía enrollar como un taquito para producir un raro silbido que no heredó ninguno de sus hijos.

Pidió otro trago y silbó con su lengua circular. La mujer de al lado tenía la edad de Elizabeth, pero parecía extirpada de un altar de piedra. Lo vio con simpleza reprobatoria, pensando que festejaba las piernas de la azafata. ¿Podía entender esa matrona de torso acorazado que su silbido aludía a carencias metafísicas?: el hijo correcto que no tuvo, lo que hubiera querido heredarle.

Como tantas veces, pasó de Elizabeth a Camelia, los años de suéteres de cuello de tortuga, hijas de la República Española que sí cogían, cuadros abstractos pegados con tachuelas en las paredes de su primer departamento, una ciudad a la que se llegaba en tranvía a todas partes, con palmeras en las calles y un sinfín de cabarets donde se anunciaba la gran noticia: los marcianos llegaron ya y llegaron bailando chachachá. ¿Recordaría Camelia la azotea a donde la llevó con el pretexto de contemplar el amanecer y donde le quitó los calzones, esos calzones tejidos que no volvería a ver y que su memoria convertía en algo antiguo y museográfico, un paño inverosímil, como si hubiera desvestido a una muchacha de Vermeer? El tercer marido de Camelia era notario y pintor aficionado, de pelo blanquísimo y trajes impecables y azules. Fernández no podía saludarlo sin pensar en los calzones tejidos tirados en la azotea. Le llevaba esa ventaja. Sus dedos podían comparar el vello púbico de Camelia —erizado y escaso— con la mata densa y suave de Elizabeth. Obviamente esto sólo le importaba a él, una partida de ajedrez contra sí mismo. Si algo lo unía con el notario pintor no era la mujer con la que una vez copuló furiosamente, sino los hijos. Cosme (nombre absurdo para un notario, y más para un pintor) soportaba a Sebastián con paciencia franciscana. Había que agradecerlo. Después de todo, sus vidas no se habían torcido por completo. Tenían problemas, claro, pero ¿quién quiere vivir en Suiza?

Terminó su segundo *bloody mary* y cayó en un sueño lleno de sol, oloroso a pasto recién cortado.

El departamento que le consiguió la universidad era la locación ideal para filmar a un asesino antes de su magnicidio: Oswald aceitando el rifle bajo la luz rayada de las persianas.

Salvo un par de ancianas que circulaban por los pasillos con misteriosas bolsas de papel estraza, todos los inquilinos parecían estar de paso.

Al ver el desparpajo con el que los colegas hablaban de televisión (algo impensable en el refinado culto a las apariencias de El Colegio de México), supo que si no disponía de una pantalla se iba a quedar, no sólo sin una actividad para las tardes de cuarenta grados bajo cero, sino sin tema de conversación. Rentó un aparato donde los blancos se veían color naranja y los negros morados. En las noticias abundaban las muertes violentas (una cada catorce minutos, según le dijo la secretaria de Economía). Se volvió experto en los casos del momento: la mujer que emasculó a su marido, los hermanos que acribillaron a sus padres mientras comían helados frente al televisor, la patinadora que mandó lesionar a su rival.

El primer día de clases recibió una circular sobre "Formas de reconocimiento y prevención del acoso sexual". La puerta de su cubículo debía permanecer abierta mientras él estuviera allí, estaba prohibido establecer "contacto visual" con los alumnos, se recomendaba hablar de temas neutros en los encuentros casuales.

Dedicó esa mañana a espiar a sus colegas. Descubrió a un célebre medievalista italiano con tres alumnas en el pasillo; el profesor no despegaba la vista del garrafón de agua para proteger a sus discípulas (una de ellas con un leotardo que revelaba que venía del gimnasio sin pasar por el frío) de una mirada digna de Petronio.

Como Fernández sólo estaría ahí un semestre, podía arriesgar el escándalo de verle la cara al alumnado. Eso sí, refrenó su tendencia a tomar a su interlocutor del antebrazo y en elevadores y cafeterías habló de un tema suficientemente genérico: los crímenes de moda. Le sorprendió la facilidad con que sus alumnos perdonaban a los culpables. "Hay que saber por qué lo hicieron". Lo decisivo no eran los balazos en el paladar sino los ultrajes previos, las mentes torturadas, dignas del departamento donde él vivía. La omnipresencia del crimen y el gusto teatral por los juicios habían logrado que aquellos muchachos con gorras de beisbolista puestas al revés y camisetas que anunciaban el fin de la virginidad, del mundo o del temor a la gordura, encontraran motivos para vaciarle dos cargadores a una octogenaria.

Más que los argumentos (el respeto a la libertad individual transformado en el fundamentalismo de la autodefensa), detestaba la disposición de sus alumnos para castigar a los padres, los abuelos o los jefes por horrores de otro tiempo. No le costó trabajo imaginarse atado con dinamita a una silla y a Sebastián con un cerillo en la mano.

Cuando caminaba entre la nieve y los edificios neogóticos del campus, se cuidaba de no ver a los ojos a los mendigos que ofrecían sus tintineantes tarros de zinc por temor a que se sintieran amenazados por su mirada y tuvieran una legítima ocasión de protegerse matándolo.

Las ambigüedades de un mundo donde se comprende demasiado lo que más se teme y donde las normas puritanas de la oficina contrastan con las ofertas hipersexuales de la calle, le provocaban un fascinado extrañamiento. Estaba y no estaba ahí. Era el hombre temeroso de concentrarse en la comisura manchada de yogur de durazno de una alumna y el hombre excitado por los anuncios de sexo por teléfono que salpicaban los periódicos (en especial le gustaba una mujer de espaldas; sus nalgas pequeñas, torneadas, tersas, le hacían suponer que era coreana, un perfecto culo oriental y un mensaje embarrado en la espalda: *fuck me*. Al lado, con involuntaria ironía, se anunciaban potentes aspiradoras).

En la escalera del Departamento de Economía había encontrado envolturas de condones. Las marcas tenían resonancias arcaicas (Trojan o Ramsés), acaso para demostrar que con ellos se sobrevivía y ofrecían una vana protesta contra los pasillos llenos de papeletas y horarios, un ambiente sólo perturbado por los ronquidos de la vetusta cafetera de metal.

No estaba en el mejor momento para apreciar una biblioteca infinita. Los volúmenes de la Sterling demostraban lo mucho que ya no iba a leer. Sus apuntes para un libro avanzaban despacio. Los obstáculos para trabajar en México ahora se le presentaban como acicates: necesitaba interrupciones para mantener la mente alerta, pero el teléfono apenas sonaba, los profesores hacían del distanciamiento una forma de la cortesía, no había tráfico ni compromisos que lo alejaran de su escritorio. Sólo su torpeza para las cosas prácticas lo ayudaba a matar el tiempo; confundía los cheques que debía enviar por correo, desconfiaba de sus decisiones en el supermercado y se convenció de que cualquier operación cotidiana resuelta "a la primera" estaba mal hecha. Trataba de prefigurar cada trámite, por nimio que fuera, en una serie de ensayos y borradores. El más complejo le llegó en un cesto de ropa sucia. No había forma de delegar esa actividad. En la gasolinera, podía acercarse a la bomba de los paralíticos y los mutilados, pero aquel cesto era la última frontera del quehacer individual. Si no le gustaban las máquinas en su edificio, podía cruzar la calle hacia un negocio donde encontraría las mismas máquinas.

Cuando bajó al sótano con una caja de detergente supo que los ruidosos ojos de las lavadoras le brindarían los ratos más decisivos e inconfesables de su estancia en New Haven.

¿Cómo decirle a Elizabeth que lograba equivocarse en todo, que la cantidad de detergente y el tiempo de secado le preocupaban más que sus clases? ¿Entendería alguien la profunda sensación de ridículo de sostener en sus manos los calzones que seguían sucios?

En su primera visita vio que los inquilinos encendían las lavadoras, subían a sus departamentos y regresaban al cabo de media hora. Fernández hizo lo mismo. En el elevador, el cesto vacío le provocó un placer infantil.

Tardó en volver al sótano para convencerse a sí mismo de que no había visto el reloj cada cinco minutos.

Abrió una máquina secadora, metió su ropa mojada, escogió una temperatura media, volvió a su departamento.

Pasó un rato ante la televisión. Una actriz confesaba que también ella se había acostado con Elvis. El Rey olía estupendamente.

Cuando regresó al sótano, su máquina estaba quieta. Abrió la ventanilla circular. Calzones empapados, miserables. Tal vez se necesitaban dos rondas de secado. Colocó otras cinco monedas.

Media hora después, la ropa seguía húmeda. Sólo a él se le ocurría insistir con una máquina descompuesta. Fue a ver al portero. Recibió papel, lápiz, una cinta adhesiva para colocar un letrero informando que la máquina no servía. Escribió su nombre y su número de departamento para que la compañía de lavado le devolviera el dinero.

—¿Su nombre es Fernández? —escuchó una voz a sus espaldas.

Se volvió. Un muchacho señalaba el letrero.

—Me llamo Jonathan.

Fernández apretó una mano gruesa. Luego miró la camiseta con el mensaje *Too drunk to fuck*.

—Perdón. Es la última que me queda —acarició una ventanilla—: Es mejor que la televisión, ¿verdad? ¿Tuvo problemas con su máquina?

Fernández contó su pequeña historia.

—Use la mía —Jonathan lo ayudó a cambiar la ropa y depositó el dinero en la ranura.

Fernández no tenía muchos deseos de conversar, pero el muchacho le había prestado dinero y parecía ansioso por hablar durante la media hora de secado.

—¿Estudias en Yale? —le preguntó Fernández.

—Yo no. Mi hermano. Vine a visitarlo pero ya llevo ocho meses. No quiero regresar. Odio a mis padres —atenuó la última frase con una sonrisa, como si temiera ofender a alguien que seguramente tenía hijos.

—¿Dónde viven tus padres?

—En California.

—¿Y no extrañas el clima?

—De ahí no extraño nada.

Fernández desvió la vista a la ropa de colores confusos que giraba en la secadora. Unos veinte minutos más, por lo menos.

Jonathan siguió hablando, sin modificar su tono suave, como si lo que contaba careciera de emoción. Durante unos años estudió periodismo. Una tarde, mientras regaba el jardín de su casa, escuchó que lo llamaban sus vecinas, dos ancianas de cincuenta años.

—Perdón —dijo Jonathan, calculando que Fernández era mayor que sus vecinas—. El caso es que ellas habían descubierto una pelota de tenis en un fresno y me pidieron que la bajara. Subí al árbol, me caí y me rompí la columna. ¡Por una pelota de dos dólares! Ahí tiene mi historia —Jonathan sonrió con raro entusiasmo—. Voy a terminar de doblar mi ropa.

Fernández lo vio moverse con torpeza.

—Piense en eso: una pelota de tenis —Jonathan salió del cuarto.

Llegaba al salón unos quince minutos antes que sus alumnos y fingía releer un texto mientras acariciaba las monedas de veinticinco centavos que servían para el lavado. Poco a poco, la mesa de roble que ocupaba el centro del cuarto se iba llenando de mochilas, gorras de béisbol, galletas, sándwiches de atún. Los alumnos se sentaban en derredor, con rostros adormilados; algunos apoyaban el antebrazo en la madera y dormían sin tregua. Cuando supo que lo mismo pasaba en el seminario del eminente Thompson, Fernández encontró otro motivo para aceptar lo insensato como una costumbre local.

En una ocasión creyó ver a Jonathan en las sillas al fondo de la clase, donde se sentaban los oyentes. Lo mismo ocurrió en la sala de lectura de la biblioteca, tan propicia para los fantasmas. Le gustaba ese espacio con sillones de cuero raído. Allí, lo vetusto significaba dignidad pedagógica. El polvo, las duelas disparejas, los ruidosos tubos de la calefacción, las luces mortecinas garantizaban un saber ajeno a los caprichos de la época; el descuido intencional (casi se podría decir "renovado") hacía que lo rancio se confundiera ventajosamente con lo "clásico". Entre esas paredes recorridas por sombras, Fernández desvió la vista de su libro varias veces. Pero no se trataba de Jonathan.

Juliana habló para decirle que tampoco esa semana podía ir; se moría de ganas pero estaba metida en algo astronómico y confuso (la técnica se llamaba "videoinstalación", y el resultado, *Las nueve lunas de Saturno*).

—Tengo que pedirte un favorzote. Me urge un material de El Planeta Prohibido.

—¿El Planeta Prohibido?

—¿Todavía no lo conoces? ¿En qué galaxia vives?

Fernández apuntó la dirección en la orilla de un periódico. Juliana le hizo repetir las siglas llenas de consonantes y números de los videos que necesitaba.

Lo mejor del viaje en tren era la llegada a Nueva York, la energía en la estación de Grand Central, la intensa fábrica de pasos, rumores, guantes que sostenían periódicos y portafolios.

Se sintió capaz de sumirse en los túneles de la ciudad sin perderse en sus numerosas nervaduras. Entró a un vagón que parecía un ejemplo paródico del metro: demasiados cortes de pelo, demasiados idiomas, demasiados grafitis. Se concentró en un negro con la cabeza rapada a la altura de las orejas; luego, el pelo se alzaba en un compacto budín y desembocaba en unas trencitas idénticas a los fusilli que él comía en los restoranes italianos de New Haven. Contó los aretes en la nariz de una oriental y trató de entender el tatuaje en el tobillo de una adolescente. Un hombre pequeño y pálido se ató un listón negro en el antebrazo, se colocó un cubito de espejos en la cabeza y empezó a salmodiar acompasadamente. Fernández tardó en entender que se trataba de un judío ortodoxo. Quizá porque se dirigía al Planeta Prohibido, le hubiera resultado más natural ver la jeringa y el antebrazo listo para la sobredosis.

Los detalles lo alejaron del conjunto; el conductor dijo algo por una bocina devastada y mucha gente se quedó en un andén donde las máquinas de refrescos tenían tres capas de grafiti. Luego, como si saliera de un mareo, supo que el tren ganaba velocidad: vio los pilares en fuga de una estación. Una mujer que había estado en trance ante una revista con un mandril en la portada, le preguntó a Fernández:

—*Express?*

El tren devoraba millas subterráneas; las luces se apagaban de cuando en cuando sin que disminuyera la velocidad. Fernández sintió un extraño relajamiento. No podía hacer nada. Le llegaron palabras que no habían perdido fuerza desde su infancia. El culo del mundo. La casa de su chingada madre.

Descendió en un andén de Brooklyn. Vio a cuatro hombres con audífonos en los oídos. Se acercó a un anciano que mordía un pretzel. Le preguntó cómo regresar a Manhattan.

El hombre habló con una potencia considerable para alguien con la boca llena de harina. Fernández memorizó el número del andén.

Media hora después avanzaba en algo que parecía un vagón de deportados; las ruedas golpeaban los rieles en un festival del óxido y la chatarra. No llegaría a tiempo a la tienda.

Al regresar a su hotel, se tendió en la cama sin quitarse los zapatos. Despertó a las dos de la mañana, el estómago le dolía de hambre. Recordó una tienda coreana en la acera de enfrente, abierta las veinticuatro horas.

Compró una ensalada y un vaso con café. Regresó al hotel cargando una bolsa de papel estraza. El portero le preguntó si deseaba compañía. Quizá su pelo revuelto por la siesta y el viento de la calle, su bolsa con comida barata, su nueva costumbre de no ver a los ojos, lo convertían en alguien urgido de compañía. Se sintió humillado. De cualquier forma, al terminar la ensalada frente a un histérico programa de concursos, le habló al portero.

La muchacha debía tener unos diecinueve años. El lápiz labial corrido sugería que la habían besado en el pasillo. Se quitó el abrigo, mostrando una falda pequeña, imitación cuero. También la chamarra era de hule, cruzada por cierres inútiles. El hotel estaba cerca de una zona de bares donde la gente llevaba aretes de chatarra y pelos de colores y la música, estruendosa y monótona, se oía con el estómago.

—¿Quieres que te coma? —preguntó la muchacha.

Él asintió sin saber a qué se refería.

La muchacha se arrodilló frente a él, le bajó el cierre, se introdujo el pene flojo en la boca.

Él tardó mucho en eyacular unas cuantas gotas. "Una venida de viejo", pensó mientras contaba los billetes, agregando una propina excesiva para mitigar la sensación de repudio y suciedad que se le pegaba al cuerpo.

Ella salió sin decir palabra. Fernández no le había visto el cuerpo, ni siquiera obtuvo de ella un nombre falso. Imaginó un maravilloso tatuaje en la espalda, le atribuyó un olor rancio y agradable, un vello púbico escaso y suave, un moretón donde él podía hacer un daño delicioso, aretes en el ombligo y los pezones. Pasó dos horas inventándose otro cuerpo, ante el molesto milagro de que el sexo aún le resultara tan agobiante, tan decisivo para sus manos marcadas por pecas, su respiración difícil, el olor a maleta de cuero que descubría en sus camisas.

El día hubiera sido genial de no haber terminado. Fue a la retrospectiva de Lucian Freud y, más que la vibrante realidad de los lienzos, le sorprendió que ese despliegue perteneciera a un hombre mayor que él. Como de costumbre, dialogó mentalmente con Elizabeth; entendió su preferencia por el agua escurriendo de un caño y la inabarcable espalda de un hombre rapado; creyó recordar algo que ella había citado alguna vez: la pintura al óleo se inventó para celebrar la piel humana. Se requerían numerosos colores para producir las tensas superficies que a la distancia adquirían un solo tono inconfundible y vivo. Recordó su televisor, donde los blancos eran color naranja. Luego se preguntó si Juliana apreciaría ese prodigio sin fantasmas. "Supercopias, replicantes, clones, androides", recitó algunas de las figuras que su hija le había enseñado a envidiar. Para ella, nada atractivo podía ser "tal como era"; su pintor favorito no era pintor: un artista de luz que creaba espacios virtuales, formas que se veían sin rebajarse a existir.

"Te vas a morir el día en que el campeón de ajedrez no sea ruso", le decía Juliana. Tenía razón. Era un animal de costumbres, requería de constancias: la Tierra giraba en torno al Sol, el *whisky* sabía mejor en un vaso corto, facetado, el campeón de ajedrez era ruso. Odiaba a Bobby Fisher.

Compró un catálogo para Elizabeth y una postal para Juliana. "Saludos desde El Planeta Prohibido."

Por la tarde, en un bar, recordó el lugar común de los bebedores de martini: "Nunca más de dos, nunca menos de dos, como los senos de las mujeres". También recordó la observación de Rodrigo, bebedor de agua hervida y devoto de la ciencia ficción: "A mí sí me gustaría una mujer de tres senos". Luego, su yerno había mencionado una película pornocibernética donde una radiación nuclear producía turgentes mutaciones.

Bebió un tercer martini. Sintió una helada quemadura en el esternón.

En el metro comprobó que las escaleras servían para

medir la edad. A partir de los cincuenta, el mundo era un sitio poblado de escalones. En México rara vez tenía que vérselas con esas zonas sofocantes y en Yale buscaba elevadores y rampas para minusválidos, pero en Nueva York no había escapatoria: ir de un andén a otro significaba recorrer cuatro escaleras; perdía el pulso, sudaba en el aire denso, sabiendo que quitarse el abrigo era suicida; en cualquier momento, las cavernas serían barridas por un viento oloroso a hules, carbones, ventiladores ahumados.

Al salir del metro respiró un aire marino. Vio a un chino diminuto, con un pescado brillante en las manos. Junto a una toma de agua, otro chino leía un periódico impreso en ideogramas y calentaba sus pies en el vapor que salía de una alcantarilla. Fernández le preguntó por Broadway. El hombre se rascó al cabeza, produjo un sonido interrogante y señaló la entrada de un mercado. Fernández entendió que por ahí se cortaba para llegar a la avenida.

El regusto fragante del martini empezaba a ser relevado por una sensación acre. Avanzó entre carretillas que transportaban plantas viscosas, tal vez setas marinas. ¿Había setas marinas? Ante una hilera de braseros, aspiró humos que olían a medicamentos.

Caminó entre animales, jaulas, tarros con jaleas indescriptibles. Lo único continuo era el barullo, la multitud que lo empujaba sin recato, el enjambre de ruidos, las avispas de cristal que reventaban en su oído.

Tenía la nuca empapada de sudor. De cuando en cuando, la caricia helada del aire llegaba de algún sitio. En lo alto, el mercado semejaba una nave industrial, llena de ventiladores que seguramente se encendían en el verano.

Se detuvo ante un mostrador. Un termo cromado le devolvió su rostro como una mancha enrojecida. Un vendedor le tendió una taza en la que cabían unas cuantas gotas. La tomó maquinalmente y sacrificó una de las monedas de veinticinco centavos que llevaba en el bolsillo derecho.

El té no sabía a nada, algo insólito en ese sitio hinchado de olores. Sin embargo, estaba tan caliente que Fernández sintió que el sudor le brotaba en la coronilla.

Se concentró en unas plantas hasta que temió que fueran mariscos o gusanos milenarios. Alguien le tocó la cadera.

Se volvió. Una anciana le tendió un pañuelo. Sólo entonces supo que el sudor le chorreaba en las pestañas. El pañuelo era de un género poroso y fino. Debía verse muy mal para que la mujer le permitiera ensuciarlo de ese modo. Buscó su reflejo en una cacerola colgada en una tienda; vio una mancha opalina, circundada de anillos de tiro al blanco. Devolvió el pañuelo. La mujer le pareció más baja. Los chinos se encogían a medida que él caminaba.

Pasó por una región de cajas y enseres casi abstractos. Al fondo, vio un rectángulo negruzco. La calle.

El paisaje cambió por completo al salir del mercado. Una zona de fábricas transformadas en galerías de arte. Vio unas sillas de neón que se movían en verde y azul turquesa. Sintió una punzada en el pecho. En la acera de enfrente, un taxi amarillo tenía la puerta abierta, como si lo hubiera citado ahí.

Se desplomó en el asiento, hurgó en su abrigo, sacó un trozo de papel periódico, corrió la ventanilla antibalas y se lo entregó al chofer.

Dormitó gran parte del trayecto. De vez en cuando veía nieve plateada y bolsas de basura.

El taxista tuvo que sacudirlo para que despertara. Abrió los ojos ante un fulgor eléctrico. Le costó trabajo discernir los renos de poliuretano en la vitrina de un almacén.

¿Dónde estaba? Lejos de las casas pequeñas y las esquinas de ladrillo del sur de Manhattan. Había dado otra dirección, una tienda de juguetes para Rodriguito. Buscó en su abrigo y sacó un papel fruncido, húmedo de sudor, leyó y las letras le dolieron en los ojos: "El Planeta Prohibido". Depositó el papel en la mano ocre del chofer.

—Estábamos a dos calles de ahí —el hombre silbó una escala rápida, su forma de hacer habitual lo incomprensible.

La nieve se fue tiñendo de negro en el largo camino de regreso. Fernández vio cartones, botellas vacías, un televisor en una pila de desperdicios.

Cuando el taxi se detuvo, un destello rebotó en el hielo que cubría el asfalto. Fernández alzó la vista y encontró un planeta orbitado por aros de neón. Había llegado tarde. Aun así se acercó al escaparate; contempló los estuches de plástico, los colores abusivos, las letras cromadas y en relieve que cautivaban la imaginación de Juliana.

La tienda abría hasta el lunes. Él debía volver a New Haven.

Al entrar a su departamento, con el abrigo todavía puesto, habló a México. La comunicación era nítida, quizá demasiado para acusarse con su hija.

—No te preocupes, ya me lo imaginaba —contestó ella.

—Perdóname m'ija —de golpe se sintió en una película del cine mexicano, el único lugar donde se decía "m'ija".

—No hay bronca, en serio, ya había pensado en otras cosas por si no llegabas a El Planeta.

Le dio gusto encontrar a Jonathan en el sótano de lavado. Habló de Nueva York: el tren exprés, las direcciones cruzadas, El Planeta Prohibido.

—Su hija debe odiarlo —Jonathan sonrió.

—¿No vas a lavar ropa? —preguntó Fernández.

—Ya terminé. Lo ayudo con la suya —sin aguardar respuesta, empezó a introducir calcetines y calzones en una lavadora—. Me imagino cómo lo odia, carajo —cerró el puño y se pegó con entusiasmo en la palma—. ¿Por qué no fue primero a la tienda? ¿Hace cuánto que no lava su ropa?

—No sé.

—No lo he visto por aquí.

—¿Bajas todos los días?

—Todas las noches. Los lavadores nocturnos son mejores. En las mañanas hay viejitas siniestras y fracasadas; como yo —sonrió, con el gusto que le daba insultarse—. Las noches son de los culpables. Es más interesante.

Fernández le preguntó por su espalda. En la planta baja había un consultorio de fisioterapia, tal vez Jonathan pasaba ahí las mañanas.

—Ya terminé con eso. Hice lo que pude. Igual que usted con la tienda. ¡Casi atrapo la pelota! La hubiera visto entre las ramas. Hasta puedo olerla.

—¿A qué huele?

—A nuevo. Deliciosa —aspiró con fuerza—. Es increíble lo que pueden lograr dos dólares. Una pelota en un árbol, dos ancianas que ni siquiera juegan tenis, mi mano en el aire…

Jonathan tenía los ojos pulidos de emoción. No podía salir de aquella escena perfectamente inútil, perfectamente grave.

Fernández notó una marca en el cuello de Jonathan. Le preguntó si tenía que ver con el accidente.

—No. Mis padres me ponían un collar de castigo. Cuando salían de la casa nos dejaban amarrados a un mueble. ¿Ha visto esos armazones de cuero? También se usan para perros. A Tod y a mí nos llegaron a gustar las correas. Ladrábamos, nos rascábamos con una pata. ¡Era divertido creernos perros! Si te alejabas mucho del mueble, sentías un tirón en la espalda y luego las correas asesinas en el cuello. Mi mamá es limpísima; no le gusta que desordenemos la sala. Había que jugar en corto, cuidar la respiración. Recuerdo el aliento de Tod en mi nuca, oloroso a dulces de mantequilla. Fuimos perros excelentes hasta que tembló en Los Ángeles. Mis padres no estaban en la casa. Nos habían dejado atados, junto a un tazón con lunetas de chocolate, por si nos daba hambre. Tenía la cabeza sumida en el tazón cuando empezó a temblar. Oí que las ventanas vibraban y que alguien aullaba en otra casa. Tod logró zafarse, su correa se rompió de inmediato. Yo me quedé atado, como siempre. Casi me estrangulo tratando de huir —pasó el índice por la cicatriz—. El terremoto tiró cosas por todos lados y entonces pensé que tal vez no había temblado donde estaban mis padres y nos culparían por los platos rotos. Me oriné nada más de pensar esto. Nos daban muy poca agua en la mañana, para que no nos orináramos mientras estábamos atados. ¡Los padres piensan en todo! Pero ahí estaba mi charco apestoso. "Mariquita", me dijo Tod, cuando dejó de temblar —Jonathan hizo una pausa y sonrió con entusiasmo—. ¿Sabe lo que más me gusta de New Haven? La nieve no deja ver a los vecinos.

Juliana le envió fotos de Rodriguito. El nieto tenía las cejas altivas de su padre. Fernández recordó el parto, las horas de espera en el hospital. Cosme, el tercer marido de Camelia, llevó un juego de barajas para hacer trucos en la cafetería. No era muy hábil y puso nervioso a todo mundo. Elizabeth y Camelia se trataban con extrema consideración: hablaron de estambres, cremas sin calorías, videos de ejercicios, temas que no les interesaban. De vez en cuando, alguien elogiaba a Rodrigo. Tan participativo. Tan cariñoso. Tan buen futuro padre.

Es difícil decir que no se entiende una camisa. Sin embargo, Fernández no entendió la camisa que su yerno llevó al hospital (sin cuello, con un triángulo de tela atravesado a medio escote, como la pechera de un húsar).

Camelia lloró mucho abrazada a Fernández, cuando vio a su nieto a través del cristal de maternidad. Elizabeth y el notario guardaron una distancia prudente. Rodrigo se acercó y abrazó a los abuelos por atrás, con brazos larguísimos. El gesto hubiese sido agradablemente atlético si no fuera también asquerosamente patriarcal. Camelia miró a su yerno con ojos húmedos y él le limpió las lágrimas. Sus dedos morenos, cuidadosos, cumplían siempre un propósito.

Fernández se preguntó si su nieto sabría enrollar la lengua como un taquito.

Bajó solo a la cafetería. Llevaba más de diez años sin fumar pero le pidió un cigarro a un adolescente que lo vio con infinita reprobación.

Cuando Elizabeth lo alcanzó, iba en el tercer cigarro.

—Todos preguntan por ti —estaba tan contenta que tardó en advertir el cigarro.

—Sólo por hoy —dijo Fernández—. Estoy celebrando.

Se dejó conducir por Elizabeth al cuarto de su hija, se sometió a los abrazos de familiares y conocidos, respiró el agobiante aroma de las flores.

Juliana lucía conmovedoramente hinchada, feliz, y Fernández se estremeció al comprobar que aún podía mostrar más emoción. Gritó al verlo, extendió los brazos en los que llevaba una pulsera de hule, sollozó en su cuello, de un modo abundante, total, perfecto. Cuando recuperó el aliento, le dijo al oído un apodo que él le puso de niña y que no habían usado en eras.

En un rincón del cuarto, Rodrigo lloraba sin hacer gestos. Dejaba que las lágrimas le escurrieran como otra de sus extrañas declaraciones de principios.

—Es un hígado —Fernández le dijo a Elizabeth cuando manejaba rumbo a la casa. Pasaron el extenuante alto de Barranca del Muerto hablando de celos. Luego ella mencionó el cigarro, de un modo suave, desdramatizando la debilidad de su marido. Tanta precaución revelaba que el cigarro no era un problema de salud sino un defecto de carácter.

Cuando salieron del nudo de automóviles, Elizabeth habló de un pájaro feroz, una especie normal y repugnante donde las crías despedazaban a sus padres. Los machos dejaban de cantar cuando las hembras ponían huevos, pero había una isla donde los huevos eran empollados por otra especie y los machos seguían cantando. También eso era normal.

¿Habría una agencia de viajes que pudiera llevarlo a esa isla?

—Es un hígado —insistió Fernández.

Entonces Elizabeth utilizó una palabra desterrada del vocabulario masculino que él odiaba cuando se refería a un hombre. Rodrigo era un hígado "adorable".

Al regresar de sus clases, Fernández descubrió a Jonathan en una pizzería. Estaba ante una mesa llena de monedas de veinticinco centavos. Las miraba ensimismado. Al cabo de unos segundos, desplazó una con el pulgar, como si jugara a algo.

Esa noche, Fernández bajó a la lavandería. Oyó voces y se detuvo en el umbral. Jonathan hablaba de su lesión:

—Cuando sueño, estoy entero. Sueñas que corres y saltas y luego abres los ojos y sabes que estás roto. ¡Carajo!

Fernández alcanzó a ver el letrero en una máquina descompuesta. Una voz gruesa agradeció a Jonathan las monedas que le había prestado. Momentos después, un nuevo vecino salió del cuarto sin reparar en Fernández.

Durante unos minutos largos, Fernández aguardó en el pasillo, escuchando el rumor cíclico del lavado. Luego se asomó al cuarto, apenas lo suficiente para ver a Jonathan ante una lavadora, con los brazos extendidos y los pies abiertos, como alguien arrestado contra una pared.

Jonathan movió la cabeza de repente, como si volviera en sí, y abrió la ventanilla. La lavadora se detuvo. El muchacho se acercó a respirar el aire tibio y jabonoso. Había hecho lo mismo con la ropa de Fernández. El otro inquilino bajaría en media hora, encontraría la máquina averiada, él le prestaría dinero y hablaría de la pelota en el árbol, el instante del que no podía salir.

Fernández oyó que alguien corría en el pasillo. Antes de incorporarse sintió un empujón.

—¿Qué haces aquí? —gritó un muchacho.

—Vengo por un refresco —Fernández señaló la máquina de dulces y refrescos y se sintió estúpido: responder era delatarse.

—Perdón, no estoy hablando con usted. Es mi hermano —señaló a Jonathan—. ¿Qué haces aquí?

El muchacho tenía un rostro picado de viruela y unas patillas delgadas y largas, trabajadas con esmero.

—Es Tod —Jonathan se dirigió a Fernández, con una risa nerviosa.

—¿Lo está molestando? —preguntó Tod.

—No.

—¿Lo está molestando? ¿Lo está molestando? —insistió el hermano. Sus ojos tenían pupilas enormes, opacas, fijas.

Fernández negó con la cabeza, las manos extendidas hacia Tod, que parecía al borde de un ataque.

Tod respiró con ansiedad, las costillas se marcaron en su camiseta:

—La pregunta es: ¿lo está molestando?

—¡No! —Fernández lo vio de frente. Trató de encontrar algo más allá del brillo turbio con que Tod miraba la lavadora abierta.

Por un momento, Fernández pensó que Jonathan había invertido las historias: el enfermo era su hermano. El pelo grasoso y las uñas negras pertenecían a alguien que llevaba meses de encierro. Pero las botas tenían marcas de nieve y lodo.

—Perdón —dijo Tod—. Es difícil cuidarlo: un enemigo público —cruzó sus brazos raquíticos, sin apartar la vista del hermano.

Jonathan sonreía de un modo imbécil. Sus ojos miraban con perturbadora ingenuidad, como si ignoraran una desgracia que los otros ya habían advertido. Parecía la única persona capaz de distinguir que Tod era mayor y había logrado quitarse la correa en el terremoto.

Juliana confirmó su llegada. Pasaría el fin de semana en Nueva York y el lunes estaría en Yale. Le avisaba con tiempo porque no quería competir con ninguna rubia en el departamento.

El domingo Fernández soñó que unas manos pequeñas

rasguñaban su ventana. Al despertar, vio la nieve erizada en los cristales. La décima tormenta del invierno.

Abrió el refrigerador: a su hija le iba a parecer una zona de desastre. Anticipó con gusto los muchos desperfectos que Juliana encontraría en su departamento y su rápida manera de corregirlos.

En el supermercado, volvió a sentir el vértigo de las etiquetas llenas de informaciones. ¿*Extra-slim* superaba a *low-fat?* Escogió los envases por los colores que más le molestaban y prometían productos casi médicos.

Había descubierto una tienda de pasteles a diez extenuantes cuadras de su edificio. Caminó, concentrado en sus pasos crujientes; los nativos tenían razón, había que "negociar" el camino entre la nieve.

Entró a un recinto oloroso a dulces y harinas tibias, un refugio de cuento infantil. Sólo la nieve derretida en el suelo de linóleo recordaba que estaba en una ciudad atroz.

Una vez superado, el frío lo cargaba de energía. Compró un pastel demasiado grande.

En el camino de regreso sintió un tirón en la espalda, pero no se detuvo. Rodrigo podía irse a la mierda con su programa para alpinistas imaginarios. Él estaba ahí, en la realidad donde la espalda era algo que dolía, donde la caja de cartón se cubría de nieve y pesaba cada vez más, donde un mendigo lo llamaba desde la otra acera, incapaz de levantarse, pero no de pedir una moneda de veinticinco centavos.

Sintió copos en las pestañas y estuvo a punto de resbalar en una esquina. Se aferró a un tubo que sostenía una señal de tránsito.

Encontró a Tod en la puerta del edificio. No llevaba más que una camiseta bajo su abrigo abierto. Lucía afiebrado.

Sus ojos buscaban varios sitios a la vez.

—Perdón por lo del otro día. Jonathan es una vergüenza pero a veces hay que vivir con la escoria.

"*Piece of scum*", repitió Fernández para sí mismo. La expresión era perfecta para Tod.

Cuando entró a su departamento, el teléfono sonaba. Por alguna razón, pensó que llevaba diez minutos sonando.

Escuchó la voz agitada de Juliana y de inmediato supo que los trenes de Nueva York estaban atascados, que el invierno era una mierda, que no había forma de llegar a New Haven.

—Te hablo mañana, a ver si puedo salir de aquí.

Creyó reconocer un dejo de alegría en las palabras de su hija.

Permaneció ante la caja del pastel hasta que la nieve formó un charco en la mesa de centro.

Recordó el invierno de los ajedrecistas rusos, aquellos empates que sólo llevaban al delirio. Juliana nunca llegaría a New Haven, o llegaría sin tiempo suficiente para interesarse en otra cosa que su propia energía.

El agua escurrió al piso. Fernández fue por una jerga. Al abrir la caja, le sorprendió que el pastel siguiera intacto.

No sabía cuál era el departamento de Jonathan y temía que Tod abriera la puerta. Aguardó hasta las ocho y bajó a la lavandería. Encendió una máquina y el rumor lo acompañó un rato. Un par de inquilinos entraron y salieron del sitio sin notar su máquina vacía.

Se sentó ante la mesa que servía para doblar la ropa, apoyó la mejilla en el antebrazo, como hacían sus alumnos, y dormitó hasta que una mano le tocó el hombro.

Fernández alzó la vista.

—Bajé a buscarte —le dijo a Jonathan.

—¿Por qué?

—Esperaba a mi hija para hoy. Tuvo que quedarse en Nueva York. La tormenta detuvo todos los trenes. Compré un pastel —señaló la caja de cartón.

Eran alrededor de las doce de la noche. Las máquinas de lavado estaban detenidas. Tres tubos de neón brillaban en el techo.

—¿Otra rebanada? —preguntó Fernández.

—Sí. Hace mucho que no tragaba como un puerco —Jonathan sonrió.

—Yo tampoco.

Al cortar la rebanada, un trozo de corteza cayó al suelo.

—Es mío —dijo Jonathan, y levantó el índice.

Se puso una mano en la espalda, flexionó las rodillas, descendió muy despacio, los ojos cerrados por el esfuerzo. Recogió la corteza y se incorporó de prisa. Se quedó inmóvil un instante, como si aguardara un espasmo.

Luego resopló con alivio.

—Gracias —dijo Fernández.

—Pensé que el suelo estaba más lejos —bromeó Jonathan.

Una curiosa vibración llegaba al sótano, como si el cuarto absorbiera sonidos pulverizados. Los pasos dispersos, las palabras dichas en el sueño, las cosas que dejaban caer manos adormiladas bajaban como una tensión del aire.

Comieron hasta que en la mesa sólo quedó la corteza que había recogido Jonathan.

Fernández tomó el cuchillo y la partió en dos, con mucho cuidado.

AMIGOS MEXICANOS

1. Katzenberg

El teléfono sonó veinte veces. Al otro lado de la línea, alguien pensaba que vivo en una hacienda donde es muy tardado ir de las caballerizas al teléfono, o que no existen los teléfonos inalámbricos, o que tengo vacilaciones místicas y dudo mucho en tomar el auricular. Esto último, por desgracia, resultó cierto.

Era Samuel Katzenberg. Había vuelto a México para hacer un reportaje sobre la violencia. En su visita anterior, viajaba a cuenta del *New Yorker*. Ahora trabajaba para *Point Blank*, una de esas publicaciones que perfuman sus anuncios y ofrecen instrucciones para ser hombre de mundo. Tardó dos minutos en explicarme que el cambio significaba una mejoría.

—*Point Blank* quiere decir "A quemarropa" —Katzenberg no había perdido su gusto por demostrar lo bien que habla español—: la revista no sólo publica temas frívolos; mi editora busca asuntos fuertes. Es una mujer *chida*, que se *prende* fácil. México es un país mágico pero confuso; necesito tu ayuda para saber qué es horrible y qué es buñuelesco —pronunció la eñe en forma lujosa, como si chupara una bala de plata, y me ofreció mil dólares.

Entonces le expliqué por qué estaba ofendido.

Dos años antes, Samuel Katzenberg había llegado a hacer el enésimo reportaje sobre Frida Kahlo. Alguien le dijo que yo era guionista de documentales "duros" y me pagó para acompañarlo en una ciudad que juzgaba salvaje y para explicarle cosas que juzgaba míticas.

Katzenberg había leído mucho acerca de la desgarrada pintura de los mexicanos. Sabía más que yo de murales con mazorcas de ocho metros cuadrados, el Museo de la Revolución, el atentado contra Trotsky y el tenue romance de Frida con el profeta soviético en su exilio de Coyoacán. Con

223

voz didáctica, me reveló la importancia de "la herida como noción transexual": la pintora paralítica era sexy de un modo "muy posmoderno, más allá de la definición de género". En forma lógica, Madonna la admiraba sin entenderla.

Para preparar ese primer viaje, Katzenberg se entrevistó con profesores de Estudios Culturales en Brown, Princeton y Duke. Había hecho su tarea. El siguiente paso consistía en establecer un contacto fragoroso con el *verdadero* país de Frida. Me contrató como su contacto hacia lo genuino. Pero me costó trabajo satisfacer su apetito de autenticidad. Lo que yo le mostraba le parecía, o bien un colorido montaje para turistas o un espanto sin folclor. Él deseaba una realidad como los óleos de Frida: espantosa pero única. No entendía que los afamados trajes regionales de la pintora ya sólo se encontraran en el segundo piso del Museo de Antropología, o en rancherías extraviadas donde nunca eran tan lujosos ni estaban tan bien bordados. Tampoco entendía que las mexicanas de hoy se depilaran el honesto bigote que a su juicio convertía a F. K. (Katzenberg ama las abreviaturas) en un icono bisexual.

De poco sirvió que la naturaleza contribuyera a su crónica con un desastre ambiental. El Popocatépetl recuperó su actividad volcánica y visitamos la casona de Frida bajo una lluvia de cenizas. Esto me permitió hablar con calculada nostalgia de la desaparición del cielo que determina la vida del DF:

—Hemos perdido la región más transparente del aire —comenté, como si la contaminación significara también el fin de la lírica azteca.

Reconozco que atiborré a Katzenberg de lugares comunes y cursilerías vernáculas. Pero la culpa fue suya: quería ver iguanas en las calles.

México lo decepcionó como si recorriera un centro ceremonial ruinoso y comercializado, donde vendían cremas con vitamina E para los adoradores del sol.

Cuando le presenté a un experto en arte mexicano no quiso hablar con él. Debí renunciar en ese momento, no podía trabajar para un racista. Didier Morand es un negro de Senegal. Vino a México cuando el presidente Luis Echeverría decidió que nuestros países eran muy afines. Usa collares de fábula y hermosas túnicas africanas. Es comisario de arte mexicano y poca gente sabe tanto como él. Pero a Katzenberg le molestó que honrara tantas culturas a la vez:

—No necesito un informante africano —me vio como si yo traficara con etnias equivocadas.

Decidí ponerle un alto: le pedí el doble de dinero.

Aceptó y entonces me esforcé por encontrar metáforas y adjetivos que sacaran a flote el México profundo, o algo que pudiera representarlo ante sus ojos ávidos de desastres muy genuinos.

Fue entonces cuando le presenté a Gonzalo Erdiozábal.

Gonzalo parece un moro altivo del Hollywood de los cuarenta. Transmite la apostura superdigna de un sultán que ha perdido sus camellos y no piensa recuperarlos. Esto es lo que pensamos en México. En Europa parece muy mexicano. Durante cuatro años de la década de los ochenta, se hizo reverenciar en Austria como Xochipili, supuesto descendiente del emperador Moctezuma. Cada mañana, llegaba al Museo Etnográfico de Viena disfrazado de danzante azteca, encendía incienso de copal y pedía firmas para recuperar el penacho de Moctezuma, cuyas plumas de quetzal languidecían en una vitrina.

En su calidad de Xochipili, Gonzalo le demostró a la ciudadanía austriaca que lo que para ellos era un regalo sin gracia del emperador Maximiliano de Habsburgo para nosotros representaba un trozo de identidad. Reunió suficientes firmas para llevar el tema al parlamento, obtuvo fondos de ONGS y la irrestricta devoción de un movedizo harén de rubias. Obviamente hubiera sido una desgracia que consiguiera el penacho; su causa sólo podía prosperar mientras los austriacos pospusieran la entrega. Disfrutó la "beca Moctezuma" sin ser vencido por la generosidad de los adversarios: la nostalgia lo forzó a regresar antes de obtener las plumas imperiales ("extraño el aire que huele a gasolina y chicharrón", me dijo en una carta).

Cuando Katzenberg me dobló el sueldo, le hablé a Gonzalo para ofrecerle un tercio. Montó un rito de fertilidad en una azotea y nos llevó a la choza de una adivina con mal de pinto que nos hizo morder una caña de azúcar para escrutar nuestro destino en el bagazo.

Gracias a las tradiciones improvisadas por Gonzalo, Katzenberg encontró un ambiente "típico" para su crónica. La noche en que nos despedimos bebió un tequila de más y me confesó que su revista le había dado viáticos para un mes, a cuerpo de rey. Gonzalo y yo le habíamos permitido "investigar" todo en una semana.

Al día siguiente quiso seguir ahorrando. Consideró que la camioneta del hotel le salía demasiado cara, detuvo un Volkswagen color loro y el taxista lo llevó a un callejón en el que le colocó un desarmador en la yugular. Katzenberg sólo conservó el pasaporte y el boleto de avión. Pero el vuelo se canceló porque el Popocatépetl entró en fase de erupción y sus cenizas bloquearon las turbinas de los aviones.

El periodista pasó un último día en la Ciudad de México, viendo noticias sobre el volcán, aterrado de salir al pasillo. Me llamó para que fuera a verlo. Temí que me pidiera que le devolviera el dinero, pero sobre todo temí ofrecérselo yo. Le dije que estaba ocupado porque una bruja me había hecho mal de ojo.

Compadecí a Katzenberg a la distancia hasta que me envió su reportaje. El título, de una vulgaridad dermatológica, no era lo peor: "Erupciones: Frida y el volcán". Yo aparecía descrito como "uno de los locales"; sin embargo, aunque no me honraba con un nombre, transcribía sin comillas ni escrúpulos todo lo que yo había dicho. Su crónica era un despojo de mis ideas. Su única originalidad consistía en haberlas descubierto (sólo al leerlo yo supe que las tenía). El texto terminaba con algo que dije de la salsa verde y el dolorido cromatismo de los mexicanos. Por la mitad de precio, podrían haberme pedido la crónica a mí. Pero vivimos en un mundo colonial y la revista necesitaba la laureada firma de Samuel Katzenberg. Además, no escribo crónicas.

2. Burroughs

El regreso del reportero estrella a México ponía a prueba mi paciencia y mi dignidad. ¿Cómo se atrevía a llamarme?

Le dije que no tenía ínfulas de protagonismo; sencillamente estaba harto de que los norteamericanos se aprovecharan de nosotros. En vez de traducir a Monsiváis o a Mejía Madrid, mandaban a un cretino madonnizado por el prestigio de escribir en inglés. El planeta se había convertido en la nueva Babel donde nadie se entendía pero lo importante era no entenderse en inglés. Este discurso me pareció patriota, así es que lo alargué hasta que temí sonar antisemita.

—Perdón por no mencionarte —dijo Katzenberg al otro lado de la línea, con voz educada.

Vi por la ventana, en dirección al Parque de la Bola. Un niño se había subido a la enorme esfera de cemento. Abrió los brazos, como si estuviera en la cima de una montaña. Las personas que rodeaban la fuente aplaudieron. La Tierra había sido conquistada.

En las noches me gusta asomarme a la glorieta que llamamos "Parque de la Bola". La bola es un globo terráqueo de cemento. La gente se asoma a verla desde los balcones. El mundo visto por sus vecinos.

Desvié la vista a la computadora, tapizada de papelitos en los que anoto "ideas". El aparato ya parece un doméstico Xipe Tótec. Cada "idea" representa una capa de piel de Nuestro Señor el Desollado. En vez de escribir el guion sobre el sincretismo por el que ya había cobrado un anticipo, estaba construyendo un monumento al tema.

Katzenberg trató de congraciarse conmigo:

—Los correctores aniquilaron adjetivos fundamentales; ya sabes cómo es el periodismo de batalla; además, aquí los editores no son como en México: allá tienen la mano pesada, te cambian todo…

Mientras tanto, yo pensaba en Cristi Suárez. Había dejado un mensaje inolvidable en mi contestadora: "¿Cómo vas con el guion? Anoche soñé contigo. Una pesadilla con efectos de terror de bajo presupuesto. Pero te portaste bien: tú eras el monstruo, pero no el que me perseguía sino el que me salvaba. Acuérdate que necesitamos el primer tratamiento para el viernes. Gracias por salvarme.

Besitos".

Oír a Cristi es una maravillosa destrucción: me encantan sus propuestas para temas que no me gustan. Por ella he escrito guiones sobre el maíz mejorado y la cría de cebú. Aunque el trabajo es un pretexto para acercarme a ella, no me he atrevido a dar el último paso. Y es que hasta ahora, aunque suene increíble, mi mejor faceta han sido los guiones. Me conoció mientras yo padecía una épica borrachera; aún así (o tal vez por eso) me juzgó capaz de escribir un documental contra los granos transgénicos. Desde entonces me habla como si nuestro proyecto anterior hubiera ganado un Oscar y ahora fuéramos por puro prestigio a Cannes. El último episodio de su entusiasmo me condujo al sincretismo. "Los mexicanos somos puro *collage*", dijo. Cuesta trabajo creerlo, pero dicha por ella, la frase es espléndida.

Había desconectado la grabadora porque no estaba seguro de resistir otro mensaje de Cristi y sus magníficas pesadillas. A veces pienso en lo que perdería si le dijera de una vez por todas que el sincretismo me tiene sin cuidado y el único *collage* que me interesa es ella. Pero luego recuerdo que a ella le gusta cuidar personas y se da aires de enfermera. Tal vez los guiones son la terapia que me ha asignado y no desea otra cosa de mí que someterme a ese tratamiento. Pero lo del monstruo bueno suena picante, casi porno. Aunque sería más porno que me felicitara por ser el monstruo malo. El alma de la mujer es complicada.

Sí, desconecté la grabadora para no tener más huellas de la voz que me obsesionaba. Cuando el timbre sonó veinte veces me dio curiosidad saber qué sociópata me buscaba. Así volví a entrar en contacto con Katzenberg.

Él seguía en la línea. Había agotado sus fórmulas de cortesía. Aguardaba mi respuesta.

Revisé mi cartera: dos billetes verdes de doscientos, con rastros de cocaína (demasiada poca). Esta visión ya me había decidido, pero Katzenberg aún apeló a un recurso emocional:

—Varias veces me pidieron que volviera a México. Aunque no lo creas, el reportaje de Frida fue un *hit*. No quise venir y un colega, un irlandés antisemita que se quería coger a mi novia, corrió el rumor de que yo había hecho algo sucio y por eso no quería volver. No sería el primer caso de un reportero gringo que se metiera en broncas con los narcos o la DEA.

—¿Regresaste para limpiar tu nombre? —le pregunté.

—Sí —contestó con humildad.

Le dije que yo no era "uno de los locales". Si quería referirse a mí, tendría que poner mi nombre. Una cuestión de principios y del manejo adecuado de las fuentes. Luego le pedí tres mil dólares.

Hubo un silencio al otro lado de la línea. Pensé que Katzenberg hacía sumas y restas, pero ya estaba en el tema de su artículo:

—¿Qué tan violenta es la Ciudad de México?

Recordé algo que Burroughs le escribió a Kerouac o a Ginsberg o a algún otro mega adicto que quería venir a México pero tenía miedo de que lo asaltaran:

—No te preocupes: los mexicanos sólo matan a sus amigos.

3. KEIKO

Lo único que en esos días me interesaba en la Ciudad de México era la despedida de Keiko. Los domingos de los divorciados dependen mucho de los zoológicos y los acuarios. Me acostumbré a ir con Tania a Reino Aventura, el parque de atracciones que para nosotros representaba un santuario ballenero.

Decidí pasar la mañana con Tania, viendo el poderoso nado de la ballena (con mayor propiedad, mi hija se refiere a ella como "orca") y la tarde buscando atractivos escenarios violentos con Katzenberg. Esto último tenía sus dificultades: todos los sitios donde me han asaltado son demasiado comunes.

Quedaba un asunto pendiente: ¿a qué hora escribiría el primer tratamiento para Cristi?

Mientras procuraba salvar un rastro de coca en un billete con la efigie de Sor Juana pensé en una razón ontológica que inmovilizara mi trabajo. ¿Qué sentido tiene escribir guiones en un país donde la Cineteca explotó mientras se exhibía *La tierra de la gran promesa*? Recordé el problema que tuvimos con un extra al que aporreaban en una escena y al que mi guion hacía decir: "¡Aggh!". El sindicato decidió que, puesto que el hombre victimado tenía un parlamento, no debía cobrar como extra sino como actor. A partir de entonces mis sacrificados murieron en silencio.

Por lo demás, nunca he encontrado la menor relación

entre lo que imagino y el apuesto varón o la rubia oxigenada que atropellan mis frases en la pantalla.

—¿Por qué no escribes una novela? —me preguntó una vez Renata. Entonces aún estábamos casados y ella seguía dispuesta a modificar hábitos a mi favor, comenzando por la posibilidad de verme como novelista—: En la novela los efectos especiales salen gratis y los personajes no están sindicalizados: sólo cuenta tu mundo interior.

Nunca olvidaré esta última frase. Hubo un tiempo inverosímil en que Renata creyó en mi mundo interior. Cuando dijo esas palabras me vio con los ojos color miel que por desgracia no heredó Tania, como si yo fuera un paisaje interesante pero un poco difuso.

Ninguna de las acusaciones que me hizo después ni los altercados que nos llevaron al divorcio me lastimaron tanto como esa expectativa generosa. Su confianza fue más devastadora que sus críticas: Renata me atribuyó las posibilidades que nunca tuve.

En los guiones el "interior" se refiere a la escenografía y se decora con sofás. Es el horizonte que me corresponde, lejos de las fantasías de la mujer que se equivocó al buscarme profundidades y me hirió con la confianza de que yo podría alcanzarlas.

Llamé a Gonzalo Erdiozábal para pedirle que se ocupara del guion. No escribe pero su biografía parece un documental sobre sincretismo. Antes de viajar a Viena, fue un aguerrido actor de teatro universitario (recitó los monólogos de Hamlet sumido en un pantano inolvidable), estuvo en un proyecto de cría de camarón de agua dulce en el río Pánuco, dejó a una mujer con dos hijas en Saltillo, financió un video sobre la mariposa monarca y abrió un portal de Internet para darle voz a las 62 comunidades indígenas del país. Además, Gonzalo es un triunfo de la razón práctica: arregla motores que no conoce y encuentra en mi despensa sorpresivos ingredientes para hacer guisos sabrosos. Su energía de pionero y su sed de *hobbies* tienen algo hartante, pero en momentos de quiebra resulta indispensable. Cuando me separé de Renata ignoró mi patético deseo de aislarme y me visitó una y otra vez. Llegaba cargado de revistas, videos, un ron antillano dificilísimo de conseguir.

Llamé a Gonzalo y me dijo que nunca había pensado escribir un guion, es decir, que aceptaba. Sentí tal alivio que me extendí en la plática. Le hablé de Katzenberg y su regreso a México. La noticia no le interesó. Él quería hablar de otras cosas, de un antiguo compañero del teatro universitario que acababa de montar una pieza de Genet en un gimnasio. En su boca, las escenas corren el riesgo de durar lo mismo que en la realidad. Colgué el teléfono.

Fui por Tania. La ciudad estaba tapizada con imágenes de la ballena. El DF es un sitio estupendo para criar pandas. Aquí nació el primero fuera de China. Pero las orcas necesitan más espacio para fundar una familia. A eso se iba Keiko. Se lo expliqué a mi hija, mientras aguardábamos en el gigantesco estanque de Reino Aventura a que comenzara una de las funciones de despedida.

Tania acaba de aprender la palabra "siniestro" y le encuentra numerosas aplicaciones. Debíamos estar contentos. Keiko tendría crías en altamar. Me vio con ojos entrecerrados. Pensé que iba a decir que eso era siniestro. Tomé un cuento que llevaba en su mochila y se lo comencé a leer. Trataba de zanahorias carnívoras. No le pareció nada siniestro.

La ballena había sido amaestrada para despedirse de los mexicanos. Hizo "adiós" con una aleta mientras cantábamos "Las golondrinas". Un mariachi con diez trompetistas tocó con enorme tristeza y un cantante exclamó:

—No lloro: ¡nomás me sudan los ojos!

Confieso que me emocioné a mi pesar y maldije mentalmente a Katzenberg, incapaz de apreciar esa riqueza *kitsch* de México. Él sólo pagaba por ver violencia.

Keiko saltó por última vez. Parecía sonreír de un modo amenazante, con dientes filosísimos. A la salida, le compré a Tania una ballena inflable.

Había incendios forestales en las inmediaciones del Ajusco. Las cenizas creaban una noche anticipada. Vista desde la colina de Reino Aventura, la ciudad palpitaba como una mica incierta. El escenario perfecto para que Cristi soñara un monstruo bueno.

Tomamos la carretera sin decir palabra. Seguramente Tania pensaba en Keiko y la familia que tendría que buscar tan lejos.

Dejé a Tania en casa de Renata y fui a Los Alcatraces. Llegué a la mesa a las cuatro de la tarde. Katzenberg ya había comido.

Escogí bien el restorán, ideal para torturar a Katzenberg y para que me diera las gracias por llevarlo a un sitio genuino. Había música ranchera a todo volumen, sillas con los colores de juguetería que los mexicanos sólo vemos en los lugares "típicos", seis salsas picantes sobre la mesa y un menú con tres variedades de insectos, molestias suficientemente pintorescas para que mi contertulio las padeciera como "experiencias".

La calvicie había ganado terreno en la frente de Katzenberg. Iba vestido como cliente de Woolworth, con una camisa de cuadros de tres colores y reloj con extensible de plástico transparente. Sus ojos, pequeños, de intensidad lapislázuli, se movían con rapidez. Ojos que anticipaban moscas, alerta ante una exclusiva.

Pidió café descafeinado. Le trajeron del único que había: de olla, con canela y piloncillo. Apenas probó un sorbo. Quería tener cuidado con los alimentos. Sentía un latido en las sienes, un ruidito que hacía "bing-bing".

—Es la altura —lo tranquilicé—, nadie digiere a dos mil doscientos metros.

Me habló de sus problemas recientes. Algunos colegas lo odiaban por envidia, otros sin motivo aparente. Había tenido la suerte de ir a sitios que se volvían conflictivos a su llegada y le entregaban insólitas primicias. Fue el primero en documentar las migraciones masivas de Ruanda, el genocidio kurdo, la fuga tóxica de la fábrica Union Carbide en la India. Había ganado premios y enemistades por doquier. Sentía la respiración de sus enemigos en la nuca. Teníamos la misma edad (38), pero él se había gastado de un modo suave, como si hubiera recorrido toda África sin aire acondicionado. Me pareció advertir un filo de mitomanía en la exacta narración de sus agravios. Según él, nadie le perdonaba haber estado en Berlín el día en que cayó el Muro ni haberse encontrado a Vargas Llosa en una camisería de París una semana después de que perdió las elecciones en Perú. Imaginé que era uno de esos periodistas de investigación que alardean de los datos que consiguen pero mienten sobre su fecha de nacimiento. Muchos de los conflictos que tenía con el medio debían venir de la forma en que obtenía las noticias, aprovechándose de gente como yo.

Sus ojos revisaron las mesas vecinas.

—No quería volver a México —dijo en voz baja.

¿Era posible que alguien curtido en golpes de Estado y nubes radiactivas temiera la vida mexicana?

Yo había pedido empipianadas. Katzenberg habló sin dejar de ver mi plato, como si extrajera sus convicciones de la espesa salsa verdosa:

—Aquí hay algo inapresable: la maldad es *trascendente* —se pasó los dedos por el pelo delgadísimo—. No se causan daños porque sí: el mal quiere decir algo. Fue el infierno que Lawrence Durrell y Malcolm Lowry encontraron aquí. Salieron vivos de milagro. Entraron en contacto con energías demasiado fuertes.

En ese momento me trajeron un jarrito de barro con agua de jamaica. El asa estaba rota y había sido afianzada con tela adhesiva. Señalé el jarro:

—Aquí la maldad es improvisada. No te preocupes, Samuel.

4. Oxxo

Katzenberg me resultó más simpático en su faceta paranoica. Ya no era el prepotente león del nuevo periodismo de la visita anterior. Reales o ficticias, las intrigas que padecía mejoraban su carácter. Ahora quería hacer su nota y salir huyendo.

Dije una de las frases que demuestran que soy guionista:

—¿Hay algo que debería saber?

El contestó como si fuera un personaje mío:

—¿Qué parte de lo que sabes no entiendes?

—Estás demasiado nervioso. ¿Tienes broncas?

—Ya te conté.

—¿Tienes broncas que no me hayas contado?

—Si de pronto no te cuento algo es por el bien de la operación.

—"De la operación". Hablas como agente de la DEA.

—Bájale —sonrió, muy divertido—. Necesito proteger a

mi fuente, eso es todo. Te digo lo que necesitas saber. Eres mi Garganta Profunda. No te quiero perder.

—¿Hay algo que no me has contado?

—Sí. ¿Te acuerdas del irlandés antisemita?

—¿El que se quería coger a tu novia?

—Ése. Se quiere coger a mi novia porque ya se cogió a mi esposa.

—Ah.

—Lo acaban de nombrar editor externo de *Point Blank*. Sabe que no he sido muy riguroso con mis fuentes. Ya le puso precio a mi cabeza. Está esperando un errorcito para saltar encima de mí.

—Pensé que todos te odiaban porque fuiste el primero en llegar a Ruanda.

—Hay algo de eso, pero con el irlandés todo tiene que ver con su pito sin circuncisión. Los pinches gringos también tenemos problemas personales. ¿Puedes entender eso, güey?

—Hablas demasiado bien el español. Aquí todos acaban creyendo que eres de la CIA.

—Viví cuatro años aquí, de los 12 a los 16, ya te lo conté. Iba al Colegio Mixcoac. ¿Vas a confiar en mí o no? Necesitamos un pacto, un matrimonio de conveniencia —sonrió.

—En el Colegio Mixcoac no enseñan a decir "matrimonio de conveniencia".

—Hay diccionarios, no seas animal. En el Colegio aprendí lo que se aprende en cualquier colegio: a decir "güey" —me sostuvo la mirada, los ojos convertidos en dos chispas azules—: ¿Puedes entender que me sienta de la chingada, aunque te esté pagando tres mil dólares?

Hicimos las paces. Quise recompensarlo con algún horror cotidiano de la Ciudad de México en el año 2000. Le pedí prestado su celular. Marqué el número de Pancho, un *dealer* que me pareció confiable desde que me dijo: "Si quieres que el diablo te sonría, llámame".

Pancho me citó a dos calles de Los Alcatraces, en el estacionamiento de un Oxxo. Me interesaba que Katzenberg presenciara un conecte de cocaína, tan sencillo y barato como pedir Pizza Domino's. El delito como rutina.

Pancho llegó en un Camaro gris, acompañado de sus

hijas pequeñas. Se acercó a mi ventanilla, se recargó en ella, dejó caer un papel, tomó los doscientos pesos presionados en el saludo.

—Cuídate —me dijo, una palabra intimidatoria en alguien con dedos temblorosos, rostro consumido, piel apergaminada. La cara de Pancho es el mejor antídoto contra sus drogas. El diablo no le sonríe. O quizá esa es su fascinación secreta y cautiva como un rey fenicio defectuosamente embalsamado. Samuel Katzenberg lo vio con avidez, encontrando adjetivos en esa cara desastrada.

Fui al Oxxo a comprar cigarros. Estaba en la caja cuando una sombra rápida entró en mi campo visual. Pensé que asaltaban la tienda. Sin embargo, el cajero miraba algo con más curiosidad que horror. La escena ocurría afuera. Desvié la vista al estacionamiento: Katzenberg era sacado de mi coche por un tipo con pasamontañas.

Una pistola escuadra le apuntaba en la sien. Un segundo hombre de pasamontañas salió de la parte trasera de mi coche, como si hubiera buscado algo ahí. Se dirigió a quienes lo veíamos desde la tienda:

—¡Hijos de su pinche madre!

No vimos el destello de la detonación. El insulto bastó para tirarnos al piso. Caí entre latas, cajas y una lluvia de cristales. Un disparo destruyó el escaparate. Un segundo disparo cimbró el edificio y nos dejó cinco minutos en el piso.

Cuando salí del Oxxo, las puertas de mi coche seguían abiertas, con el desamparo de los autos recién vandalizados. De Katzenberg sólo quedaba un botón que se le desprendió en el forcejeo.

Una nube colorida subía al cielo, despidiendo un aroma químico. El segundo disparo había destruido las dos equis del letrero de neón. Extrañamente, las otras letras se guían encendidas: dos círculos como ojos intoxicados.

5. BUÑUEL

El teniente Natividad Carmona tenía ideas definidas:

—Si masticas, piensas mejor —me tendió un paquete de chicles sabor grosella.

Tomé uno aunque no quería.

Un regusto artificial me acompañó en la patrulla. Desde el asiento del copiloto, Martín Palencia le informó a su compañero:

—El *Tamal* ya mamó.

Carmona no hizo el menor comentario. Yo no sabía quién era el *Tamal* pero me aterró que su muerte se recibiera con tal indiferencia.

Tardé en reaccionar ante el secuestro de Katzenberg. Es algo que sucede cuando uno lleva cocaína en el bolsillo. ¿Cómo actuar mientras oyes sirenas que se acercan? Pancho estaba surtiendo un material finísimo; tirarlo era un crimen.

Después de revisar mi coche (inútilmente, por supuesto), regresé al Oxxo y me dirigí a las latas de leche en polvo. Escogí una para lactantes con reflujo, la marca que salvó a Tania de recién nacida. Desprendí la tapa de plástico y coloqué el papel entre la tapa y la superficie metálica. Con suerte, la recuperaría al día siguiente. Esa leche es un artículo de lujo.

Al volver al coche encontré a dos policías a cargo de la escena. Abrieron la cajuela de guantes con ostentación y sacaron una bolsita con mariguana. Mientras yo me deshacía de la coca, ellos habían *sembrado* esa droga menor en mi auto. No necesitaban eso para llevarme a declarar, pero decidieron ablandarme por si acaso. Iba a ofrecerles un billete (con rastros más incriminatorios que la bolsita de mariguana), cuando un coche gris rata con focos en el techo frenó ante nosotros. Lo hizo con el magnífico rechinido que las patrullas nunca alcanzan en el cine mexicano.

Así conocí a los judiciales Natividad Carmona y Martín Palencia. Tenían pelo de hurón y uñas manicuradas.

Revisaron el auto con moroso deleite mientras yo distinguía una cicatriz en la frente de Carmona y un Rolex, mucho más preocupante, en la muñeca de Palencia. Trataron a los policías de uniforme con absoluto desprecio. Encontraron mi credencial del sindicato de guionistas y la bolsita de mariguana. Me sorprendió su destreza para confrontar ambas cosas:

—Mira, papá —Carmona se dirigió a uno de los policías—:

¿Tú crees que un cineasta se va a drogar con esta marmaja? —me señaló y asumió un tono respetuoso—: El artista se mete cosas más finas —le tendió la bolsa al policía—. Llévate esta mierda.

Los uniformados se fueron con sus ganas de extorsión a otro sitio. Quedé en manos de la Ley capacitada para distinguir mis hábitos por mi credencial de guionista.

Estuvimos horas en el estacionamiento. Los judiciales se comunicaron con el hotel de Katzenberg, Interpol, la DEA, un oficial de guardia en la Embajada de Estados Unidos. Esta eficacia se volvió temible cuando me dijeron: —Vamos a los separos.

Subí a la patrulla. Olía a nuevo. El tablero parecía tener más luces y botones de lo necesario.

—¿Qué tan amigo es del señor Katzenberg? —preguntó Carmona.

Contesté lo que sabía, en forma atropellada, deseoso de agregar sinceridad a cada frase.

Pasamos por una colonia de casas bajas. Había llovido en esa parte de la ciudad. Cada vez que nos deteníamos junto a un auto, el conductor fingía que no estábamos ahí. Cientos de veces yo había estado en la situación de esos conductores: evitando ver a la Ley, procurando que fuera invisible y siguiera su inescrutable destino paralelo.

¿Dónde estaría Katzenberg? ¿Detenido en una barriada miserable, amordazado en una casa de seguridad? Lo imaginé arrastrado por sus secuestradores, en tomas confusas: una espalda avanzaba hacia una niebla turbia; un cuerpo de manos atadas, ya exangüe, era arrastrado sobre la tierra; un bulto que empezaba a ser anónimo, una mera camisa comprada en un almacén barato, un bulto inexplicable, una víctima sin cara, producido por un azar equívoco, un bulto inerte, lamido con ansias por perros callejeros.

Le atribuí un destino atroz a Samuel Katzenberg para no pensar en el mío. 38 años en la ciudad bastan para saber que un viaje a los "separos" no siempre tiene boleto de regreso. "Pero hay excepciones", pensé: gente que sobrevive una semana comiendo periódico en una cañada, gente que resiste quince heridas de picahielo, gente electrocutada en tinas de agua fría que regresa para contar su historia y que nadie la crea. Me di ánimos pensando en las detalladas posibilidades del espanto. Me imaginé deforme y vivo, listo para asustar a Tania con mis caricias. Horrendo pero con derecho a un futuro. Luego me pregunté si Renata lloraría en mi funeral. No, ni siquiera iría al velatorio; no soportaría que mi madre la abrazara y le dijera palabras tiernas y tristes, destinadas a consolarla por ser culpable de mi muerte.

No me hubiera sumido en este melodrama de haber estado ante una amenaza abierta. La patrulla olía bien, yo masticaba un chicle de grosella, avanzábamos sin prisa, respetando las señales. Pero en algún sótano, el *Tamal* había mamado.

—¿O sea que usted es cineasta? —preguntó de pronto Martín Palencia.

—Escribo guiones.

—Le quiero hacer una pregunta: ese Buñuel le entraba a todo, ¿no? Tengo chingos de videos en mi casa, de los que decomisamos en Tepito. Con todo respeto, pero creo que Buñuel le tupía parejo. A las claras se ve que era bien drogado, bien visionudo. Para mí es el Jefe, el Jefe de Jefes, como dicen los Tigres del Norte, el mero capo del cine, el único que de veras tuvo los huevos cuadrados —Palencia agitaba las manos para apoyar sus comentarios, sus ojos brillaban, como si llevara mucho tiempo tratando de exponer el tema—. ¡Que un viejito como ése se meta todo lo que quiera! Yo siempre digo: "Shakespeare era puto y a mí qué". Esos cabrones están creando, creando, creando —movió la cabeza con fuerza, a uno y otro lado; el gesto sugería coca o anfetaminas—. ¿Se acuerda de esa de Buñuel en que dos viejas son una sola? Las dos están buenísimas, pero son distintas, no se parecen ni madres, pero un viejillo las confunde, así de enculado está. Ninguna de las dos le afloja. Las muy desgraciadas se ponen cada vez más buenas. Es como si el viejillo viera doble. Dan ganas de estar tan confundido como él. Así es el surrealismo, ¿no? ¡Sería bien padrote vivir bien surrealista! —hizo una pausa, y después de un hondo suspiro me preguntó—: ¿Entonces qué, a qué le entraba el maestro Buñuel?

—Le gustaban los martinis.

—¡Te lo dije pareja! —Palencia palmeó a Carmona.

6. El hámster

Después de un trayecto que se alargó por una discusión fílmica en que Palencia trató de convencer a Carmona de que el surrealismo era más caliente que el porno, me dejaron ante un agente del Ministerio Público.

El funcionario me hizo unas cincuenta preguntas. Me preguntó si tenía un alias y si había sostenido "comercio sexual" con el secuestrado.

La fuerza del interrogatorio no estaba en las preguntas sino en la forma en que se repetían, apenas modificadas, para detectar discrepancias. Puestas en otro orden o con algún matiz, las preguntas sugerían algo distinto, me hacían ver como si yo supiera cosas antes de que ocurrieran y las hubiese intuido o aun planeado.

Me preocupaba Katzenberg. Yo lo llevé al Oxxo y tenía parte de culpa en lo que había pasado. Pero algo más fuerte, algo lejano, peligroso, ilocalizable, se había apoderado de él. ¿Me seguirían a mí también? Por el momento, lo único que me importaba era contestar esas preguntas que cambiaban al repetirse. Me dejaron ir a las dos de la mañana.

Al llegar a mi departamento me desplomé en la cama, pensando en la cocaína que dejé en el Oxxo. Me quedé dormido sin desvestirme. Caí en un sueño profundo donde, de vez en cuando, sentía el roce de una aleta.

Desperté a las ocho de la mañana. Me asomé a ver a los corredores que circundaban el Parque de la Bola. Luego revisé mi contestadora. Dos mensajes. La voz de Cristi estalló de entusiasmo en la bocina: "¡Qué guionzazo! Eres genial. Ya sé que los elogios ya no se usan en la posmodernidad, no te ofendas, pero contigo dan ganas de ser anticuadísima. Me muero de ganas de verte. Un besito. Bueno, mil". Cristi estaba exultante. Yo no sabía que Gonzalo Erdiozábal le hubiera enviado el guión ni recordaba haberle dado el fax de Cristi. Aunque, la verdad sea dicha, recordaba muy pocas cosas. El segundo mensaje decía: "Urge que vengas. Tania está hecha un alarido" (mi ex mujer me habla como si nuestra hija fuera un incendio y yo una central de alarmas).

Desayuné un panqué y un cigarro y salí a casa de Renata. En el trayecto pensé en Cristi, su voz entusiasta, su deseo de ser anticuadísima, algo magnífico en un presente desastroso. Me pregunté si alguna vez se serviría de esa maravillosa voz para exigirme que recogiera a nuestra hija.

Gonzalo siempre había sido un gran amigo. Ahora también sabía que era mejor guionista que yo.

Encontré a Tania bastante tranquila. En cambio, Renata me vio como si leyera en mi rostro un detalle infame del código penal. Agitó las manos como para espantar una nubecilla de moscas de fruta. Luego explicó el problema: Lobito, el hámster de Tania, se había perdido en el Chevrolet, ese vejestorio que nos causa tantos problemas y demuestra que la pensión que le paso es raquítica. Señaló el auto: un lugar de acción para mí, las cosas que debe resolver un hombre.

Busqué el hámster en el coche, imitando algunos ademanes de perito que le vi a los judiciales. Lo único que encontré fue un broche de carey, en forma de signo del infinito. Renata lo usaba cuando la conocí. Me pareció tan increíble que ese delgado material translúcido proviniera de una tortuga como que mis dedos lo hubieran desabrochado alguna vez. Ahora el mecanismo se había trabado (o mis dedos habían perdido facultades).

Decidí que Lobito fuera buscado por especialistas. Tania me acompañó a la agencia de la Chevrolet. Un mecánico de bata blanca recibió mi solicitud con apatía, como si todos los clientes llegaran con roedores extraviados en las vestiduras del coche. Es posible que los gases tóxicos otorguen esa resignada eficiencia.

—Esperen en Atención a Clientes —señaló un rectángulo acristalado.

Ahí nos dirigimos. Los lugares de espera del país se han llenado de televisiones: vimos un comercial del gobierno que me causa especial repugnancia porque yo lo escribí. Durante un minuto se promueve una república de ensueño donde cuatro paredes de tabicón califican como un aula y el presidente sonríe, satisfecho de su logro. El mensaje no puede ser más contradictorio: la pobreza parece resuelta y al mismo tiempo imbatible. La cámara abre la toma, mostrando un paisaje yermo. Es como si el gobierno dijera: "Ya hicimos lo poco que se podía". La última imagen muestra a un niño miserable con la boca abierta ante un gotero. El poder ejecutivo deja caer ahí una gota providente.

Cerré los ojos hasta que Tania me jaló del pantalón.

El hombre de bata blanca tenía a Lobito en las manos:

—Tuvimos que desmontar el asiento trasero —le tendió la mascota a Tania—. También encontramos esto —me dio una pelota de tenis que en la oscura cavidad del auto había perdido su refulgente color verde limón.

La tomé con manos temblorosas. El contacto velludo con esa esfera activó insólitos recuerdos: Gonzalo Erdiozábal, simulador impenitente, me había traicionado.

7. El Santo Niño Mecánico

En los años ochenta Renata había querido llevar una vida muy libre pero también necesitaba coche. Aunque odiaba que un hombre quisiera protegerla, aceptó que su padre le regalara un Chevrolet. Durante unas semanas se sintió traidora y dependiente. Lanzó al aire las tres moneditas del *I Ching* sin encontrar metáforas que la tranquilizaran.

Siempre dispuesto a auxiliar a los amigos y a combinar su generosidad con alguna forma de la actuación, Gonzalo Erdiozábal la convenció de someter el coche a un rito vernáculo: el "regalo de papi" podía convertirse en un "auto sacramental".

Gonzalo tenía una forma tan intensa de ser incoherente, que aceptamos su plan: iríamos con un sacerdote que bendecía taxis el día de San Cristóbal, patrono de los navegantes. La iglesia quedaba lejísimos; valía la pena hacer una excursión, algo al fin distinto.

Renata no había querido bautizar a Tania. Sin embargo, se sentía tan culpable de llegar a la Escuela de Antropología en un coche último modelo que en este caso el bautizo le pareció una oportunidad de mezclar un regalo burgués con un hecho social.

Gonzalo se autonombró padrino de la ceremonia. Llegó a nuestra casa con una hielera llena de cervezas y botanas compradas en el mercado de Tlalpan.

Fuimos a un confín donde, asombrosamente, la ciudad seguía existiendo. Nos perdimos varias veces en el camino, nadie parecía conocer la parroquia, nos dieron señas contradictorias hasta que vimos un taxi ataviado para la fiesta, con guirnaldas de papel de china, y decidimos seguirlo.

Cuando llegamos, decenas de taxis aguardaban ser bautizados. Al fondo, la capilla alzaba sus pequeñas torres color azul malvavisco, como un *kindergarten* convertido en iglesia.

—¿Bautizarán un coche que no es taxi? —preguntó Renata.

—Es lo importante: no ser taxi y estar aquí —Gonzalo habló como un gurú del mundo híbrido.

Luego contrató un trío para amenizar la espera. Oímos boleros y a la cuarta cerveza sentí compasión por mi amigo. He escatimado un dato esencial: Gonzalo amaba a Renata con desesperación y descaro. Su coqueteo era tan obvio que resultaba inofensivo. Mientras escuchábamos las infinitas maneras de sufrir de amor propuestas por el bolero, pensé en el vacío que definía la vida de Gonzalo y determinaba sus cambiantes aficiones, la fuga hacia delante en que se convertían sus años.

Algunas mujeres lo habían acompañado en forma ocasional. Ninguna duró más tiempo que el necesario para tejerle un chaleco de colores psicodélicos o para que él aprendiera una nueva postura de yoga. Renata le había servido como el horizonte siempre postergado que justificaba sus amoríos en falso.

En la fila de espera, sentí una intensa lástima por Gonzalo y le dije esas cosas que se pronuncian en las pausas de la música romántica hasta que las cuerdas regresan a cobrar sus cuentas.

El trío se quedó sin repertorio antes de que llegáramos a la capilla. Cuando finalmente estuvimos a tres taxis de distancia, nos informaron que se había ido el agua, no sólo en la iglesia, sino en toda la colonia.

Vimos el hisopo seco del sacerdote. El viento hacía volar periódicos y bolsas de celofán.

Renata se resignó a que su auto circulara por el limbo y se estacionara en la Escuela de Antropología sin haber pasado por un rito popular.

Para entonces Gonzalo ya estaba borracho y muy decidido a ser nuestro compadre automotriz. Pidió que lo esperáramos y se perdió en una calle de tierra.

Entramos a la iglesia. En un altar lateral vimos al Santo Niño Mecánico. Sostenía una llave de cruz, ataviado con un ropón de mezclilla. Su rostro color de rosa, con mejillas cárdenas, parecía trabajado por un pintor de rótulos.

El altar estaba rodeado de exvotos que narraban milagros viales y coches en miniatura que los taxistas dejaban como ofrendas.

Salimos al atrio, bajo el último sol de la tarde.

Gonzalo había partido con mirada de poseso. Lamenté su soledad, su pasión vicaria por Renata, sus inútiles cambios de piel.

Un estruendo y una nube de polvo anunciaron su regreso. Llegó colgado de la cabina de un camión de Agua Electropura. Los botellones de cristal despedían un brillo azulado.

Hasta aquí la imagen era épica, o por lo menos extraña. Al acercarse a nosotros se volvió criminal: Gonzalo amenazaba al conductor con el punzón que usaba para hacer signos de *Peace & Love* en madera de balsa. Cuando bajó del camión, su rostro tenía el desfiguro de la demencia.

El sacerdote se negó a reanudar el sacramento con agua robada.

Gonzalo mostró un abanico de billetes:

—No quieren venderme un garrafón.

—No me autorizan a salirme de mi ruta —dijo el encargado del agua, en ese tono esclavista que no admite sugerencias.

—Esa agua ya fue insuflada por el pecado —sentenció el sacerdote.

En el aire polvoso, los botellones refulgían como un tesoro.

—¡Por favor! —Gonzalo se arrodilló con un patetismo genérico, dirigido por igual al sacerdote que al chofer del camión.

Dos taxistas nos ayudaron a meterlo al coche. No habló en el camino de regreso. La estrafalaria diversión del sábado se había convertido en algo vergonzoso. Sobre todo, era horrible no poder consolar a nuestro amigo. Después de mis más penosas intoxicaciones, él me había dicho: "No te preocupes, eso le pasa a cualquiera". En efecto, cualquiera puede ser un adicto lamentable. No podía decir lo mismo de él. Su pérdida de control había sido única.

Lo acompañé hasta la puerta de su edificio. Me abrazó con fuerza. Olía a sudor agrio.

—Perdón, soy un pésimo amigo —masculló.

Obviamente, pensé que se refería a nuestra absurda expedición a la iglesia de San Cristóbal. Muchos años después, la pelota de tenis encontrada en el asiento trasero vincularía las cosas de otro modo.

8. EL LEMA

Unas semanas antes del fallido bautizo, varias parejas pasamos un fin de semana en la hacienda de Giménez Luque, un amigo millonario. Aunque sólo el anfitrión era capaz de controlar una raqueta, la cancha de tenis nos imantó como un oasis disponible. Muchas pelotas fueron a dar más allá de las rejas metálicas que delimitaban el terreno de juego. Pero sólo importa una. Renata y Gonzalo fueron por ella. Regresaron más de una hora después, con las manos vacías. Se habían afanado mucho en encontrarla, pero no dieron con su escondite. Renata tenía la piel enrojecida. Se mordía obsesivamente un padrastro en el dedo índice.

Ahora conocía la verdad: no perdieron la pelota en el campo, sino en el asiento trasero del Chevrolet, de donde acababa de salir. ¡A ese mismo hueco había ido a dar mi peine cuando Renata y yo hicimos el amor en el Desierto de los Leones! A ese mismo hueco fue a dar Lobito.

¿Podía tratarse de otra pelota? Por supuesto que no. El número de pelotas desperdigadas por el mundo es inconcebible. Pero lo que yo sentí al tocar el vello recién salido a la luz de esa pelota es irrefutable.

Además, había otras claves. La relación con Renata se empezó a enfriar en esos días. No quiso hacer el amor conmigo en la hacienda, sus manos me esquivaban.

Renata no volvió a interesarse en el tenis. Es posible que tampoco se interesara más en Gonzalo. No encuentro vínculos posteriores entre ellos. En cierta forma, ella se divorció de nosotros dos: no concebía a un amigo sin el otro. Gonzalo fue para ella lo que tantas veces había sido para otras y para sí mismo, un arrebato imprescindible y breve.

De cualquier forma, Gonzalo había cruzado la línea que lo convertía en un perfecto hijo de puta. Cuando me pidió perdón afuera de su casa, no se refería al ridículo de ese sábado, sino a la traición que no sabía cómo nombrar.

La pelota de tenis me ardió en la mano. Sentí tanta rabia que no pude pensar en otra cosa el resto del día. Olvidé la cocaína que había dejado en el Oxxo. Olvidé que Katzenberg había desaparecido. Olvidé que la ballena inflable de Tania necesitaba un estanque.

Traté en vano de localizar a Erdiozábal. Quemé los papelitos que tapizaban mi computadora, uno por uno, para que eso pareciera una actividad. Ardieron como pellejos sacrificiales pero no me sentí mejor.

Hojeé revistas. En una *Rolling Stone* de hacía dos años encontré una entrevista con Katzenberg que no había leído. Una reportera le preguntaba: "¿Cuál es su lema?". Curiosamente, él tenía uno: "Flotar en las profundidades". Tal vez eso significaba ser alguien de éxito: tener un lema. Quemé el último papel amarillo y salí a la calle.

El Parque de la Bola no era el mejor sitio para despejar la mente. Ahí estaba el judicial aficionado al cine surrealista, Martín Palencia. Llevaba un periódico deportivo y un capuchino en un vaso de poliuretano. Se disponía a disfrutar de una pausa antes de llamar a mi casa. Mi llegada le había arruinado ese momento.

Habló con desgano de cosas encontradas en el cuarto de hotel de Katzenberg: apuntes sobre la violencia, el "secuestro exprés", la "ordeña" en cajeros automáticos, la gente "encajuelada" en los coches. ¿Qué sabía yo? Dije que Katzenberg quería escribir de cosas siniestras pero aún no se había topado con ellas; sus editores de Nueva York le exigían que contara algo horrendo de México, un parque temático de las atrocidades.

Palencia sorbió su capuchino, absorto en sus propios pensamientos.

Recordé el pretencioso lema de Katzenberg. Ahora en

verdad lo necesitaba. ¿Sería capaz de flotar en las profundidades en las que había caído? Volví a decir lo que sabía, casi nada.

Palencia observó con interés que en los apuntes aparecía la palabra "buñuelesco". Era una clave, ¿o qué?

—Cuando un periodista gringo encuentra lo "buñuelesco" en México quiere decir que vio algo horrendo que le pareció mágico.

—¿No se le ocurre una conspiración? —luego pasó a un tuteo amenazante—: el gringo estaba aquí para verte; no se te olvide. Si te pasas de verga vas a acabar jodido. ¿Te acuerdas de *Ensayo de un crimen*, la película de Buñuel?

—Sí —contesté para apresurar el diálogo.

—Acuérdate de lo que le pasa al maniquí de la rubia: lo achicharran. Luego achicharran a la protagonista. Las rubias que no hablan acaban en el fuego, mi reina.

Quise despedirme, pero Palencia me detuvo:

—No te pierdas —me tocó la mejilla con un afecto letal.

Volví a mi edificio. Cristi estaba en la puerta.

—Perdón por venir sin avisar. Tenía muchísimas ganas de verte —sus ojos despedían un brillo adicional; se pasó la mano por el pelo, nerviosa—: No siempre soy así, de veras.

Subimos al departamento. Lo primero que hizo fue ver mi computadora, recién despejada de la hojarasca amarilla.

—Me encantó la idea con que empiezas el guión: la computadora tapizada de papelitos, como un moderno dios Xipe Tótec. Ahí está la desesperación del guionista y el sentido contemporáneo del sincretismo. Pero no vine a ponerme pedante —me tomó de la mano.

Gonzalo Erdiozábal me había convertido en el protagonista de su guion. Su abusiva imaginación no dejaba de sorprenderme, pero no pude seguir pensando. Los labios de Cristi se acercaban a los míos.

9. Barbie

Hubiera sido elegante olvidar mi cocaína con valor de veinte dólares, pero regresé al Oxxo dispuesto a revisar cada lata para bebés con reflujo. No había ninguna.

—La contaminación produce reflujo —me dijo el encargado—. Nunca tenemos suficientes latas.

Gonzalo se volvió tan ilocalizable como mi cocaína. Le dejé varios recados. A cambio, grabó este escueto mensaje en la contestadora: "Ando en la loca. Me voy a Chiapas con unos visitadores suecos de derechos humanos. Suerte con el guion".

En esos días tampoco supimos nada de Keiko. ¿Ya habría llegado a su destino en altamar? Cometí el error de volver con Tania a Reino Aventura. Un infructuoso delfín atravesaba la pecera.

Me preocupaba Katzenberg y temía que Palencia regresara a convertirme en culpable de algo que yo ignoraba. Pero mi mayor angustia, debo confesarlo, venía de desconocer lo que "yo" había escrito. Cristi amaba la personalidad que había cristalizado en el guion.

Supe que ella tenía un lunar maravilloso en la segunda costilla y una manera única de lamer las orejas, pero no supe cómo la cautivé. Aunque insistía en que se había fijado en mí desde antes, el guion fue decisivo. Además, eso le permitía sentirse responsable de la forma en que yo me había abierto: ella había propuesto el tema. Su orgullo me pareció merecido. Lo único que me faltaba era saber a qué se refería. Citaba frases del guion con tanta frecuencia que cuando dijo "Dios es la unidad de medida de nuestro dolor" pensé que era algo que "yo" había escrito. Tuvo que explicar, con humillante pedagogía, que se trataba de una frase de John Lennon.

O el texto de Gonzalo era muy largo o mi interior muy escueto. Según Cristi me mostraba por entero. En especial, le asombró mi valentía para confesar mis caídas y mis carencias afectivas. Resultaba admirable que hubiera podido sublimarlas a propósito del sincretismo mexicano: "yo" representaba al país con una sinceridad pasmosa.

Cristi se enamoró del atribulado y convincente personaje creado por Gonzalo, la sombra que yo trataba de imitar sin saber qué guion seguir (¿sería demasiado brutal pedirle una copia a Cristi?).

Entré en un vago proceso de reforma personal. Estimulado por las inciertas virtudes que me atribuía Cristi, aminoré

247

las sórdidas mañanas que comenzaban olfateando billetes. La vida sin coca no es fácil, pero poco a poco me iba convenciendo de ser otra persona, con tics repentinos y una atención desfasada, algo necesario para desmarcarme de la absurda persona que había sido hasta entonces.

El caso Katzenberg seguía abierto y tuve que volver al Ministerio Público. Mis declaraciones fueron confrontadas con las de otros testigos y el cajero del Oxxo. Un agente tuerto nos tomó dictado. Escribía con inmensa rapidez, como si alardeara de una facultad desconocida para la gente con dos ojos.

Al compararse, nuestros testimonios —pardos, dubitativos, reticentes— causaban una violenta sensación de irrealidad, de contradicciones casi propositivas. Había discrepancias de horarios y puntos de vista. De muy poco sirvió que yo dijera:

—En este país nadie sabe nada.

Me retuvieron más tiempo que a los otros. Al cabo de siete horas, un dato se aclaró en mi mente hasta adquirir el rango judicial de "evidencia": cuando salimos de Los Alcatraces, usé el celular de Katzenberg para avisarle a Pancho que ya estábamos en camino. Luego lo dejé en el asiento trasero del coche. No se lo devolví al periodista. Eso fue lo que el segundo secuestrador buscó en mi coche. Querían a Katzenberg con su teléfono.

Me entusiasmó encontrar una pieza faltante en el caos, pero no se la comuniqué al agente tuerto. El teléfono probaba mis vínculos con el tráfico de cocaína.

Estaba exhausto, pero el oficial Martín Palencia aún quería hablar conmigo. Natividad Carmona lo observaba a unos metros, comiendo una gelatina verde.

—Mire —me mostró una muñeca Barbie—. Es de las que fabrican en Tuxtepec, pero les ponen *"Made in China"*. Estaba en el cuarto del señor Katzenberg. ¿Usted sabe por qué?

—Un regalo para su hija, supongo.

—¿Usted compraría una Barbie en México, si fuera gringo? Esto se parece a *Ensayo de un crimen*, me cae que sí.

Palencia se me acercó:

—Mira, preciosa: puedes ser cineasta sin volverte puta. Todavía no quiero que me la mames, pero si le diste datos raros a tu padrote gringo te vas a arrepentir. Las niñas malas acaban muy cogidas —abrió las piernas de la Barbie; su dedo índice semejaba un pene inmenso—. No es necesario que te parta en dos, muñeca —no se dirigía a la Barbie sino a mí.

Cuando finalmente me dejaron ir, Carmona mordía una cáscara de mandarina.

10. Sharon

Dos días después una rubia entró en escena, pero no de la clase que esperaba Palencia. Sharon llegó a México a buscar a su marido. Llegó con bermudas, como si visitara un trópico con palmeras. Esa ropa, y toda la demás que le vi, se veía muy mal en alguien con sobrepeso. En sus pies, los relucientes Nike no parecían deportivos sino ortopédicos.

Almorcé con ella y salí con dolor de cabeza. Le molestó que hubiera tantas mesas para fumadores, que la música estuviera tan fuerte y las televisiones se consideraran decorativas. A mí todo eso también me molesta, pero no me pongo histérico. Se sorprendió de que los mexicanos sólo conociéramos el queso americano amarillo (en apariencia también hay blanco, mucho más sano) y que yo ignorara cuál de los tres bolillos que nos ofrecían tenía más fibra. Sus obsesiones alimenticias eran patológicas (tomando en cuenta que estaba gordísima) y sus hábitos culturales se sometían a una dieta no menos severa. Por hacer conversación, le pregunté si el secuestro de su marido había salido en CNN.

—La televisión equivale a una lobotomía frontal. No la veo nunca —respondió.

Por lo poco que había visto de la Ciudad de México, estaba convencida de que no respetamos a los ciegos. Le dije que la mejor forma de tolerar esta ciudad era ser ciego, pero no apreció el chiste.

—Hablo de discapacitados —dijo con solemnidad—: no hay rampas. Cruzar una calle es un acto salvaje.

Aunque tenía razón, me molestó que generalizara después de recorrer tan pocas calles. Caí en un mutismo de piedra. Ella me mostró el último número de *Point Blank*, con un reportaje sobre Katzenberg: "Desaparecido: *Missing*".

249

Sharon me había caído tan mal que no me pareció ofensivo leer en su presencia. Entre fotos de juventud y testimonios de amigos, el periodista era evocado como un mártir de la libertad de expresión, ultimado en un paraje sin ley. La Ciudad de México brindaba un trasfondo patibulario al reportaje, un laberinto dominado por sátrapas y deidades que nunca debieron salir del subsuelo.

Me molestó la amañada beatificación del periodista, pero me puse de su parte cuando Sharon dijo:

—Sammy no es ningún héroe de acción. ¿Sabes cuántos laxantes toma al día? —hizo una pausa; no me extrañó que añadiera—: Estábamos a punto de separarnos. Veo un ángulo muy raro en todo esto. Tal vez se escapó con alguien más, tal vez teme enfrentar a mis abogados.

Yo no tenía una opinión muy elevada de Katzenberg, pero su mujer ofrecía un argumento para el autosecuestro.

Sharon desvió la vista a la mesa de junto. En unos minutos encontró diez errores en la forma en que esos padres estaban educando a su hijo.

Ignoro si Sharon era respaldada por una tradición puritana, una vida de pioneros que habían vencido la ruda intemperie, una iglesia sin adornos donde se cantaban coros de piadosa sencillez, una cotidianidad repleta de oraciones. Lo cierto es que estaba convencida de que la verdad horrible es positiva. Actuaba al margen de toda consideración emocional, como si al separar el sentimiento de los hechos cumpliera un fin ético.

Durante el postre, en el que por desgracia no hubo galletas bajas en calorías, me explicó sus derechos. Si cedía al sentimiento, todo estaría perdido. Sólo se guiaba por principios.

Había demandado a *Point Blank* por publicar fotos del álbum familiar sin su permiso. Eso lesionaba sus intereses: si esas fotos se conocían, iba a ser más difícil vender una opción para una miniserie sobre la tragedia de su marido.

Venía de Los Ángeles de hablar con productores. Yo podía ser de ayuda. Obviamente nadie aceptaría a un guionista mexicano. ¿Me interesaba un trabajo de asesor? Nunca una negativa me pareció tan dulce: —Soy amigo de Samuel —mentí.

11. La bola es el mundo

La pesadilla de frecuentar a Sharon fue matizada por las nuevas muestras de amor que me dio Cristi: la llevó a comprar artesanías al Bazar del Sábado, le consiguió unas gotas que desinfectaban ensaladas en forma instantánea y le entregó una lista de farmacias que abren las 24 horas.

Además, estableció una espléndida relación con Tania y memorizó el cuento de las zanahorias carnívoras para recitárselo en los embotellamientos.

Lo más sorprendente fue que la onda expansiva de Cristi llegó a Renata. Una tarde se encontraron afuera de mi casa.

—Qué mona es tu novia —dijo mi ex.

Por un momento pensé que también yo era capaz de "flotar en las profundidades".

Pero una noche, mientras dormitaba ante las noticias de la televisión, sonó el teléfono:

—Estoy aquí —oír esa voz trémula, apagada, apenas audible, significaba entender, con estremecedora sencillez, "estoy vivo".

—¿Dónde es "aquí"? —le pregunté.

—En el Parque de la Bola.

Me puse los zapatos y crucé la calle. Samuel Katzenberg estaba junto a la esfera de cemento. Se veía más delgado. A pesar de la oscuridad, sus ojos reflejaban angustia. Abracé su camisa de cuadros. Él no esperaba el gesto. Se sobresaltó. Luego, como si apenas ahora aprendiera a hacerlo, puso sus manos en mi espalda. Lloró, con un hondo gemido. Un hombre que paseaba un afgano se alejó al vernos.

Katzenberg olía a cuero rancio. Entre sollozos, me dijo que lo habían liberado en las afueras de la ciudad, junto a una fábrica de cemento. Ahí paró un taxi. No recordaba mi dirección, pero sí el absurdo nombre de la glorieta que estaba enfrente:

—"Parque de la Bola" —recitó.

Guardó silencio. Luego vio la esfera de cemento, se acercó a ella, la palpó con manos torpes, reconoció el débil contorno de los continentes:

—La bola es el mundo —dijo con emoción.

Fuimos al departamento. Después de darse un baño me

contó que había estado encapuchado, en un cubil diminuto. Sólo le daban de comer cereal. En una ocasión se lo mezclaron con hongos alucinantes. Le quitaban la capucha una vez al día para que contemplara un altar donde se mezclaban imágenes cristianas, prehispánicas, posmodernas: una Virgen de Guadalupe, un cuchillo de obsidiana, unos lentes oscuros. En las tardes, durante horas sin fin, le ponían "The End", de los Doors. A sus espaldas, alguien imitaba la voz dolida y llena de Seconales de Jim Morrison. La tortura había sido terrible, pero le había ayudado a entender el apocalipsis mexicano.

Los ojos de Katzenberg se desviaban a los lados, como si buscara a una tercera persona en el cuarto. Yo no tenía que buscarla. Era obvio quién lo había secuestrado.

12. *Friendly Fire*

—¡Qué milagrín! —Gonzalo Eridozábal me recibió en pantuflas.

Entré a su departamento sin decir palabra y tardé en decirle algo. Demasiadas cosas se revolvían en mi interior, la zona que con tanto cuidado evito al escribir guiones. Cuando finalmente hablé, no fui capaz de reflejar la complejidad de mis emociones.

Gonzalo se sentó en un sofá recubierto de pequeñas alfombras. La decoración expresaba el frenesí textil del inquilino. Había estambres huicholes en colores que reproducían la electricidad mental del peyote, tapetes afganos, cuadros de una ex novia que alcanzó sus quince minutos de fama enhebrando crines de caballo en papel amate.

—¿Un tecito? —ofreció Gonzalo.

No le di oportunidad de que se hiciera el médico naturista. Desvié la vista al cartel de Morrison. El secuestro tenía su sello de fábrica. ¿Cómo pudo ser tan burdo? Arrodilló a su víctima ante un altar sincrético que tal vez —y la idea me espantó— aparecería en "mi" guion.

Con frases sinceras y torpes hablé de su afán de manipulación. No éramos sus amigos: éramos sus fichas. ¡Podíamos ir a la cárcel por su culpa! ¡Los judiciales me estaban vigilando! Si yo le importaba un carajo, por lo menos podía pensar en Tania. Un regusto amargo me subió a la boca. No quise ver a Gonzalo. Me concentré en los arabescos de la alfombra principal.

—Perdón —volvió a decir esa palabra que sólo servía para inculparlo—. No te pido que me entiendas. Pero toda historia tiene su reverso. Déjame hablar.

Lo dejé hablar, no porque quisiera sino porque los labios me temblaban demasiado para oponerme.

Me recordó que en la visita anterior de Samuel Katzenberg él había inventado rituales mexicanos a petición mía. Fui yo quien lo involucró con el periodista. Martín Palencia tuvo razón cuando acarició el pelo rubio de la muñeca: yo había conectado a Katzenberg con su secuestrador, pero entonces no lo sabía. ¿Cómo no lo intuí antes? ¿Qué clase de pendejo era ante Gonzalo?

—Soy actor —dijo él, con voz serena—, siempre lo he sido, eso lo sabes. Lo único es que el teatro me quedó chico y busqué otros foros. No me presentaste a Samuel para que dijera la verdad sino para que simulara.

Katzenberg le tomó afecto y le anunció que volvería a México. Se lo dijo a él antes que a mí. Por eso no se sorprendió cuando le dije que el periodista había vuelto a la ciudad. ¿Era un pecado que estableciera relaciones por su cuenta? No, claro que no. Samuel se había franqueado con él: se estaba divorciando y su contrato prematrimonial tenía una cláusula que lo libraba de responsabilidades en caso de sufrir una severa crisis nerviosa; además, le urgía escribir un buen reportaje.

—No es cierto que un irlandés antisemita se estuviera cogiendo a su novia y a su esposa. Samuel no tiene novia. ¿Ya conociste a Sharon? Eso demuestra que el irlandés no existe. También a Sammy le gustan los montajes. Quería tenerte de su parte. Cree que eres sentimental. ¿Sabes por qué le urgía escribir un buen reportaje? Porque el verificador de datos le hizo un flaco favor cuando publicó su nota sobre Frida Kahlo y el volcán. Descubrió toda clase de exageraciones y mentiras, pero no corrigió nada. Dos años después hubo una "auditoría de datos". Esas cosas pasan en Estados Unidos. Son unos pinches puritanos de la verdad. Un batallón de verificadores revisó los reportajes y el de

Samuel sobre México quedó del nabo. La principal fuente de sus embustes eras tú. Dijiste mamada y media para aplacar su sed de exotismo. Samuel se equivocó: su Garganta Profunda era un delirante. ¿Sabes por qué te buscó en su segunda visita? Para enterarse de lo que *no* debía escribir. El farsante original eres tú. Acéptalo, cabrón.

Eso era lo que Katzenberg pensaba de mí: mis palabras representaban el límite de la credibilidad. Por eso se veía tan esquivo e inseguro en Los Alcatraces. No desconfiaba de las otras mesas sino de lo que tenía enfrente.

El secuestro orquestado por Gonzalo lo sumió en la realidad que tanto ansiaba. Katzenberg lo había vivido como algo indiscutiblemente verdadero: sus días en cautiverio fueron de una devastadora autenticidad.

—En la guerra a veces un comando elimina a sus propias tropas. Le dicen *"friendly fire"*, fuego amigo. No creo que Samuel haya sufrido más de lo que quería sufrir. El divorcio y la crónica le van a salir regalados. ¿Sabes quién pagó el rescate? —hizo una pausa teatral—. Su revista.

—¿Cuánto te dieron, hijo de la chingada?

—Déjame acabar: ¿sabes lo que descubrió Samuel?

No contesté. Tenía la boca llena de saliva amarga.

—¿Conoces las Barbies de Tuxtepec? —me preguntó.

Pensé en la muñeca que me había mostrado el judicial, pero no dije nada. Gonzalo no necesitaba mis respuestas para seguir hablando:

—Antes de hablar contigo, Samuel fue a Tuxtepec. Descubrió que la fábrica está llena de chinos. Una mafia de Shanghai falsifica aquí lo que supuestamente viene de Pekín. Vivimos en un mundo de espectros: copias de las copias, la piratería total. El próximo reportaje de Samuel se llamará: "Sombras chinas".

Gonzalo Erdiozábal se sirvió una taza de té.

—¿De veras no quieres?

—¿Es té pirata? —pregunté— ¿Cuánto cobraste?

—¿Qué clase de insecto crees que soy? ¡No cobré nada! Los setenta y cinco mil dólares son para los niños pobres de Chiapas.

Me mostró un recibo impreso en una lengua que no entendí. Luego añadió:

—El gobierno sueco supervisa los depósitos. Le dimos la vuelta a la violencia, para una causa justa —bebió té con lentitud, abriendo un paréntesis para agregar—: confundiste al pobre Samuel con todas las pendejadas que dijiste en su otra visita. Casi perdió el trabajo. Ahora no sabía en quién confiar. Si yo no lo hubiera secuestrado, la mafia china le habría echado el guante.

—¿Lo secuestraste por filantropía?

—No simplifiques. Al final todo fue para una causa justa.

Yo no podía más:

—¿Te parece una causa justa cogerte a Renata?

—¿De qué hablas?

—De una hacienda, pendejo. De la cancha de tenis. De cuando fuiste por una pelota con Renata y tardaron siglos en regresar. Hablo de la pelota que acabo de encontrar en el asiento trasero de un Chevrolet, el Chevrolet donde te cogiste a Renata. Eres un animal.

Gonzalo no pudo contestar porque sonó su teléfono celular. El tono de llamada era la versión de Jimi Hendrix del himno de Estados Unidos.

Extrañamente, Gonzalo dijo:

—Para ti —me tendió el teléfono.

Era Cristi. Me había buscado por cielo, mar y tierra. Me extrañaba horrores. Extrañaba las arrugas de mis ojos. Arrugas de pistolero. Eso dijo. Un pistolero que mata a muchos pero es el bueno de la película.

Gonzalo Erdiozábal me veía detrás de la nube de vapor que salía de su taza de té.

Cuando colgué, habló con voz debilitada:

—Cometí un error con Renata. Eso no le sirvió a nadie: ni a ti, ni a ella, ni a mí. Ustedes estaban tronando. Admítelo. Yo fui la puerta de salida. Nada más. Te pedí perdón. Hace eras. ¿Quieres que me arrodille? No me cuesta ningún trabajo. Perdóname, güey. Me equivoqué con Renata, pero no con Cristi.

—¿Qué quieres decir?

—Te adora. Lo supe desde un día que nos encontramos con ella, a la salida de esa infame obra de teatro, *El rincón de los lagartos*. Sólo necesitaba un empujón. Ella tenía dudas de ti. Bueno, todos tenemos dudas de ti, pero al menos eso es algo, de la mayoría de la gente no tengo dudas: es asquerosa y ya.

—¿También la invitaste a jugar tenis?

—No seas ordinario. Escribí lo que pienso de ti, que por lo visto es maravilloso. ¿O no? Lo hice en primera persona, como si hablaras tú. Soy actor, la primera persona suena muy sincera en voz de los actores.

Guardé silencio. Me costó mucho trabajo decir la frase, pero no podía irme sin pronunciarla:

—¿Tienes una copia del guion?

—Claro, maestro.

Gonzalo parecía aguardar ese momento. Me tendió una carpeta encuadernada.

—¿Te gustan las tapas? La textura se llama "humo", es negra pero puedes ver a través de ella: como tu mente.

Lee el guion para que veas cómo te quiero.

Un resto de dignidad me impidió contestar.

Salí sin el melodrama de azotar la puerta, pero con la afrenta de dejarla abierta.

13. DÓLARES

Katzenberg regresó a Nueva York con su esposa, pero se divorció a las pocas semanas, sin el menor contratiempo legal de por medio. Alguien que pasa por un secuestro en México y es calificado por el presidente como *an American hero* tiene derecho a la cláusula de excepción del contrato prematrimonial.

Me habló desde su nuevo departamento, muy agradecido por lo que había hecho por él:

—Te juzgué mal después de mi primer viaje. Gonzalo insistió en que te volviera a contactar. En verdad valió la pena.

Su crónica sobre la piratería china fue un éxito que pronto rebasó con la crónica de su secuestro, que obtuvo el insuperable Meredith Non Fiction Award.

Con el mismo asombro con que sus lectores lo seguían en Estados Unidos, yo leí el guion en que Gonzalo me suplantaba con desafiante exactitud. Había hecho una pantomima perfecta de mis manías, pero logró que mis limitaciones lucieran interesantes. Su autobiografía ajena era una muestra del talento para suplantar de un actor, pero también de la tolerancia con que había sobrellevado mis defectos. Tenía una manera rara de ser un gran amigo, pero en verdad lo era.

Por amor propio tardé dos meses en decírselo.

Nunca hablé con Renata de su *affaire* con Gonzalo. Mi única venganza fue entregarle la pelota de tenis que encontré en el Chevrolet, pero la memoria es un universo caprichoso. Ella la tomó con indiferencia y la puso en un frutero, como una manzana más.

Cristi se llevaba cada vez mejor con Tania, aunque no compartía nuestro interés en Keiko, quizá porque eso ocurrió antes de su llegada a nuestras vidas.

Las noticias de la ballena eran las únicas tristes: no sabía cazar ni había encontrado pareja en los mares fríos. Parecía extrañar su acuario en la Ciudad de México. Lo único bueno —al menos para nosotros— era que iba a protagonizar la película *Liberen a Willy*.

—¿Por qué no escribes el guion? —me preguntó Tania, con la estremecedora confianza que años atrás me atribuyó su madre.

Cristi tenía razón, había llegado el momento de olvidar a la orca.

El último episodio relacionado con Samuel Katzenberg ocurrió una tarde en que yo contemplaba el Parque de la Bola y los niños que patinaban en torno al mundo en miniatura. El cielo lucía limpio. Al fin habían terminado los incendios forestales. Un susurro me hizo volverme a la puerta. Alguien deslizaba un sobre.

Adiviné el contenido por el peso: ni una carta, ni un libro. Abrí el sobre con cuidado. Junto a los dólares, había un mensaje de Samuel Katzenberg: "Llego a México en unos próximos días, para otro reportaje. ¿Está bien este anticipo?".

Media hora más tarde, sonó el teléfono. Katzenberg, de seguro. El aire se llenó de la tensión de las llamadas no atendidas. Pero no contesté.

CORRECCIÓN

A Ricardo Cayuela Gally

Germán Villanueva habló para pedirme trabajo. Llevábamos años sin vernos y, más que el opaco tono de su voz, me sorprendió la franqueza con que admitió su descalabro; se refirió sin pretextos ni atenuantes a su adicción a la heroína y describió el arduo tratamiento de recuperación con desapego clínico: "Estoy mejor ahora, tengo síndromes de abstinencia, pero estoy mejor". El plural en *síndromes* me pareció curioso (¿cuántas manías compensatorias podía tener mi antiguo amigo?), pero no era el momento de hacer preguntas; su abrumadora sinceridad exigía silencio o, en todo caso, una respuesta breve, afirmativa y cortés. Lo cité para el martes de la próxima semana (por darme aires, pues tenía la agenda desierta).

Conocí a Germán hace veintitrés años, en el taller de cuento de Edgardo Zimmer, el escritor uruguayo que pagó su militancia en la Cuarta Internacional con arrestos y cárceles en tres países, y llegó a México con suficientes tragedias a cuestas para que nosotros fuéramos, si no un alivio, al menos un problema llevadero. Leía nuestros manuscritos como si contuvieran una verdad honda que por el momento nadie podía descifrar. Enemigo de las cordialidades inútiles, nos criticaba con una severidad forjada en los años duros de su militancia y que nunca ofendió a nadie: Zimmer nos tomaba tan en serio que sus demoliciones eran una forma de la generosidad; había algo estimulante y aterrador en que nuestras historias importaran. Naturalmente, muchos descubrieron que ningún acto podía ser tan responsable como el silencio y dejaron el campo libre a los incautos. En aquellos tiempos (1975-1979) yo estaba al servicio del Hombre Nuevo y escribía para que los mineros entendieran su misión histórica. Por sus experiencias en comités de base y mazmorras de América Latina, Zimmer parecía un aliado natural de mis engendros, pero respetaba demasiado la literatura para confundirla con los panfletos que por entonces se imprimían en mimeógrafo y se despintaban en las manos de los pasajeros de trolebús.

Un miércoles de casa llena (Katia estaba ahí), Zimmer demostró que mi relato en turno era un desastre. Alguien había propuesto un brindis antes del taller y el maestro habló con labios teñidos por un vino barato. Nunca olvidaré esa boca terriblemente morada. Quizás el vino contribuyó a la lucidez de Zimmer, lo cierto es que me hizo morder mi vaso de plástico y concentrarme en su olor ácido para evadir mi caída ante los brillantes ojos de Katia.

A los diecisiete años, tomaba el taller como una arena de competencia. Había invertido demasiada pasión en los deportes y desconfiaba de las actividades sin campeones. Unas semanas antes de leer aquel cuento, había sufrido mi mayor derrota deportiva. Estuve en la preselección de gimnasia olímpica y el entrenador, Nobuyuki Kamata, me dijo estas inolvidables palabras: "Tú no nada". Mis manos cubiertas de talco no volverían a hacer el Cristo en las argollas. Traté de consolarme pensando que servía de poco representar a un país que de cualquier forma no gana medallas e imaginé las fracturas que seguramente habría sufrido. En vano: el rechazo del entrenador japonés fue devastador. Yo vivía en el Olivar de los Padres y lloré desde el cDom hasta la casa, lo cual es mucho llorar si se considera que salí de la ciudadela olímpica en un camión que paraba en cada esquina.

Todo esto para decir que entré al taller de Edgardo Zimmer como a una liga deportiva; las críticas me dolieron tanto como el desprecio sin gramática de Nobuyuki Kamata.

Nos reuníamos en la Universidad, en el piso diez de Rectoría, y aquella tarde de mal vino no soporté la perspectiva de compartir un elevador tan largo con quienes habían detallado mis defectos. Cuando creí que todos se habían ido, me acerqué al vestíbulo de los elevadores y oí este diálogo:

—¿No fui demasiado duro con él? —preguntó Zimmer.

—Para nada —pronunció la cruel y deliciosa voz de Katia.

Tomé las escaleras. En la planta baja, Germán Villanueva esperaba a los rezagados del elevador. Su ruana chilena olía a hierbas raras.

—No te azotes —me dijo—, tienes madera.

Su apoyo fue peor que el ninguneo de Katia. Caminé por los prados nocturnos de la Universidad, esperando que alguien comprensivo me asesinara.

Al otro extremo del campus, vi un tubo atravesado entre dos postes, a una altura ideal para hacer gimnasia. Germán me comprendía y Katia me ignoraba, pero yo podía girar en un tubo, a veces con una mano, a veces con la otra. Me consolé con una actividad de la que había sido eliminado, algo tan absurdo como eficaz; hice un aterrizaje perfecto en la banqueta y descubrí que aún llevaba el relato en mi morral; corté mi nombre con el pulgar y el índice y lo tiré en un tambo que olía a desechos médicos.

Esta debería ser la historia de una admiración, el testimonio de cómo *otro* escritor salió de la bruma, pero aún me cuesta hacer las paces con Germán Villanueva. Me había propuesto narrar los hechos como un testigo distanciado, pero no encuentro la forma de renunciar a mis prejuicios. La envidia ha sido la más fiel consejera en mi trato con Germán, lo concedo de inmediato, aunque mis motivos para detestarlo no son del todo infundados; es ruin decirlo ahora que conozco sus infiernos, pero no escribo para posar de buena persona. "La sinceridad es la primera obligación de quienes no están seguros de su talento", me dijo Edgardo Zimmer hace veintitrés años justos. Ya es hora de que le haga caso.

En comparación con Germán Villanueva, yo era tan elocuente como Nobuyuki Kamata. Zimmer dosificaba los elogios a sus relatos, como si temiese que el joven prodigio pudiera quedar ciego ante su propia luz o que un taller de admiradores le resultara inútil y nos privara de atestiguar sus progresivos hallazgos.

Katia no cayó en la vulgaridad de enamorarse del mejor de nosotros porque se acostó con el maestro antes de atribuirle un destino a los demás, y porque su imaginativa capacidad de sobreponerse a la evidencia le permitía creer que nadie escribía como ella. Yo la amaba con tenaz masoquismo. Le regalé mi ejemplar de *Rayuela*, olvidando que lo había subrayado. Me lo devolvió con este comentario: "Si tu-

viera que juzgar a Cortázar por tu lectura, sería un imbécil".
Me masturbaba pensando en ella, pero ni siquiera en esa
intimidad triste y virtual logré verla desnuda. Sus botones
dominaban mi inconsciente.

Cada vez que Germán leía un texto, Katia lo escuchaba
sin abrir los ojos. No lo quería ni lo envidiaba, pero sólo a él
le otorgaba el respeto de sus ojos cerrados.

Cuando la Facultad de Química organizó un concurso
de cuento sobre los elementos de la tabla periódica, Germán
ganó con una historia sobre el cloro. Que eligiera un elemento
tan impopular, fue un triunfo adicional. Yo obtuve una humillante quinta mención (me pareció muy descarado escoger el oro y escribí sobre la plata).

Germán era dueño de una intuición certera, pero se ex-
traviaba en frases gaseosas cuando debía criticar a los demás.
Mis cuentos le inspiraron vaguedades casi agrícolas: "Le falta carne", "Como que no respira", "No siento la sangre". Yo
tenía madera pero él no sentía la sangre.

Después de cuatro años de deslumbrarnos con nuestras
carencias, Edgardo Zimmer se fue a dar clases a Berkeley.
Hubo una reunión de despedida en la que bebí demasiado
ron y besé a la chilena equivocada. Ante cada rechazo de
Katia, me atrevía a buscar a una de las hermosas exiliadas
que también me rechazaban, pero con acento más dulce. En
la fiesta de Zimmer, Katia empezaba a ser la gran dama im-
positiva y gorda que ahora preside la literatura nacional,
pero volví a cortejarla. No recuerdo las circunstancias pre-
cisas del asunto; nuestro grupo se iba a disolver y yo estaba
ante una opción de Último Asalto; actué con tal ímpetu que
resultó natural que ella me diera un puntapié con su bota
ucraniana.

Horas más tarde, me sobaba el tobillo en un sofá, bebía
ron en un tarro de cerveza y estaba harto de acariciar el áspero sarape que cubría los brazos del sillón. En algún momento besé a María, una mujer que no sabía si me gustaba
o no. Y tardé mucho en saberlo porque me casé con ella, no
fui feliz ni desgraciado, y hubiera seguido en esa planicie
emocional de no ser porque su prima se metió en mi cama
una tarde en que leía *La muerte de Virgilio* y María nos descubrió cuando ya resultaba imposible citar a Hermann Broch.

Nos divorciamos y acabé en un cuarto de azotea, rodeado de cajas inservibles. María me permitió conservar todos los discos de acetato (ya se habían inventado los compactos).

Entre la despedida de Edgardo Zimmer y el fin de mi matrimonio, sólo vi a Germán en una ocasión. Me invitó a tomar un café y a participar en una nueva revista, *Astrolabio*, a la que cada colaborador debía aportar quinientos pesos. Yo era redactor del boletín interno del metro y andaba mal de dinero; pero me tentó la idea de pagar por ser publicado, sobre todo porque no tenía ningún cuento disponible.

Nos vimos en una cafetería en una terraza. Él llevaba una bolsa de plástico llena de monedas para darle limosna a los mendigos que cada cinco minutos se acercaban a la mesa. Además de este desplante de caridad, me impresionó lo mucho que había adelgazado. De pronto sopló el viento y pensé que se llevaría el pelo de Germán; aquellas hebras endebles eran un símbolo de su condición física.

Hizo una larga exposición de lo que debía ser *Astrolabio*, "un foro plural, ajeno a las mafias y los vicios de otras generaciones", y me interrogó con minucia sobre mi trabajo. Después de pagar la cuenta, abrió un portafolios de tela y sacó su primer libro de relatos. En la dedicatoria me llamó "condiscípulo". La palabra tenía un aire ofensivo; él ya había publicado y la crítica lo elogiaba (incluyendo a Simón Parra, el *Tenebroso*); el tiempo de aprendizaje era un feliz pasado para él y un presente necesario para mí.

Mi recuerdo es injusto, lo reconozco. El encuentro con Germán me entusiasmó lo suficiente para escribir un relato en dos días y ahora lo cargo de amargura retrospectiva. *Astrolabio* rechazó mi texto. "¡Pero si hay que pagar por publicar!", protesté. "Es un asunto de calidad, no de dinero", dijo Germán, y me citó en otra cafetería para hablar con insoportable franqueza:

—Uno no escoge a sus amigos por su prosa; tú y yo somos cuates pero a tu cuento le falta garra.

Ignoro a qué llamaba "amistad". Llevábamos años sin vernos y sólo me había buscado por mi prosa. Encendí un cigarro y le eché el humo en la cara. Él conservó su tono desagradable, como si la gentileza y la objetividad sirvieran de algo. Propuso que le entregara otro cuento. Me juré no colaborar en la revista, pero mi dignidad no pudo medir su fuerza: *Astrolabio* no llegó al segundo número.

Pasaron los años y sólo supe de Germán por los periódicos: siempre notorio, siempre ascendente, siempre modesto. Simón Parra fue un cruzado de sus primeros libros, pero cuando advirtió que sus opiniones coincidían con las de sus rivales, se sirvió de su incuestionable inteligencia para denostar a su antiguo protegido. Este desprecio a destiempo benefició a Germán, que corría el riesgo de encontrar un respeto demasiado unánime para un autor de ruptura.

A finales de los ochenta escribió una memoria de su generación. Me mencionó como un *raro* "en el sentido de Rubén Darío". La verdad sea dicha, mis cuentos carecían de extravagancia. Eran escasos y convencionales y poco leídos. Que Germán se hiciera el generoso con una falsa definición de mi fracaso resultaba insultante. Pero no podía echarle en cara un gesto amable. ¡Hubiera sido tan fácil odiar su altanería!

Cuando me lo encontré a la salida de un cine, del brazo de su esposa, sentí un convincente puñal en el pecho: le di las gracias. Germán me abrazó con efusividad, me presentó a Laura, propuso que tomáramos algo. Yo había ido solo al cine y esto acentuaba mi desventaja; no salíamos de una retrospectiva de Rohmer a la que los conocedores van solos por tercera vez, sino de una de esas megaproducciones que sirven para juntar a la gente.

Entonces Laura preguntó:

—¿Es el *raro*?

Acepté la invitación sólo por ganas de lucir normal.

Fuimos a uno de esos sitios horrendos que siempre quedan a mano en la Ciudad de México, una taquería con paredes y columnas tapizadas de jarritos de barro. Sólo quedaba un hueco en la pared del fondo, donde gente más o menos famosa había estampado su firma.

Laura debía tener unos treinta y cinco años. Su rostro conservaba una belleza algo marchita y parecía marcado por incontables preocupaciones. Se pasaba las manos por el pelo como si no tuviera otra forma de controlarlas. Había leído cada línea de Germán y lo admiraba sin reservas, pero no era la clásica insulsa que se rinde ante las necedades de su marido; se refirió a *Noche en blanco* con argumentos sagaces. Coincidí con ella en secreto. La nueva novela de Germán me había parecido estupenda pero no iba a elogiar a quien me rechazó en *Astrolabio*.

Una vez más me llamó la atención el pelo de mi colega; sobre todo, me llamó la atención que siguiera en su sitio; había algo antinatural en que esos mechones resistieran. Recordé un comentario de Edgardo Zimmer ante una foto de Samuel Beckett: "Hasta el pelo le crece con originalidad". También Germán proclamaba su diferencia en la cabeza; su pelo mostraba una férrea debilidad. Me concentré en su rostro, surcado de arrugas prematuras. Un vaquero anémico y nervioso, desgastado por intemperies emocionales.

Hasta entonces no le había descubierto una faceta vulnerable. Los compañeros de taller son los infinitos borradores que nos han leído y las críticas no siempre justas que nos han dicho. Los textos de Germán describían un temperamento, pero nunca lo asocié con sus personajes devastados. Mi admiración operaba en su contra; no podía distinguir las dosis de dolor y trabajo que hacían posibles sus historias.

Comió con raro apetito y se detuvo de repente:

—Qué pendejo, me mordí.

Una gota de sangre se le formó en la comisura de la boca. Segundos después, un hilo rojo le bajaba a la barbilla y goteaba en su plato. Germán tomó un puñado de servilletas de papel y fue al baño. Laura encendió un cigarro. Habló con una calma artificial de la salud de su marido, como si no buscara otra cosa que tranquilizarse a sí misma: Germán tenía problemas de coagulación, nada muy grave, por supuesto, pero se negaba a seguir tratamientos, había que verlo ahora, estropeando la reunión con un amigo al que deseaba ver desde hacía tanto tiempo.

—No sé qué va a pasar cuando se deje ir —Laura expulsó el humo por la nariz—. Toda su vida ha luchado para controlarse. Está enfermo de perfección. Con decirte que nació con el dedo chiquito del pie enroscado como un camarón y a los catorce años empezó a hacer ejercicios para enderezarlo. ¿A quién le importa tener un dedo chueco en el zapato? Supongo que sólo a Germán. Es tan aferrado que logró enderezarlo —Laura hizo una pausa. Sus ojos se llenaron de lágrimas y de recuerdos que hubiera dado cualquier cosa por conocer—: es tan obsesivo para escribir que no se ocupa de nada más, como si todavía siguiera corrigiendo ese dedo que nadie ve. Estoy segura de que su cuerpo sólo le importó esa vez, porque ponía a prueba su voluntad. Desde entonces ha descuidado todo lo demás.

Entrábamos a una zona que tocaba a Laura, imaginé la fervorosa soledad que significaba vivir al lado de Germán. Ella guardó silencio, viendo las firmas en la pared del fondo. Luego me dijo:

—¿Por qué no vas a verlo?

Me incorporé pero Germán ya volvía del baño; se había mojado la cabeza y su pelo parecía un trasplante exiguo. Por lo demás, lucía recompuesto. Pidió otra cerveza, habló con entusiasmo de la pésima nueva novela de Katia, que acababa de recibir un premio tan gordo como ella, y quiso que le contara de "mis cosas". Sólo por desviar la conversación pregunté si tenían hijos. Germán negó con excesiva prontitud, como si temiera una queja por parte de Laura.

No me extrañó enterarme, un par de años después, que se habían separado. Desde aquella cena la mente de Germán estaba en otro sitio, la mano de Laura duraba muy poco en la suya, sus miradas apenas se cruzaban, ella empezaba a sobrarle y él a seguir una estrella que arruinaría su vida.

Una noche de diciembre recibí una llamada de Katia. Temí que quisiera invitarme a una de sus posadas literarias (administra una Casa de la Cultura que justifica su presupuesto con un maratón anual de "narraciones orales" y ollas de ponche), pero me saludó con un entusiasmo digno de otra causa. La voz de Katia es cada día más masculina y los fríos de diciembre la habían dejado aún más ronca:

—¿A que no sabes qué?

Esperé una mala noticia, pero no supe de quién.

—Me doy —fue mi parca respuesta.

—Germán está en una clínica. Ya sabes que es un drogadicto perdido. Se metió un *pasón* de heroína.

Yo no sabía nada y jamás había visto una jeringa con heroína. Katia no perdió la oportunidad de lucirse:

—Sí, ya sé que has viajado poco, pero Germán fue profesor visitante en Brown y escritor en residencia en una bodega de artistas de Ámsterdam. Siempre le entró a tocho morocho, pero el *caballo* pudo más que él —Katia presumió su familiaridad con las drogas fuertes; luego tosió, regresando a su realidad de gripe y cigarros Del Prado.

Le conté la escena en la taquería.

—Parece que tiene algo en la sangre, ¿crees que será sida? —preguntó Katia en tono esperanzado—, con razón sus últimas cosas me parecieron tan herméticas. ¿Te digo algo? Germán siempre te tuvo envidia. Tú eres congruente, nunca has hecho concesiones, casi no publicas.

Gracias a Katia, sentí una intensa compasión por Germán. La vida había durado demasiado para nosotros. Pensar que veinte años atrás hubiera hecho cualquier cosa por dormir junto al pelo dorado de Katia.

Inventé que sonaba el interfón de mi edificio para colgar el teléfono. No quería que me explicara por qué soy tan "congruente".

Estábamos en 1994; dos años antes, había sido uno de los numerosos beneficiados por la mala conciencia del quinto centenario de la Conquista. La alcaldía de Valladolid me concedió un premio por mi primer libro publicado en diez años. Esa módica recompensa al cabo de una década de silencio me había otorgado fama de selecto. No he viajado lo suficiente para saber si otros países comparten este elogio mexicano: "Es tan bueno que ya no escribe". Mi parquedad era una digna carta de presentación en un medio donde la renuncia no es un signo de impotencia sino una virtud dolorosa, un encomiable sacrificio del talento. Para Katia, yo representaba al narrador agradablemente ilocalizable, que no genera expectativas ni compite con los demás.

Decidí visitar a Germán pero estaba en una clínica suiza. Sus editores europeos pagaban los gastos. Incluso en su caída tenía algo grandioso. Lo imaginé envuelto en frazadas en una terraza alpina, chupando un termómetro con sobrado deleite, como si repasara un pasaje de *La montaña mágica*.

Germán Villanueva salió de su viaje al inframundo con un legado luminoso, *Abstinencia*. La crítica no vaciló en compararlo con Michaux, Cocteau, Burroughs y Huxley. Vi una foto suya en el *Excélsior*, más flaco que nunca, apoyado en un bastón de fierro.

Con ese bastón llegó a la cita que le di en mi oficina y que he demorado tanto en contar. Desde siempre, Germán es la sombra que preside mi teclado, el tic nervioso al que no puedo sustraerme; supongo que si él contara el cuento ya estaría atando nudos decisivos, pero yo aún debo abrir un paréntesis. Desde hace cinco años dirijo *Barandal republicano*, el tabloide bimestral que circula en las ruinas del exilio español. Con más nostalgia que precisión, recordamos nuestra inmensa deuda con la España de México. El 14 de abril tenemos una comida con guisos cada vez más simples (el patronato es octogenario) y muy pronto nos reuniremos en los sedantes pabellones de la Beneficencia Española. Obviamente ha sido mi mejor empleo.

Disponemos de un piso noble en los altos de Can Barceló, el restorán que en miércoles de Copa Europea ostenta banderas blaugranas. Estoy casado con Nuria Barceló, la nieta del exilio español que cumplió las expectativas que deposité en las hijas del exilio chileno. Tengo dos hijos que me impulsan a sacar fotografías de la cartera a la menor provocación y un suegro con la doble virtud de haber inventado mi trabajo y no exigirme otra cosa que comer con él cada dos semanas para probar el plato del día en su restorán y hablar durante un puro de la cada vez más difusa realidad que interesa a *Barandal republicano*.

Nuestra línea editorial comprende boletines del Colegio Guernica y la asociación Ejército del Ebro, notas de color sobre paellas guisadas con motivos cívicos, la exhumación de algún papel disperso de Cernuda o Prados, eternos ensayos sobre Ortega y Gasset y una sección bastante autorizada sobre los nuevos fichajes del Athletic, el Barça o La Real Sociedad. *Barandal republicano* apenas se deja perturbar por la vida mexicana y circula con una discreción próxima al secreto. De vez en cuando debo oír a los miembros duros del patronato que exigen críticas al rey Juan Carlos y les prometo alguna caricatura que ridiculice a la monarquía y recuerde que nuestro empeño es la república.

Aún no he descrito lo mejor de mi trabajo: la sala de juntas. Una antigualla con sillones de cuero vinoso, enorme mesa de caoba, una foto de Lázaro Cárdenas, escupideras en los rincones e inmensos ceniceros. Un vitral con el morado republicano contribuye a mitigar las luces, de por sí débiles e indirectas.

Ahí recibí a Germán. Ya dije que llegó con bastón, pero no sólo eso lo avejentaba; tenía una mirada opaca, hacía ruidos molestos con la boca, al sonreír mostraba unas encías blancuzcas. Me pareció imposible que fuese la misma persona cuyas virtudes me había acostumbrado a detestar. No quedaba la menor traza del Germán Villanueva atento, obsequioso, dispuesto a fingir una igualdad de condiscípulos. A los cuarenta y cinco años era el mejor escritor de mi generación y estaba liquidado. Luchaba por armar una frase, movía la lengua de un modo atroz. Sus libros le habían cobrado un peaje de fuego. Recordé la frase de Laura: "No sé qué va a pasar cuando se deje ir". ¿En qué momento cruzó el límite y transformó su búsqueda en una degradación? Curiosamente, no sentí lástima por él ni admiré el riesgo que había corrido. De un modo vil y filisteo me supe a salvo. Al verlo ahí, con labios vacilantes y uñas largas y translúcidas, agradecí mis últimos años, lejos de la tensión de escribir, protegido por el trabajo en favor de un país inexistente y la tranquila belleza de Nuria Barceló.

—Estoy mal —dijo Germán. Extrañamente, no se refería a su aspecto.

Necesitaba dinero. Su madre había hecho una pésima inversión, sus editores se cobraban con regalías los gastos médicos, Laura se quedó con la casa que habían comprado.

—¿Te acuerdas de *Astrolabio?* —le pregunté.

Su expresión cambió por completo; adquirió un gesto grave, casi solemne. Durante unos segundos pareció ponderar lo que iba a decir.

—¡Eso fue hace veinte años! —exclamó en tono gangoso y volvió a caer en un estado circunspecto—. Ya lo había olvidado. Perdóname —agregó, con total indefensión.

Esa mañana había leído una frase del Ejército Zapatista después de liberar a un cacique: "Nuestra venganza es el perdón". Fui incapaz de citarla, no porque me pareciera grandilocuente, sino porque no estaba seguro de ponerla en práctica. Mi venganza fue pensarla.

Otra virtud de mi empleo es que mi brazo derecho, Jordi Llorens, se hace cargo sin problemas ni fatiga de toda la producción de *Barandal republicano*. No necesitábamos a nadie. Luego pensé que si Germán corregía galeras, Jordi podría concluir el atrasadísimo libro sobre los niños de Morelia que ya nos había pagado el dueño de una cervecería.

El novelista de *Noche en blanco* empezó a visitar la oficina cada dos o tres días (más de lo necesario), con una carpeta de plástico en la que guardaba las galeras. Pasaba horas en la sala de juntas, en compañía de los tres diccionarios que necesitaba para comprobar la justicia de sus enmiendas. Bajo una lámpara con pantalla de tela de gasa, leía artículos indignos de su talento.

Los novelistas suelen ser malos correctores de pruebas; leen el estilo y no las letras insumisas, pero sobre todo, se sienten por encima de esa tarea y la hacen con descuido. Supuse que Germán, tan impaciente con mis textos en el taller de Edgardo Zimmer, detestaría el trabajo. No fue así; leyó sin comentar los textos y compró un horrendo bolígrafo con tres tintas para perfeccionar sus anotaciones.

Al cabo de dos meses, sentí que había pagado de sobra por el cuento que me rechazó en *Astrolabio*. Convencí a mi suegro de que le encargáramos una monografía sobre el exilio español en México. Como se trataría del enésimo estudio sobre el magisterio de José Gaos y las cúpulas de Félix Candela, nadie advertiría que tardaba años en producirse. Podíamos becar a Germán hasta que encontrara el tiempo y el deseo de volver a la escritura. Nuestras oficinas eran el sitio perfecto para una investigación lentísima, casi fantasmal.

Germán rechazó la oferta. Sus ojos se encendieron con un brillo ofendido. Quería trabajo, no caridad.

Decidí ver a su madre. Le pedí una cita mientras él corregía galeras en la sala de juntas, frente al retrato de Lázaro Cárdenas.

La casa en San Miguel Chapultepec tenía una barda coronada de vidrios rotos. Me abrió la puerta una sirvienta vestida de negro, con delantal blanco. En el porche había cuatro sillones de mimbre y un humeante servicio de té. La madre de Germán me aguardaba ahí. Era una mujer delgada, de molesta elegancia. Usaba guantes de piel y, algo que me pareció casi obsceno, anillos sobre los guantes. Me tendió esa mano llena de piedras engastadas en plata y oro y me agradeció lo que había hecho por su hijo.

El porche daba a un jardín extenso. Al fondo, un cobertizo con un auto envuelto en tela cromada.

—Germán ya no maneja —explicó su madre.

Las dificultades económicas habían sido un pretexto para conseguir trabajo. Hay pocas cosas más ridículas que ofrecerle apoyo a una viuda enjoyada y no supe qué decir. Por suerte, ella dominó la conversación. Germán había mejorado mucho gracias al trabajo; después de meses de no salir de su habitación, volvía a tener horarios y a amarrarse los zapatos. Comprendí que *Barandal republicano* le servía de terapia.

Volví a apretar la mano enguantada, temiendo que encubriera una prótesis. Aquellos dedos empezaban a explicar el infierno de Germán.

En las siguientes dos o tres semanas apenas crucé palabra con nuestro corrector de pruebas. Jordi estaba asombrado de lo bien que trabajaba y eso era suficiente. Desde que entré a *Barandal republicano* he tomado la precaución de no leer los textos que publico.

Una tarde en que no encontraba un cenicero en mi oficina, entré a la sala de juntas. Germán tenía una bolsa de papel estraza sobre la mesa y de cuando en cuando sacaba una perita de anís que chupaba con la misma lentitud y concentración que dedicaba a las galeras. Tardó mucho en advertir mi presencia. Cuando finalmente se volvió, sus ojos vacilaron detrás de sus lentes, como si tratara de reconocerme.

—¿Te interrumpo? —pregunté. En cinco años nadie había dicho esa frase en la oficina.

—Esto es genial —señaló el texto que leía. No respondió a mi pregunta. Una sonrisa oblicua le atravesó la cara.

Unos días después volví a invadir su territorio (la espléndida sala de juntas se había convertido en el coto de Germán). Me costó trabajo apartarlo de la lectura; él se quitó los anteojos para nublar el entorno de un modo protector.

Le pregunté por su obra. ¿No se sentía desperdiciado en ese trabajo?

—Ya no escribo —respondió con voz tranquila—. Si quieres que me vaya, dímelo —agregó sin el menor aire de ofensa—. De veras.

—Para nada, es sólo que te admiro mucho... —ahorro el resto de las tonterías que dije.

Acepté la presencia de ese corrector de lujo como el más extraño giro de la fortuna hasta que Julia Moras vino a verme. Ya en otra ocasión se había quejado de que el exilio español fuera dominado por una mafia catalana, pero aún no conocía su furia. Julia usa muchos crucifijos, no por catolicismo, sino porque cree en las misas negras. Sus hermosos ojos eran tizones que pedían un sacrificio. Resopló tres o cuatro veces y me arrojó un ejemplar de *Barandal republicano*, con un artículo muy subrayado (el de ella, naturalmente, y el único que había leído).

Por un falso pudor olvidé decir que la revista también admite ensayos sobre cualquier cosa que nadie más publicaría. El de Julia trataba de "La emoción pánica del yo narrativo". Durante cinco años, yo había aceptado sus vagas especulaciones con una cordialidad delatora. El solidario Jordi justificaba mi actitud con tres razones: habíamos sido, éramos o seríamos amantes.

Con el rostro descompuesto por la ira, Julia me pareció aún más hermosa.

—¡Lo único que tengo es mi nombre! —gritó— ¡Y tú lo has manchado!

Revisé el artículo mientras ella se sonaba. Cada palabra subrayada representaba un cambio de estilo; cada palabra en un circulito, un cambio de sentido. Habíamos publicado otro texto, sin consultarle nada. Cambiamos *de juventud ubérrima* por *novedoso*; *desapercibido* por *inadvertido*; *este manual puntual es emergente* por *este manual detallado cumple funciones de emergencia*. Total, un desastre.

Me sorprendió que Germán adivinara un sentido oculto en el galimatías de Julia, pero no me atreví a decirlo. Asumí el desaguisado, prometí regañar al culpable, ofrecí una carta de reparación en el siguiente número. Tomé a Julia de la mano y ella sollozó en un tono bajito. Le acaricié el pelo hasta que me tiñó de rímel la camisa.

Ese mismo día recibí una llamada de una maestra del Colegio Guernica:

—Por primera vez salieron sin erratas.

—¿Leíste el ensayo de Julia Moras?

—Nunca leo a esa subnormal.

Fui a la sala de juntas y encontré a Germán en su imperturbable corrección de galeras.

Le transmití la felicitación de la maestra; luego le conté de la visita de Julia.

—¿Qué edad tiene? —preguntó.

—Unos treinta y dos.

—¿Es guapa? —sonrió con sus encías blancuzcas.

Asentí y abrió su carpeta con una fotocopia del ensayo de Julia tachado en tres colores. Me enseñó cada una de sus enmiendas. Llegó al extremo de corregirle una cita:

—Hace quedar a Unamuno como una bestia. Le encontré una mejor.

Estuve de acuerdo en cada cambio de Germán pero tuve que decirle que *Barandal republicano* ofrecía a sus colaboradores el derecho de equivocarse. No podíamos convertir a Julia Moras en Virginia Woolf.

—¿Te acuerdas del taller? —me preguntó Germán.

—Esto es distinto. Aquí sólo recibimos versiones definitivas. Haz de cuenta que estás en la morgue.

Recogió sus papeles y salió sin despedirse. Pensé que no volvería. Sin embargo, al día siguiente chupaba una perita de anís ante un artículo que le torcía la cara de gusto.

Julia llamó por teléfono hacia el fin de la semana. Anticipé una nueva reprimenda, pero me saludó con voz desconocida, explicó que había estado muy nerviosa la tarde en que fue a verme ("Dejé de fumar y ando gruesa"), recordó que siempre la había apoyado y, como no queriendo, mencionó que había recibido muchas felicitaciones por su ensayo. Procuro reproducir su entusiasmo:

—¿Sabes quién me habló? Simón Parra. Somos medio amigos desde hace rato y como que me tira la onda, aunque no mucho, la verdad; ya ves que dicen que es impotente o que se viene demasiado pronto, algo así. ¿Fue Steiner quien dijo que todo crítico es el eunuco de un autor? Pero Simón no puede ser así, no que me conste (sexualmente, digo); lo odian por independiente y por la envidia que le tienen, ya ves que lo único bien repartido en este rancho es la envidia;

bueno, pues que me habla, ¡y realmente había leído el ensayo! ¿No te parece genial? ¡Simón Parra! Te quería dar las
gracias.

De inmediato la invité a cenar.

Julia estuvo radiante, instalada en una nube de orgullo
infantil. Terminamos en un motel rumbo a Toluca. En la madrugada, empezó a sollozar:

—No fui yo en ese ensayo. Gustó mucho pero no fui yo.
Me convertiste en otra.

Después de conmoverme con una vanidad tan transparente, Julia cedía a una ingrata lucidez.

—Quiero ser yo —repitió y acallé su sed de identidad
con un beso hondo.

Dejamos de vernos por un tiempo. Aquel encuentro en
el motel se asemejó a las misas negras que tanto le gustaban,
una ceremonia irrepetible; nos cargó de intensidad para volver a nuestras vidas separadas y nos ayudó a pensar que
Barandal republicano era un sitio donde teníamos un pasado, algo confuso y destruido que no deseábamos tocar, pero
que valía la pena.

Amo a Nuria con una constancia que no deja de sorprenderme, quizá porque la encontré tarde, cuando la vida ya me
había habituado a demasiadas relaciones imperfectas. Después del aquelarre con Julia, todo volvió al orden. Por quince días.

Escuché un toquido en la puerta de mi oficina y Germán
entró antes de que yo pudiera responder:

—¿Quién es Claudia Mancera? —preguntó con enorme
interés.

—Una ciega que le dicta a su sobrina.

—Ah —el rostro de Germán se ensombreció; se quedó
pensativo unos segundos hasta que adivinó que yo mentía.

En el siguiente ejemplar de *Barandal republicano* publi-
camos "El próximo invierno en Madrid", un relato memorioso de Claudia Mancera sobre su abuela, quien durante
cuarenta años tuvo las maletas listas para regresar a España.
Germán lo arregló lo suficiente para que ella llegara a verme
con el rostro deformado por la culpa:

—Gracias —dijo, y lloró sin consuelo posible.

No soportaba los elogios inmerecidos, pero tampoco quería renunciar a ellos. Tuvieron que pasar tres semanas para que Claudia —cada vez más pálida y culposa— aceptara mi sugerencia de tomar el sol y acompañarme a las jornadas sobre Juan Ruiz de Alarcón en Taxco.

Con un deleite que sólo puedo atribuir a quien sustituye una adicción por otra, Germán Villanueva corregía mujeres. Los textos de Julia y Claudia y Lola y Montserrat lo impulsaban a hacer vertiginosos cambios con su excitado bolígrafo de tres colores. Buscaba sinónimos, inventaba símiles, adjetivaba con tensa puntería.

También Lola y Montse llegaron a mi oficina en estado de doble alteración: las versiones publicadas de sus textos las humillaban y les gustaban, querían ser otras y las mismas, insultarme y darme las gracias. De modo misterioso, yo disponía del picaporte de su identidad y ellas deseaban un remedio ambiguo, una puerta agradablemente mal cerrada. Yo estaba a una distancia ideal para ofrecer una reparación por las agraviantes mejorías de las que era parcialmente responsable y, sobre todo, para garantizar que siguieran ocurriendo.

No evado mi complicidad en el asunto. Fui un canalla. De poco sirve decir que cuatro mujeres no son un abuso estadístico en una publicación cuya nómina de colaboradoras rebasa la centena. Sin las estratagemas de la corrección y del consuelo nunca habría podido desvestirlas. Lo más penoso es que, con excepción de Julia, a quien siempre quise ver sin otra prenda que sus crucifijos de hojalata, ninguna me gustaba gran cosa.

Decidí cortar por lo sano, pero una tarde Marta Arroiz se presentó en mi oficina. Es una ensayista de tedio imposible y prosa correcta. También a ella Germán le enmendó la plana. Iba a decirle que tratara el asunto con Jordi cuando recordé que me habían dicho que se operó los senos. Sentí una curiosidad irresistible. Ella fue la quinta.

Germán se había convertido en una sombra reactiva, sólo podía escribir sobre un texto ya narrado. Yo era una sombra de segunda potencia; sus correcciones torcían mi vida; mis momentos de singularidad dependían de su ácido e insoportable bolígrafo. En esta cadena de manipulaciones yo era quien menos tenía que ver con la escritura. De un modo sordo, empecé a envidiar a las colaboradoras. Durante años de taller, Germán no me brindó otra ayuda que decir que me faltaba aire o garra o sangre.

Llevaba años sin escribir, pero conservaba el remoto manuscrito de una novela. Tardé semanas en decidirme. Un jueves me habló Julia Moras. Acababa de tomar un curso de comida tailandesa y había preparado una maravilla superpicante. Me costó trabajo rechazar su invitación. Colgué el teléfono como un héroe de la voluntad. Me sentí fatal y purificado. Acto seguido, fui a ver a Germán.

Le dije que una de nuestras colaboradoras acababa de concluir su primera novela. Era muy joven pero tenía madera.

—¿No le echas un vistazo?

Así le entregué el manuscrito de *La sombra larga*. Me lo devolvió cuarenta y tres días después con el título de *La sombra inacabada*. Lo leí de un tirón, absorto ante ese prodigio primario y atroz: la novela que yo no había podido concluir en décadas (y que contribuía a mi fama de "riguroso") se había transformado en un mes y medio en una obra singular. El final era otro, del todo insospechado (al menos para mí). Lo más asombroso fue que el corrector no puso nada de su estilo: *La sombra inacabada* era inconfundiblemente "mía".

Había fingido que la novela pertenecía a una colaboradora para estimular los más recónditos rigores de Germán. ¿Qué podía hacer a continuación? Pensé en adoptar un seudónimo femenino, pero supe que si a la novela le iba bien, no resistiría en el anonimato. Trato de recuperar el discutible tren de mis ideas: consideré que Germán estaba en deuda conmigo; en *Barandal republicano* encontró la droga benéfica que lo mantenía vivo; ¿acaso no tenía derecho a usufructuar el talento de mi protegido? Además, el título arrojaba una clave para el lector avisado: un cuerpo en busca de una sombra ajena. No tardé en hallar ejemplos ilustres para mi causa: ¿qué hubiera sido de Eliot sin las enmiendas de Pound?

Más allá de mis trémulos pruritos, me preocupaba la reacción del corrector. ¿Sería capaz de desenmascararme?

Durante semanas no hice otra cosa que idolatrar "mi" manuscrito. Una cansada noche de domingo, Nuria me rascó la coronilla y dijo:

—Te estás quedando calvo.

Decidí publicar la novela.

No hay nada más repugnante que un autor hablando de sus triunfos. Mi caso es distinto; sólo en parte me enorgullece que *La sombra inacabada* se haya traducido a once idiomas. Además, la repentina notoriedad de un cuarentón tiene sus bemoles: "Al fin tuviste huevos de ser tú", fue el vejatorio encomio de Katia.

Germán Villanueva no hizo el menor comentario sobre los avatares de la novela. Siguió corrigiendo con meticuloso escrúpulo a la mayoría de los colaboradores y con mano exploratoria a las mujeres de su elección. Me impuse como código de honor no consolar a ninguna más allá de los clínex.

A pesar de las regalías y las ventas de los derechos para una película, seguí al frente de *Barandal republicano* porque Nuria y yo decidimos comprar una casa en Cuernavaca. Pasé mis mejores dos años; nacieron los gemelos, viajé mucho, nadé como un tritón en las frías aguas de Cuernavaca. Un torero, con fama de culto porque se había psicoanalizado, dijo que releería *La sombra inacabada* hasta que yo escribiera otro libro. Nuria disfrutó mucho este comentario, luego me vio con sus espléndidos ojos negros que a veces se ponen demasiado serios:

—¿Cuándo terminas tu próximo libro?

Con una inteligencia no exenta de piedad, Nuria había separado su amor de la opinión que le merecía mi trabajo. *La sombra inacabada* la cautivó a tal grado que se atrevió a decirme lo que pensaba de mis libros anteriores. Mandó construir un estudio en el jardín de Cuernavaca y respetó las largas horas que yo pasaba ahí, dormitando ante un video.

El comentario de aquel torero lector y la pregunta de Nuria marcaron un cambio de clima. De golpe, estaba bajo la lluvia, y mi sombra me perseguía.

Quizá lo mejor hubiera sido abandonarme a un silencio digno y misterioso, rodear mi bloqueo de un halo trágico, despertar toda clase de especulaciones sobre mi escritura postergada, convertirme poco a poco en lo que la gente deseaba en secreto cuando me preguntaba por mi nuevo libro, ser un desperdicio interesante, un *caso,* un autor con el doble mérito de escribir una obra impar y ser destruido por ella.

Sólo los muertos o los genios descalabrados, a los que nadie desea emular, suscitan admiración irrestricta.

Pero no me atreví a representar a un suicida emocional. La culpa se convirtió en un veneno lento hasta el día en que fui a casa de Germán. Por suerte, su madre estaba en su hacienda de Zacatecas.

También él me recibió en el porche, como si la casa no dispusiera de otra zona visitable. Lo encontré más flaco que nunca; el pelo delgadísimo ya era blanco en las sienes.

Encendí un puro y hablé de los viejos tiempos, de lo mucho que le debíamos en *Barandal republicano*, de novedades editoriales que no le interesaban.

—¿Qué te pasa? —me interrumpió de pronto.

—No puedo más —confesé y la cara se me llenó de lágrimas.

Desde el lejano rechazo de mi entrenador japonés no me sentía tan mal. Cuando al fin me contuve, Germán me miró con fría atención. ¿Por qué cosas habría pasado él? ¿Cómo logró hundirse en sí mismo y salir a flote como si se desconociera? ¿De qué estaba hecho ese amigo siempre lejano que conquistó sus visiones al precio de repudiarlas?

Germán se mordió una larga uña con concentración monomaniaca. Luego hizo un ruido extraño con la boca, como si llamara a un perro o quisiera silbar. Algo cayó al fondo del jardín, tal vez la rama de un árbol o una escoba mal apoyada; ese ruido rasposo rompió el aire como si nos delatara. Nada me pareció más absurdo que estar ahí, al lado de ese enfermo que sonreía en diagonal. Todo en mi trato con él había sido equívoco. En el taller de Edgardo Zimmer entablé una inútil competencia y fui incapaz de reconocer que la vida me situaba en una inmejorable condición de testigo: estaba cerca de los libros potenciales de Germán, de sus historias todavía escondidas. Cuando el mejor de nosotros fue tratable, le dediqué una rencorosa admiración. Ahora visitaba a un lunático que sólo volvía en sí ante ciertas manipulaciones del alfabeto.

Bebí un largo trago de té. Luego de una pausa en la que Germán pareció olvidar mi presencia, recordé que no había ido a indagar su temperamento inasequible sino a solicitarle un favor. ¿Podía corregirme un manuscrito?

277

Esta vez no quise aparentar que se trataba de la obra de una amiga. Necesitaba su perdón y su ayuda. Germán me vio sin parpadear, tomó el cenicero con los restos de mi puro y se dirigió a una maceta: —Las cenizas ayudan a las plantas.

No dijo nada más. ¿Me hablaba como un gurú? ¿Su genio cancelado era la ceniza y yo la planta?

—Ayúdame, Germán —imploré.

Después de un silencio, mi amigo habló con voz casi inaudible.

—No quiero leerte. Eres mi borrador, ¿te parece poco?

Creí no haber oído bien y pregunté como un imbécil:

—¿Estás escribiendo sobre mí?

—Ya sabes que no escribo, no *así*.

—Fue una pendejada traerte mi novela como si no fuera mía —reconocí al fin.

Me costó trabajo entender la vacilante respuesta de Germán:

—No te preocupes, estaba en la trama.

—¿Cuál trama?

Sonrió de un modo descolocado; la boca se le alargó varias veces, como si obedeciera a diversos recuerdos. Sus manos débiles me encuadraron, al modo de un director de cine:

—Esta es la trama. Eres la trama.

Salí de ahí como de una alucinación. Los únicos contactos de Germán con la realidad eran el metro que tomaba rumbo a Can Barceló y las galeras que leía con insólita dedicación; sin embargo, en su casa me trató con hermética superioridad. Destruido por la droga y la demencia, se entregaba a una soberbia desmedida. ¿Cómo había sido yo capaz de rechazar su época de plenitud y convivir con sus despojos?

Esa misma semana le propuse a Jordi Llorens que buscáramos a un sustituto para Germán, pero él me demostró que se había vuelto irremplazable.

Durante días evité la sala de juntas. No supe de Germán hasta la tarde en que me visitó una desconocida. Sus ojos verdes estaban irritados de tanto frotarlos. El corrector había vuelto a hacer de las suyas. Por primera vez, la tristeza de una colaboradora me dio rabia. ¿No se daba cuenta del privilegio del que gozaba? Hubiera hecho lo que fuera por ponerme en su sitio. Le tuve una envidia absoluta, de borrador a borrador. Fue entonces, al asumirme como una de las infinitas versiones corregidas por Germán, que entendí lo que dijo en el porche de su casa.

Dejé a la desconocida de los ojos verdes en compañía de Jordi Llorens y decidí escribir este relato. Germán me había dado un tema. Un escritor menor es narrado en vida por otro de talento. El protagonista no advierte que su existencia sigue un dictado ajeno, o lo advierte demasiado tarde.

Un incisivo rumor de fondo recorre esta narración: "Eres mi borrador". Sé que se trata de una metáfora —la borrosa licencia poética de quien confunde el entorno con un texto—, pero la frase me molesta. Germán provocó buena parte de la trama, pero no es mi autor sino mi único lector. Estas cuartillas irán a dar a su espantosa carpeta de plástico.

Hace un par de días me asomé al ambiente mortecino de la sala de juntas. En un rincón, un rayo de luz dorada caía sobre Germán y daba a su piel un tono recuperado. Extrañamente, leía el periódico.

Cuando escuchó mis pasos en las duelas, apartó las páginas (creí reconocer la sección de cultura). Me vio con una expresión de gusto que no dependía de mi llegada sino de algo que había leído:

—Los escritores son cada vez más ridículos —dijo.

No hizo otro comentario. Cerró los ojos, disfrutando la tibia luz que se filtraba por el vitral. Un ruido agudo llegó de la calle. Germán se movió en su asiento, como si padeciera un escalofrío. ¿Aún era capaz de dejarse afectar por lo que ocurría allá afuera? Vi la carpeta en la mesa de caoba, la meta final de mi relato. Él abrió los ojos y se colocó la mano a modo de visera:

—¿Cómo vas? —me preguntó— ¿Avanzas?

Era obvio a qué se refería.

Germán espera que concluya la historia, como si deseara cerrar un ciclo abierto hace más de veinte años. Desde los tiempos de Edgardo Zimmer mis textos sólo le han provocado desinterés y, en cierta forma, me sé protegido por su indiferencia. ¿Es posible que la confesión de mi estafa y de mi trato con las mujeres afectadas por sus correcciones le provoque otra respuesta?

No deja de intrigarme la cruel inversión de nuestros destinos: yo debería ser el relator de sus proezas, el albacea de sus papeles dispersos, su intercesor ante el mundo, la sombra que rindiera testimonio de su estatura; en cambio, es él quien dispone de estas páginas y se convierte en mi custodio.

Es común que un escritor se condene por sus palabras; lo es menos que se condene por la ayuda de otro. Germán aún puede concederme la acerba justicia que me negó en el taller de Edgardo Zimmer. ¿Le importo lo suficiente para desenmascarar mi impostura?

Con agraviada satisfacción, lo imagino chupando su perita de anís; una sonrisa le cruza el rostro mientras me lee; soy, al fin, su asunto de interés; el relato lo toca lo suficiente para desear mi destrucción: decide publicarlo.

MAREA ALTA

QUISIERA decir que soy pintor, pero la sinceridad me obliga a confesar que soy retratista. Nunca dejarán de fascinarme los vasos capilares en lo blanco del ojo o los incisivos levemente separados; aun así, mi oficio depende de una limitación; reduce el catálogo del mundo a una posibilidad: las caras. A veces incluyo un torso, una mano adornada por un anillo, una planta o los arabescos estampados en una tela, pero en esencia reproduzco facciones y sobre todo ojos.

He pintado gallos de pelea, vacas, coches abandonados en el desierto, una calle bajo la lluvia sin que eso tenga relevancia. Me buscan para que recupere las cejas pobladas y el peinado severo de la abuela. Llevo cuarenta años en la brega y a últimas fechas mis cuadros se han convertido en una especie de consagración para el retratado. Acabo de hacer un par de óleos para una universidad de Culiacán. Dos doctores *honoris causa* que se incorporaron a su galería de celebridades académicas. Retraté a un astronauta mexicano que jamás ha tomado un cohete pero pertenece al programa de la NASA y a un argentino que estudia la ausencia de seguridad en cincuenta países y pasa la mayor parte del tiempo en México.

¿Qué sonido tiene una imagen? El retrato al óleo es una forma de la conversación. Me gusta asistir a sesiones de fotografía para estudiar el uso de las voces. Las modelos callan mientras el fotógrafo da indicaciones ("relaja la boca", "así, así") o recompensa el esfuerzo con elogios. El pintor trabaja de otro modo; la voz del retratado explica su carácter; busco el aura interior que nunca tendrá la fotografía.

Con el astronauta me fue mal en este aspecto. Su padre es un migrante que cultivaba tomates en Sinaloa y lo llevó de niño a Estados Unidos. Apenas habla español y tiene poco que decir. Su mayor mérito ha sido esperar. Lo aceptaron en el programa espacial para cubrir la cuota de latinos, pero no le ha llegado el turno para un despegue. Sólo ha conocido la gravedad cero por simuladores. Vive un limbo, dispuesto a abandonar la Tierra. Mi retrato reflejaba esa ambivalencia, pero él odió que le atribuyera inquietudes que no ha asumido. Está orgulloso de ser astronauta; no necesita practicarlo. Quería sonreír en el lienzo como un vendedor de coches que entrega las llaves de un Cadillac.

El experto en seguridad reaccionó de mejor manera: no se interesó en el resultado. No tuvo tiempo de posar y lo retraté a partir de una fotografía.

Estos son mis antecedentes. Ahora conozcan a Dennis Walker. Si están suscritos a *Artforum, Parkett* o cualquiera de las revistas que muestran arte contemporáneo en sus páginas satinadas no tengo mucho que decirles. O tal vez sí. Ahí no se habla de Troncones, la playa donde el leopardo australiano tiene una de sus guaridas. Walker detesta la contaminación y el tráfico de la Ciudad de México, pero ama el oleaje del Pacífico. Está casado con Cynthia Cervantes, bióloga mexicana de primera fila que no abandonó su carrera por él ni se mudó a un campus cercano a las galerías que su marido inquieta con instalaciones. Se conocieron cuando él llenó la Sala 4 del Museo Tamayo con una red de sargazos para protestar contra el cambio climático. La exposición llevaba el título de *La maleza del engaño,* como se conoce a las algas que se apoderan del Caribe. En ese contexto, Cynthia dio una conferencia en la que demostró la falta de conocimientos del artista. Fue el primer paso para iniciar un romance similar a una partida de ajedrez en la que ella siempre jugaría con las blancas.

Sé todo esto por mi amigo Servando, que pertenece al Instituto de Investigaciones Biológicas. Aunque se dedica a la ciencia experimental, ama a Cynthia de un modo intensamente teórico y sigue los movimientos de Walker para descubrir con deleite que el día en que él inaugura una muestra en la Galería Gagosian de Nueva York ella participa en un congreso en Morelia.

Servando es experto en citología exfoliativa. Sería simplista suponer que su estudio de las células de la mucosa oral lo ayuda a apreciar la obra de Walker, dedicada a "resignificar" excrecencias y desechos. Mi amigo lo admira con la persecutoria dedicación que sólo puede tener un rival.

Servando nació para compararse. Lo conocí en la preparatoria, cuando alardeaba de haberse acostado con la amante de un galán de la telenovela *Los ricos también lloran*. Durante dos años me ha hablado más de Dennis Walker que de su mujer. La causa de esta vida en espejo es común: su matrimonio con Esther ha durado demasiado. Cuando sus hijos se fueron a estudiar al extranjero, sintió la asfixia de un bienestar sin sorpresas. Ni siquiera le intrigan los *whatsapps* que ella recibe a cada rato.

Su crisis de pareja deriva de haber cumplido todas las metas; la mía, de no haber alcanzado ninguna. Melanie trabaja en publicidad y nunca llegamos a dos puntos de *rating*. Me separé cuando mi hijo Jacobo tenía seis meses. No me recordará durmiendo en casa.

Es posible que el vínculo más fuerte entre mi mejor amigo y yo consista en asombrarme de que se compare con tanta gente mientras yo me comparo con él.

Las historias verdaderas se cuentan rápido; las que no han sucedido necesitan más palabras. Mi divorcio no requiere de elaboración; en cambio, la infatuación de Servando por Cynthia es compleja. Comenzó con un sueño en el que ella se quitaba las sandalias sobre la arena de Boca Ratón para entrar a un mar iluminado por fosfenos. Luego escuchaban el rumor de un helicóptero que poco a poco se convertía en el ventilador de un cuarto de hotel que giraba despaciosamente en el techo mientras ellos empapaban las sábanas.

Cynthia Cervantes llegó al Instituto de Investigaciones Biológicas como una promesa de riesgos atractivos y un collar del que pendían casquillos de ametralladora. La tercera esposa de Dennis Walker. A Servando le fascinó esa mujer que conciliaba el rigor científico con las subastas en Sotheby's donde su marido remata huesos y alambres. Hizo cálculos y decidió que ese equilibro ecológico no podía durar demasiado.

Las razones de Darwin son más fuertes que las de los curadores. Servando habló con ella de las contribuciones de Shinya Yamanaka a la reproducción celular, revisó la decoración de su cubículo en busca de una foto de su marido, no encontró ninguna y dio gracias por pertenecer a una especie depredadora donde sobrevive el más apto.

Un sábado en la mañana coincidió con ella en la Tienda

de la UNAM. Al verla escondió los *pants* de los Pumas que iba a comprar. Sintió una vergüenza animal ante el uso que daba a sus cupones, demostración etológica de lo mucho que ella le gustaba.

Cada tres o cuatro semanas, Cynthia regresaba de la playa con un espléndido bronceado y una energía adicional, otorgada por el aire del Pacífico. Servando encontró en la revista *Quién* un reportaje sobre la espectacular casa del artista en Troncones, ante el oleaje tempestuoso que le recordaba su infancia en Australia. A los 63 años, Walker seguía haciendo surfing. La revista lo mostraba junto a un tiburón recién pescado, sosteniendo las cuerdas de un velero y ante sucesivas tablas de surfeo (en treinta años, su espectacular torso apenas se había modificado y no había perdido pelo: su melena entrecana era tan espectacular que parecía postiza).

Servando estropeó nuestros encuentros con informes de una pareja que no me interesaba hasta que el destino se volvió caprichoso: la Sociedad de las Américas me encargó un retrato de Dennis Walker como parte de los homenajes que recibiría en Nueva York. Sabían lo mucho que él apreciaba México; había donado una fortuna para hacer un museo de textiles en Chiapas e insistía en ser retratado por un "talento vernáculo".

Aparentemente soy eso.

Tardé en contarle a Servando del encargo. No quería que me abrumara con más datos de Walker ni que me usara como espía para perfeccionar su pasión por Cynthia.

En un congreso en Boston, ella le habló de la soledad de un modo abstracto, como si se refiriera a la soledad de las células o de las partículas subatómicas que desafían la noción de "cantidad". Luego, ella guardó un silencio que él consideró probabilístico. El incalculable universo depende de ínfimas porciones de materia separadas entre sí. Pueden o no articularse. Todo es tan relativo como eso. Un impulso cuántico lo llevó a tomar la mano de Cynthia. Ella no retiró la suya, pero no movió los dedos ni vio a Servando. Estaba tan absorta en sus pensamientos que no parecía sentir que él la tocaba. Cuando volvió a la realidad del bar donde compartían martinis, dijo:

—Gracias por escucharme.

—No dijiste nada, pero no es necesario que lo digas.

—Gracias.

Fue lo más cerca que estuvieron de tener un romance. Un paso en falso y Servando arruinaría una ilusión minuciosamente concebida y podría enfrentar cargos de acoso. Lo segundo era menos probable que lo primero. No temía que Cynthia reportara su conducta; temía decepcionarla.

El arte del retrato tiene una reputación ambigua. El pasado tranquiliza al presente: la computadora dispone de un "escritorio", los vinilos ya son una reliquia pero al reverso de las cosas se le llama "Lado B" y los aviones se abordan del lado izquierdo, como los caballos. Cada nuevo material realza al anterior: el plástico prestigia al concreto, el concreto al ladrillo, el ladrillo a la piedra. El retrato al óleo pertenece al pasado pero tiene un problema para alcanzar auténtico prestigio: sigue ocurriendo.

Al pintar la piel practico un virtuoso arcaísmo; coloco una base azul que será cubierta por otras capas de pintura; la superficie del cuadro opera en tensión con algo que está abajo y no se ve; en esencia, la epidermis carece color definido. El retrato al óleo se acerca más a las complejidades de la carne que los megapíxeles, pero no está de moda.

Consagra de un modo anticuado. Se ha convertido en un diploma.

La Sociedad de las Américas abusó de mi incredulidad de tres modos distintos. Retratar a Dennis Walker significaba 1) conocer al rival amoroso de mi mejor amigo, 2) ponerme al servicio de un artista que repudia la figuración y 3) cobrar una fortuna por las molestias.

Acepté de inmediato.

Hay rostros que cautivan y rostros que preferiría que desaparecieran para siempre en un vagón del metro. Busqué a Leonora Carrington para atrapar su belleza, fraguada en sueños surrealistas. La pintora me abrió la puerta de su casa en la colonia Roma. Eran las doce del día, hizo una visera con sus dedos y dijo en tono de amable hastío:

—I hate the Mexican sun.

Me rechazó como si yo fuera un emisario solar. Ella no

había llegado al país en busca de los torrentes de luz que supuestamente aman los europeos, sino impulsada por guerras y persecuciones. Tenía un rostro maravilloso y era genial. Podía decir lo que le viniera en gana. Odiaba el sol mexicano.

Una extraña ley de las compensaciones hizo que la Sociedad de las Américas me invitara a retratar a otro extranjero que sí ama nuestro sol. Revisé fotografías de Dennis Walker: un rostro curtido por vientos arenosos. Lo que más le gustaba de Troncones, según decía en una entrevista, eran "los imprevistos del agua". Buceaba para pescar mantarrayas con arpón, disfrutaba el agua teñida por las algas durante la "marea roja" y preparaba un guiso con corazón de bonito. Estuve casado con una publicista suficiente tiempo para entender que Walker explotaba su imagen de artista salvaje.

Al buscar Troncones en el mapa, me acordé de Manolo, conocido de la preparatoria que se ahogó en el Pacífico. No recuerdo su apellido. Hay compañeros que no son sino un nombre de pila que se desvanece con los años y otros, como Servando, que no necesitan más que un nombre de pila. Cuentan que Manolo pidió ayuda y sus amigos creyeron que los saludaba a la distancia. Desde la playa, su muerte fue una escena feliz.

Pasé revista a las olas que me han revolcado en Chacahua, Mazunte y Manzanillo. Núñez de Balboa bautizó al Pacífico el único día en que estuvo tranquilo: 25 de septiembre de 1513. Esa calma, típica del signo astrológico que dominaba al sol, era engañosa (lo sé porque soy Libra).

Una chica me habló desde Los Ángeles para decirme que Dennis estaba "encantado" con el encuentro y disponía de una "ventana" de cuatro días para recibirme. Su español era perfecto, pero no parecía improvisar las palabras sino leerlas con gélida concentración.

Cuando colgamos, me llegó una actualización por celular de mi carta astral. Busqué el signo de Walker. A veces el universo es obvio: un Leo típico. Seguí en mi búsqueda cósmica. Los cuatro días concedidos por el artista coincidían con la luna llena. Habría pleamar, marea alta.

Dos días después llevé a Jacobo a una fiesta infantil donde Lorena, una mamá que me gusta mucho, exclamó:

—¡Ya supe que vas a retratar a Dennis!

Se había enterado del asunto por la radio. Nunca antes me habían mencionado en un noticiero.

Lorena no conocía personalmente a "Dennis". La familiaridad con que lo mencionaba provenía de la admiración, y la admiración con que me veía provenía del contagio. Aun así, sus ojos brillaban como si en verdad admirara mis cuadros. Al despedirse de su hijo, él le tocó la mejilla con su manita, dejándole un rastro de mermelada. Yo no llevaba klínex ni pañuelo. Influido por Walker, usé el argot del arte contemporáneo:

—Tu hijo te hizo una intervención —señalé la mancha roja en su mejilla.

—Corrígela —acercó su rostro y me tendió una toallita húmeda—, por algo eres retratista.

Pocas veces me ha gustado tanto una conversación sobre arte (doblé la toallita, la guardé en mi saco y aún la tengo). Lorena es diseñadora gráfica y se divorció hace dos años de un tipo que jamás ha ido al colegio. Si me hubiera gustado un poco menos, la habría invitado a salir. Es posible que Servando influyera en la cuidadosa reserva con que me dirigía a ella. Mi amigo tenía tanto miedo de ser rechazado por la mujer que idealizaba que había llegado a soñar que ella lo llamaba a su cubículo para decirle con insoportable frialdad: "Lo que tú llamas amor no es otra cosa que la energía que pasa de un animal a otro en la cadena trófica". Para demostrarlo, Cynthia dibujaba en un pizarrón una pirámide alimenticia: plantas, insectos, ratones, mamíferos hasta llegar a una pareja cuya única atracción era la de devorarse.

No comparto el terror biológico de Servando, pero sus miedos encontraron terreno fértil en mi mermada autoestima. Melanie me trató como a un programa que debe ser sacado del aire. Cuatro años después, no quería recibir la amable negativa de una mujer fantástica. Mi contención parecía dar frutos:

—Háblame cuando vuelvas para cotorrear el chisme —dijo Lorena en forma prometedora—, estoy en el chat de las mamás.

Melanie trabaja demasiado para participar en el chat de las mamás.

Yo formo parte de ese grupo sin que sea necesario cambiarle de nombre.

"Madre sólo hay uno", dice otro retratista al que le sobra tiempo.

Servando no reaccionó con el mismo entusiasmo que Lorena.

—Acepté el encargo por ti —mentí.

—¿Por mí?

—Le puedo hablar maravillas de ti a Cynthia.

—¿Ella estará ahí?

—Supongo.

Hizo una pausa. Tal vez pensó en el santuario guerrerense del leopardo australiano y en los pies descalzos de Cynthia, cubiertos por la blanca arena del Pacífico. Luego dijo con resignación:

—Estoy casado.

—Pensé que no lo sabías.

—Tengo que acabar con esto.

Su tono era tan patético que dije:

—A todos nos gusta alguien con quien no podemos estar.

Para justificar su voz quebrada me contó qué tan bajo había caído. Como otras científicas de alto rango, Cynthia se distraía fácilmente de la realidad. Al final del día dedicaba una hora a buscar cosas perdidas. Esto le dio una curiosa oportunidad a Servando: empezó a esconderle objetos para "rescatarlos". El desajuste ya se había convertido en rutina. Cuando Cynthia no encontraba su celular, él fingía deambular azarosamente por el Instituto y lo "encontraba" bajo el cojín del salón de profesores donde él mismo lo había colocado.

—En la primaria hacía lo mismo: le escondía el *lunch* a las niñas —dijo Servando para subrayar su infantilismo.

—¿Cynthia no sospecha nada?

—Es demasiado inteligente para eso. Las cosas que pierde son banales, no puede prestarles atención.

—Le hablaré bien de ti.

—No lo hagas. Estoy casado —añadió con esfuerzo, como si cerrara la puerta de una bóveda bancaria.

Antes de despegar a Zihuatanejo conocí en la sala para abordar a un gringo de piel rojiza, con bigotes amarillos de mosquetero y un collar del que pendía la cabeza de un tigre de oro. Su mirada tenía una atención eléctrica; parecía aguardar que alguien se cruzara ante sus ojos para iniciar una conversación. Me dijo que había padecido un cáncer que los médicos juzgaban incurable. Se sanó a sí mismo con una terapia alternativa y estaba por abrir una clínica en Zihuatanejo. Me aconsejó no usar desodorante ni bloqueador solar. Las mercancías que tocan el cuerpo dañan las células.

Le di la razón de inmediato, por simpatía hacia la biósfera y porque Melanie había hecho anuncios de desodorantes y bloqueador solar. De pronto tuve otro motivo para aceptar su crítica a la sociedad industrial.

Los ojos se me llenaron de lágrimas y el médico alternativo me abrazó:

—There, there —susurró, como si yo fuera una criatura.

Lo que me había afectado no era su apocalíptica visión del mundo, sino un anuncio de televisión. En la pantalla que colgaba del techo apareció mi hijo para decir: "Toda vida es un proceso de demolición: no le des oportunidades a la tuya". Luego la pantalla fue cubierta por el logo de una compañía de seguros.

Yo le había dicho esa frase de Fitzgerald a Melanie y ahora ella la usaba para promover seguros de vida. Y no sólo eso: usaba a nuestro hijo sin mi consentimiento. El efecto pretendía ser conmovedor: un niño dice palabras cuyo significado ignora pero que definen su porvenir. Me sentí ultrajado. Melanie alquilaba a nuestro hijo mientras yo pertenecía al chat de las mamás.

El gurú naturista tenía razón. La industria médica es otra forma de la enfermedad, comenzando por las compañías de seguros. Acepté el abrazo y respiré la limpia sudoración de ese desconocido. Quise un mundo que prohibiera los desodorantes y el uso de los niños en la publicidad, me aferré a los brazos fuertes del hombre que había estado a punto de morir y juré visitar su clínica. Cuando me enjugué las lágrimas, vi su rostro y me pregunté si serviría para un retrato. No. Esa mirada profética y esos bigotes pedían ser acuñados en una medalla o una moneda.

Al despegar sentí que huía de algo y que buscaba algo. El viaje había dejado de ser un compromiso de trabajo. Me conmovió el anhelo infantil de Servando de esconderle cosas a Cynthia para recuperarlas como un perro entrenado a sacar patos del agua, recordé el trazo de mermelada en la mejilla de Lorena y anhelé algo bueno, sencillo y sincero. Entre las nubes del Valle de Anáhuac recordé la mirada bondadosa de Lorena. Antes de conocerla, eso nunca me había parecido erótico. Suspendido en la inmensidad del cielo, acepté acabar con mis prejuicios. Mi repudio al arte contemporáneo se parecía al bloqueador solar: una forma de la protección que acaba por dañarte.

Debía darle una oportunidad a Dennis Walker. Yo era un atavismo y él una vanguardia. En el futuro, ambos seríamos olvidados o seríamos, al fin, contemporáneos. A diez mil metros de altura me sentí en sintonía con un planeta donde lo único genuino son las pieles sin sustancias artificiales y el océano primordial.

Nunca me había hospedado en el interior de un hexagrama. La frase amerita explicación. La asistente de Walker reservó un cuarto en Lo Sereno, un pequeño hotel cercano a la residencia del artista. El nombre del sitio provenía de un hexagrama del *I Ching,* el *Libro de las Mutaciones* chino, que alude a un lago sobre otro lago. El agua que se evapora de abajo encuentra el agua de arriba que llueve hacia abajo. Lo que se complementa en liviandad. Una alegría tranquila.

Durante años había conservado un ejemplar del *I Ching* en mi estudio, con prólogo de Salvador Elizondo. Consulté el libro mágico y al llegar al hotel en Troncones me sentí en la materialización del hexagrama 58, el "lago sobre el lago". Las piedras, las maderas, los estanques de agua creaban una agradable sensación de aislamiento. La terraza del comedor daba a unas tumbonas desperdigadas en la arena. Al fondo, rugía un mar revuelto.

Me advirtieron de los peligros de la corriente, que conocía por revolcadas en otras playas del Pacífico. No daban muchas ganas de salir de ese espacio autocontenido, pero había llegado un día antes de mi cita con Walker y decidí caminar junto al mar que lamía la arena de un modo inconstante.

Unas olas eran más cortas que otras. Traté de establecer una secuencia pero no pude hacerlo.

Al otro extremo de la bahía, una palapa ofrecía pescados y mariscos. Las mesas de metal anunciaban cerveza Sol. Pensé en Leonora Carrington, en su hermoso pelo cenizo y en su repudio al cielo mexicano. Lamenté no haber llevado sombrero ni lentes oscuros. De cualquier forma, pasaría la mayor parte del tiempo dentro de la casa de Walker, dedicado a mi propio *Libro de las Mutaciones*, los rasgos faciales que adquieren personalidad sobre la tela.

Una pareja daba los restos de su pescado a un perro sin dueño. En un pilar de madera, un letrero alertaba acerca de la corriente. En caso de ser arrastrado por el mar, el bañista debía flotar en espera de que el océano lo devolviera a la orilla. Vi el dibujo de un nadador, acompañado de una flecha curveada que indicaba la ruta de las mareas. Me pregunté si tendría la entereza de entregarme a los trabajos del mar. No, no la tendría. Sólo por accidente había empacado el traje de baño.

"PELIGRO", decía el cartel. Recordé el anuncio de seguros de vida. La voz de Jacobo había sido alterada por un micrófono y sus facciones tenían la coloración acrecentada de la tecnología digital. Había sido maquillado y la cámara lo falsificaba aún más. Melanie lo había entregado a los traficantes de caras.

De niño yo coleccionaba imágenes de santos. Las estampas religiosas me parecen más veraces que la alta definición. No puedo pensar en nada más falso que el rostro de mi hijo en la pantalla, al que le sobraban colores.

Bebí dos cervezas en lo que llegaba mi coctel campechano y no me tranquilicé.

En la noche dormí arrullado por el oleaje. Viajar a la playa desde la Ciudad de México produce un efecto anestésico. Dormí seis horas de corrido, un récord para mí, y desperté con el ruido de los primeros pájaros. Al fondo, distinguí el borboteo de la fuente del hotel.

Antes de desayunar fui a la playa. La arena aún no estaba caliente; pude caminar descalzo hasta que una silueta hizo que me detuviera.

Distinguí la melena ceniza y el torso curtido por el sol y el ejercicio. Dennis Walker buscaba desperdicios a la orilla del mar. Llevaba un pantalón color caqui, cortado con descuido abajo de la rodilla. Otra prenda completaba su atuendo: guantes negros de látex.

No quise encontrarme con él y volví sobre mis pasos.

Dos horas después, agitaba la campana de su casa. Un jardín de cactáceas separaba la construcción de la playa. Al fondo, más allá de los techos de tejas, se alzaban las frondas de un segundo jardín, del todo diferente: una intrincada selva tropical.

Abrió la reja un anciano muy delgado. Llevaba la camisa abierta. La cicatriz de una operación le dividía en dos el vientre.

—El señor Dennis está en su yoga —dijo—, pase por ahí con sus maderas —señaló un camino de piedras planas.

Mis "maderas" eran un caballete y las cajas de pinturas. Avancé hasta una puerta oscura que olía a brea. Estaba entreabierta y el hombre la empujó con una rama.

Pasamos a un estudio con las dimensiones de una bodega. Contemplé demasiados triques para describirlos. Al centro había una especie de islote, con dos equipales de cuero y una mesita con una botella de mezcal y dos vasos que habían contenido veladoras.

Un perro ladró a la distancia, posiblemente desde el segundo jardín.

—El Jaguar —explicó el guardián.

Me pareció lógico que el perro de Walker se llamara Jaguar.

—¿La señora está aquí? —pregunté.

—Anda en México, no tiene para cuándo venir.

Me decepcionó oír esto. No sabía qué esperar de ella pero quería conocerla.

Apoyé el caballete sobre unos fierros indescifrables y esperé al artista.

Minutos después apareció una mujer descalza. Llevaba una pequeña toalla al cuello y sostenía una bebida hidratante. Su leotardo color púrpura, atravesado por una flecha amarilla, tenía agradables manchas de sudor.

—Soy Odisea —dijo.

El nombre, el atuendo y el cuerpo eran los de una super-heroína.

Señaló su botella de plástico y añadió:

—Supongo que prefieres mezcal.

—Son las nueve de la mañana.

—Aquí es la hora que quieras.

Explicó que era la entrenadora personal de Dennis. Él vendría en cuanto concluyera un chakra de meditación. Entre tanto, ella hizo flexiones que incluso en un cuerpo menos perfecto hubieran sido perturbadoras.

Hay gente que al entrar a un cuarto modifica la atmósfera. Dennis Walker tenía ese carisma. Sonrió como si nos reencontráramos después de mucho tiempo. Me tendió la mano derecha mientras me apretaba el antebrazo con la izquierda. Preguntó si podía prepararme un café o traerme un vaso de agua:

—Aquí yo soy la *hausfrau* —explicó.

Ahora llevaba puesta una camisa blanca de lino, pantalón azul oscuro y sandalias de tela. Parecía recién bañado.

—Los dejo trabajar —dijo Odisea—, llamas si necesitas algo, Den—, vivo en la próxima bahía —me dijo a mí.

La vi salir mientras Walker revisaba mi caballete sin despedirse de ella. De algún modo advirtió que Odisea había enrarecido el ambiente para mí:

—Hace treinta años aquí sólo había *hippies*. Ella es lo mejor que hicieron —me dirigió una mirada cómplice.

Hablaba con menos acento del esperado en un anglófono, no añadía palabras en inglés y disfrutaba los mexicanismos:

—Dime cómo quieres que pose, siéntete en libertad. Aprecio mucho tu arte. ¿De veras no quieres un café? Yo sí necesito uno. Espérame tantito.

En lo que volvía, revisé el estudio con mayor atención. Detrás de un panel de petate encontré una mesa con grabados. Representaban esqueletos de pescados, trazados con insólita pericia. También encontré el estudio de un manto que sigue el sinuoso contorno de un cuerpo oculto bajo la tela. Leonardo había hecho un dibujo insuperable con ese tema. Alguna vez intenté trazar un paño semejante. No pude hacerlo.

Cuando Walker volvió al cuarto le pregunté por los grabados.

—Pecados de juventud —sonrió.

El arte contemporáneo me parece dominado por impedimentos. Alguien reúne chatarras, ensambla bicicletas o pega *stickers* sobre radiografías porque no sabe grabar, dibujar o pintar. Es más: porque ni siquiera sabe fotografiar.

Lamenté que Walker me impresionara tan pronto. Trabajaría ante alguien capaz de dibujar mejor que yo. El retrato al óleo no sólo requiere de habilidad para el dibujo, pero era obvio que Walker dominaría la figuración si le viniera en gana.

La luz no era perfecta para pintar. Mi anfitrión lo advirtió y pidió que lo ayudara a despejar una zona del estudio para aprovechar la luminosidad que caía de una claraboya.

—¿A qué distancia de la tela pintas? —preguntó.

Estaba más familiarizado con mi oficio que yo con el suyo.

No quise seguir hablando de pintura. Le pregunté sobre su infancia en Australia.

Había nacido en una granja; a los ocho años perdió a sus padres en un accidente de avioneta y se mudó con un tío a la costa. Ahí aprendió a pescar, surfear, navegar en velero. Durante dos años estudió por correspondencia. Era hijo único y el mar había compensado su soledad.

Entró por primera vez a una galería a los diecisiete años. Había ido a Sydney a comprar un motor fuera de borda. Frente a la tienda, vio una vitrina con tablas de surfeo extrañamente decoradas. Un artista usaba las tablas como lienzos.

—Es la peor exposición que he visto, pero me encantó. ¿No te parece raro que descubramos el arte gracias a obras que luego nos parecerán horribles?

Walker podía decir frases largas en español sin cometer errores.

Seguramente las había dicho muchas veces.

Trabajé mientras él respondía a mis preguntas. Su rostro mostraba una tensión continua, atento a lo que yo le decía. Sabía que él no tenía hijos, pero de cualquier forma pregunté por ellos. ¿Le daban miedo o le disgustaban los aviones?, ¿viviría en México en caso de no estar casado con Cynthia? Contestó sin modificar su estado de alerta ni decir nada sorprendente, concentrado en no usar anglicismos. De vez en cuando nos llegaban los ladridos del perro.

294

Hacia el mediodía, el empleado que me había abierto la puerta llegó con un teléfono. Extrañamente, la llamada era para mí.

La asistente de Walker quería saber si todo estaba bien:

—El Maestro le va a entregar el acuerdo de confidencialidad que debe firmar. No puede citar declaraciones ni tomar fotografías. Lo que vea es *for your eyes only*. Muy poca gente tiene acceso a ese espacio. Le pedimos que lo valore… —no pudo seguir hablando porque Walker me arrebató el teléfono.

Con voz exaltada dijo:

—*This is no fucking New York! This is Mexico! I'm running the show here. Don't fucking call again.*

Me gustó dejar de hablar con esa mujer, pero me incomodó que él reaccionara de ese modo. ¿Me creía tan ingenuo como para que le agradeciera que me tratara "a su nivel" mientras ultrajaba a los demás?

—*Sorry about that* —me habló por primera vez en inglés, con un marcado acento australiano—. Estás bajo contrato, pero no te pueden tratar como un empleado: somos colegas —resopló con desencanto—.

Necesito un "fuerte" —añadió, dirigiéndose a la botella de mezcal.

Rechacé su invitación a acompañarlo. Insistió en que no lo dejara beber solo. Me serví un dedo de mezcal y brindé con él.

Despotricó contra las reglas, las normas, las obligaciones, los códigos del "burdel del arte".

—Lo único real es esto —alzó los brazos, englobando el entorno.

Le pregunté si tenía un velero.

—En la marina de Ixtapa.

—¿Cómo se llama?

—Cynthia.

Odisea era mejor nombre para un barco, pero no lo dije.

El enojo relajó los músculos faciales de Walker, pero recuperó pronto su pose de control.

En ningún momento pidió hacer una pausa. Trabajamos hasta las dos, fui a comer a Lo Sereno y después de una siesta regresé a casa del artista. El empleado (para entonces ya sabía que se llamaba Julián) me llevó al estudio. Encontré un libro que no había visto antes: *The Fitness of the Enviroment*. ¿Cynthia estaría ahí?

La botella de mezcal había bajado de nivel en forma significativa.

¿La pareja había brindado por su reencuentro?

Walker volvió al lugar con renovada energía.

—En el origen de la vida no había oxígeno libre —Cynthia llegó al estudio sosteniendo un teléfono inalámbrico; saludó a la distancia, buscando algo mientras respondía a una entrevista—: ¿Cómo era el mundo sin oxígeno? Es una pregunta decisiva. Hay que entender esa etapa para saber de dónde venimos —encontró un frasco de Tylenol y salió del cuarto mientras decía—: En el Precámbrico había pocos incendios porque no abundaba el oxígeno.

No me fijé mucho en ella. Mi prioridad era la cara casi inerte de Dennis Walker.

Trabajé mientras oía los ruidos de Cynthia. Una licuadora, el tintineo de sus mensajes de texto, un estornudo, los insultantes mimos que prodigaba al perro que había dejado de ladrar: "Ven acá, estúpido",

"¿Quién es el más tonto de la playa?".

Walker miraba la luz progresivamente débil que caía de la claraboya. Parecía pensar en su otra vida: un encargo de Dubai, un diálogo con el *über-curator* Hans Ulrich Obrist, las cotizaciones de Sotheby's, las basuras que el mar arroja a la arena.

Le pregunté por esto último y pareció animarse:

—He encontrado envolturas que vienen de Japón. ¿Te das cuenta de lo que es eso? Algo tan ligero como un celofán puede llegar hasta aquí desde el Oriente. Lo raro es el tiempo que las cosas tardan en llegar. Hace unos meses encontré una pieza de un Zero japonés, de la Segunda Guerra Mundial. Pertenecía a un motor Sakae 31, lo confirmó un amigo del Museo de la Aviación de Palm Springs. Es el fragmento de un cilindro. Sakae quiere decir "gloria". ¡El avión caza se hundió en el Pacífico en 1945 y ahora está llegando en pedazos! ¡El océano es el correo más lento pero más seguro del mundo! Voy a hacer una pieza con eso. El título es Kamikaze. Perdón, hablo demasiado.

—Está bien, necesito conocerte.

Un olor a tomate caliente y orégano llegó al estudio. Me pregunté si me invitarían a cenar.

—¿Te gusta la comida mexicana? —pregunté para llenar el silencio.

—La adoro.

—¿Qué te gusta más?

—Los insectos: escamoles, gusanos de maguey, chinicuiles...

Walker había aprendido a decir chinicuiles, pero el aire olía a comida italiana.

A las siete de la noche, se puso de pie y dijo:

—*Enough for today*.

No me invitó a quedarme ni me dio la mano al despedirnos.

Cené en la agradable compañía de una vela. El mar azotaba la costa en forma rítmica. Desde la terraza del hotel vi el rastro de la luna sobre la superficie del agua.

Me informo del arte contemporáneo para alimentar mi decepción.

Dos conceptos usados por la crítica me intrigan especialmente: "relacional" e "inmersivo". Los desperdicios que Walker recoge con sus guantes de látex adquieren sentido porque todo se relaciona con todo. Por otra parte, el "contenido" de una pieza cambia por la forma en que es exhibida. Exponer en espacios imprevistos sugiere que el arte invadió un terreno. Walker había rescatado un trozo de Zero y le buscaba una nueva "inmersión" en un mundo amenazado.

En cierta forma, también mi tarea ante Walker era "relacional" e "inmersiva". Penetraba en su entorno en busca de claves dispersas.

El mar parecía haber cobrado más fuerza esa noche. La luna llena dominaba el cielo pero distinguí dos o tres constelaciones. De pronto, un resplandor se apagó cerca del cinto de Orión. Tal vez no se trataba de una estrella sino de un satélite que concluía sus funciones y se transformaba en chatarra. ¿Regresaría a la Tierra como las basuras que recogía Walker? ¿Llegaría a esa costa expulsado por el agua que se manchaba de petróleo, deyecciones humanas, cremas que no se disolvían y bloqueador solar? Una nube de mosquitos orbitaba mi vela, como una versión a escala del cosmos. Mientras hubiera moscos, no todo estaría contaminado. O quizá era la seña de que ya sólo podían sobrevivir los moscos.

Walker hacía bien en salvar desperdicios de un océano moribundo para transformarlos en una extraña versión de la riqueza. Pero eso no frenaría el colapso. Alcé la vista en busca de otro satélite a punto de extinguirse. El firmamento estaba hecho de mundos desaparecidos de los que sólo quedaba ese resplandor. La luz era la última basura.

En eso recibí un *whatsapp* de Lorena. No contenía palabras, sólo emojis en forma de pétalos rotos. No había visto emoticones similares en mi celular. Tal vez ella había diseñado esa lluvia floral. Me dio gusto recibirla. Estaba tan concentrado en el deterioro ecológico que fue reconfortante recibir pétalos artificiales, una naturaleza muerta en miniatura.

Luego llamó Servando. Quería saber si ya había conocido a Cynthia.

—Apenas la vi, habló del oxígeno libre.

—¿Habló de eso contigo? —preguntó sorprendido, como si ella me hubiera ofrecido respiración artificial.

Describí la escena hasta que él dijo:

—Me metí en un pedo: le escondí sus llaves para ayudarla a encontrarlas, pero salió a toda prisa porque iba a perder el avión y aquí las tengo.

—Se las das cuando regrese.

—Dennis detesta que ella se la pase perdiendo cosas, es un güey supercontrolador, más territorial que el dingo australiano.

—Te conviene que se peleen.

—¿Cómo los viste?

—Te digo que apenas los vi.

—Cuando ella regrese le voy a tirar la onda. Estoy hasta la madre de Esther, ya sólo habla de la tarjeta de descuento para Cinemex. Con Cynthia hablo de estructuras subcelulares y se me para. ¡En su cubículo! Tuve que caminar como duende para que no se me notara ¡Hablo con ella del fraccionamiento isotópico y me excito!

—Es lógico: el fraccionamiento isotópico significa mucho para ti, ¿no?

—¡El fraccionamiento isotópico me vale madres! Lo que ella diga me vuelve loco. ¡Tengo sus llaves! Si no me pela, dejo la UNAM o me suicido o me meto en una secta. Estoy al límite, ¿y sabes qué? Se siente chingón estar así. ¡No puedo seguir hablando de tarjetas para Cinemex!

—Cambia de tema.

—Lo hice y Esther habló de la tarjeta de Cinépolis.

—México es un país de duopolios, no hay una tercera cadena, hablará de otra cosa.

—No te importa lo que digo, ¡eres mi mejor amigo y te valgo madres! Le voy a decir a Cynthia que desde hace siglos le escondo sus cosas. Hay especies así.

—No son especies humanas.

—Eso le va a gustar, los dos estamos hartos de lo humano.

Al día siguiente Cynthia me abrió la reja de la casa:

—Den es un grosero, le dije que te quedaras a cenar. Hice su guiso favorito, espagueti *amatriciana,* pero se le olvidó invitarte. Está en su burbuja. Yo soy Cynthia, por cierto.

—Mucho gusto.

—Perdona el desorden de la casa. Den es un amontonador de cosas y Julián no puede agacharse. Lo mordió un tiburón a los veinte años. Den lo contrató porque lo mordió un tiburón. Esas cosas le gustan. Yo lo muerdo, pero me falta otra cadena de dientes para que le parezca interesante.

Me sorprendió tanto lo que decía Cynthia que apenas me fijé en ella. Las palabras la envolvían.

—¿En qué piensas? —me preguntó.

—En el oxígeno libre. Ayer hablaste de eso por teléfono. Yo pensaba que la vida había empezado con el oxígeno.

—La vida humana, pero no fuimos los primeros en llegar aquí.

Vinimos tarde, a arruinar la fiesta.

Recordé lo que Servando había dicho: "los dos estamos hartos de lo humano".

—Tengo una amigo que te conoce —comenté.

—Lo sé, te adora. Me dijo que son neutrones pares.

—No tengo la menor idea de lo que eso significa.

Él tampoco: el afecto nubla la inteligencia.

—¿Vienes muy seguido aquí?

—Más de lo que quisiera. Los verdaderos fanáticos de la biósfera la estudiamos en el laboratorio. Pero Den necesita recoger basuras.

—¿Ya terminó su clase de yoga?

—¿Conociste a Odisea? Me encanta que lo relaje, *if you know what I mean*. Es una santa, o por lo menos una mártir. Estar con un genio no es una necesidad biológica, al contrario: es una excepción, una inconsistencia de la especie.

Habíamos llegado al estudio.

—¿Hoy sí te quedas a cenar? Habrá lasaña. Den no soporta el chile. Mi molécula favorita es la capsaicina, pero él no la soporta.

Me quedé solo y traté de reconstruir mentalmente a Cynthia al margen de su torbellino de palabras. Una mujer delgada, de pelo negro, nariz definida. Nada más. En cambio, su discurso era inquietante: el arte de su marido estaba hecho de basura, él mentía al decir que le gustaba la comida mexicana, a ella la biósfera le interesaba demasiado para estar en la playa, el genio es una inconsistencia de la especie, Servando me adoraba, Odisea relajaba a Walker...

Busqué *The Fitness of the Environment*. Ya no estaba ahí.

Trabajé dos días seguidos sin que Walker protestara por las largas horas de inmovilidad. Yo seguía luchando por encontrar una expresión que lo definiera. Su mirada se me resistía. No quería retratar los ojos que tenía ante mí, sino los ojos que tendría ante algo que le interesara.

No se asomó a ver el cuadro en proceso y sería demasiado vanidoso suponer que lo revisaba cuando yo me iba.

Cuando retraté a Rubén Bonifaz Nuño, el poeta ya estaba ciego; sin embargo, supervisó el óleo con insólita precisión. Le pidió a varios amigos que describieran su imagen y registró las palabras en tal forma que me pidió que corrigiera el entramado de su chaleco y su mirada. Walker tenía la actitud opuesta, de absoluto desinterés. Posaba como si pagara impuesto por estar en México.

En la noche me invitó a cenar con mecánica cortesía y disculpó a Cynthia por no estar presente, pues tenía que atender una videoconferencia. Preferí ir a Lo Sereno.

Para el tercer día yo había logrado un retrato vacío. Las facciones estaban en su sitio pero faltaba el temperamento. Una cara sin alma. ¿La venganza de un artista figurativo contra un artista conceptual?

Servando afirma con científico desdén que cuando no hay razones sólo quedan supersticiones. Se burla de mi interés por la astrología. Pero sólo puedo explicar mi impotencia de este modo: tenía enfrente a un Leo típico. No podía captar su esencia porque la bestia estaba en cautiverio; debía imaginar su mirada en soledad, y me costaba trabajo hacerlo porque soy Libra, que añora el equilibrio y es presa de la indecisión.

Walker se animó al hablar de *rugby* sin que eso me regalara un gesto. Quise provocarlo con Odisea y el resultado fue desconcertante. Me mostró un video en el que ella posaba desnuda. Un tatuaje recorría su columna vertebral, dotándola de delgadas espinas transversales. Parecía una mujer pescado.

—Yo la tatué —dijo Walker—; me pidió que lo hiciera para protegerse de mí: "te has cogido a todas tus modelos, pero no te vas a coger una obra tuya", me dijo. Es mentira, claro está.

—¿Es mentira que te has cogido a todas tus modelos o es mentira que no te cogerías una obra tuya?

Soltó una carcajada, como si yo hubiera dicho un chiste buenísimo.

Hablar de Odisea me alteró más a mí que a él. Dennis Walker era indescifrable. Curiosamente, aunque no lograba decodificarlo me caía mejor. ¿La convivencia nos acercaba de ese modo? ¿Tenía miedo de rendirme ante él, de descubrir el carácter singular bajo su controlada imagen?

Esa noche sí cené en la casa. Cythia había preparado ensalada y él cocinó un espagueti con pesca del día, con la destreza de quien acostumbra usar las manos.

La casa era tres veces más grande que el estudio. Había sido construida en desniveles, con "terrazas" interiores protegidas por barandales de madera. La cocina estaba en un espacio abierto, dos niveles más arriba de la sala y uno del comedor. Walker podía vernos desde ahí.

Cynthia bebía vino y jugueteaba con el frasco de Tylenol.

Me llamó la atención un cuadro en la pared lateral de la sala que combinaba a la perfección con la fantasiosa arquitectura. Me acerqué a verlo y casi me alarmó descubrir que se trataba de un De Chirico: una plaza vacía, habitada por dos sombras; al fondo, unas columnas que no sostenían nada.

Desvié la vista a los rincones del techo, en busca de cámaras de seguridad. Sonreí al encontrarlas y Cynthia dijo:

—Eres la primera persona que no pregunta si es auténtico.

—De Chirico se copiaba a sí mismo y en los cuadros de vejez ponía fechas de su juventud para venderlos mejor. Había perdido la inspiración y se dedicaba a plagiarse.

Cynthia no se interesó en mi breviario cultural. Se sentó en un sofá de mimbre al que le sobraban cojines chiapanecos y dijo:

—Hablando de plagios: tu amigo Servando necesita ayuda. Secuestra objetos.

—¿De qué hablas? —fingí no saber nada.

—Al principio creí que era un capricho, pero está enfermo. Necesita esconderme cosas.

—¿Y qué más piensas de él?

—Obvio, que es guapísimo.

Esta declaración me sorprendió tanto que estuve a punto de escupir el vino.

—La primera vez que lo vi me dije: "no voy a poder trabajar con alguien así en el Instituto"; no tiene una belleza convencional, pero es un vampiro perfecto; me gustan los monstruos; bueno, vivo con uno, pero Servando es demasiado raro.

—Los monstruos son raros.

—Él es raro mal, raro psicológico. ¿Siempre fue así?

—De niño le escondía el lunch a las niñas.

—¿Ves?

—Esconder no es robar.

—De seguro mordía el sándwich de las niñas, o lo lamía. Estoy a punto de no soportarlo —bajó la voz en forma dramática y agregó—: se quedó con mis llaves. Den odia que pierda cosas. Pensé que Servando podía tener un extraño *crush* conmigo, pero le roba cosas a todas las mujeres y luego se las devuelve. Es un perverso de amplio espectro. Me da mucha lástima pero voy a tener que denunciarlo.

No seguimos hablando porque Walker nos llamó desde la mesa.

—Espagueti a la Norma —anunció; se sentó frente a un platón humeante, pero se levantó de inmediato porque había olvidado algo—: voy por un vino siciliano.

Cuando nos quedamos otra vez solos, le dije a Cynthia:

—¿Estas segura de que Servando le roba a otras personas?

—¿Por qué me iba a preferir a mí?

—No sé, eres atractiva —vi su rostro, tratando de convencerme de que lo que había dicho era cierto.

Me costó trabajo evaluar sus facciones. ¿Puede el exceso de rostros saturar una mente? ¿Me había concentrado tanto en ese tema que ya no podía abordarlo? El retrato de Dennis Walker carecía de vida y Cynthia parecía resistirse a otra valoración que no fuera la de tener un rostro correcto.

—Me recuerdas a alguien, pero con otros tonos. Es como si fueras la copia mejorada de una modelo de otro tiempo.

—Me gusta lo que dices.

—No puedo decir que te conozco desde siempre pero es como si te reconociera.

Nada de esto tenía que ver con lo que yo sentía. Lo dije por automatismo, pensando en lo que Servando me había dicho de Cynthia.

—Es fabuloso que tu trabajo dependa de los demás —dijo ella—. ¿Qué se siente estar tan atento a los otros? Nunca tuve un novio así.

Yo había tratado de ser amable para suavizar la tensión que dominaba a mi anfitriona, dispuesta a denunciar a mi mejor amigo y tal vez me había excedido. Ella no me gustaba. Para comprobarlo pensé en Lorena y en el alfiler con que sujetaba la blusa en el nacimiento de sus senos. Ya dije que la piel no tiene una pigmentación precisa, pero la suya es color avena. Decidí el tono exacto de las aréolas en sus pezones: rosa pálido.

Mientras pensaba en los intangibles pechos de Lorena, Cynthia abrió el frasco de Tylenol y tomó dos pastillas.

—Den detesta que haga esto, pero el oxígeno me da dolor de cabeza.

Walker volvió a la mesa, sirvió copiosas raciones de espagueti. Cynthia apenas probó la suya y yo repetí dos veces. Traté de que ella hablara de su trabajo pero fue evasiva. Su marido habló por ella:

—Cynthia es demasiado educada para decir que somos ignorantes, pero si explicara lo que hace no lo entenderíamos, al menos yo no lo entendería. En cambio, cualquiera puede decir que mis piezas son una mierda.

—¿Cómo va el delfín, Den? —ella cambió amablemente de tema.

Walker estaba reconstruyendo el esqueleto de un delfín con desechos marinos para un museo de Nápoles. Los beneficios irían a dar a los migrantes detenidos en las pateras del Mediterráneo. Habló de su instalación durante suficiente tiempo para que ella fumara dos cigarros.

Cuando terminó, Cynthia dijo sin mayor ilación:

—Te llevo a tu hotel; la playa está oscura a estas horas.

Abandonó la mesa unos minutos y regresó con una linterna. Se había puesto una sudadera.

—No te tardes —Walker le acarició la nuca.

No había muchas estrellas por la luna llena, pero pude ver el triple de las que veía en la ciudad. Cynthia alumbraba la arena con la linterna. Cada tanto, entre las sombras, creía ver un movimiento. Un cangrejo, tal vez. El silencio que guardábamos era parecido, sombras en las que de pronto se movía algo. Presentí que ella diría algo incómodo. Walker y ella parecían llevar una relación intensa y comprometida, pero difícil.

—Vi los grabados de Dennis —le comenté.

—¿Cuáles?

—Esqueletos de pescados y un manto maravilloso, lleno de pliegues.

—Lo mejor de mi marido es su colección de arte. Lo amé cuando vi las cosas que tenía en su casa de Brooklyn. Hasta ese momento me fascinaba como una anomalía: un ejemplar único en su especie. Pero no hay genio sin egoísmo; eso es magnífico para exponer y pésimo para convivir. Den no participa en muestras colectivas. Le gusta verse como un pistolero o un samurái. Sólo hace *one man shows*, no por mamón, sino por solitario. Es alguien que no conecta. Tiene acceso a todo, pero no conecta. Puede entrar a la casa de un jeque, un indio huichol, un narco, un obispo... pero no se vincula; esa distancia es su arte. Recoge residuos, trozos que perdieron relación con lo demás. Es incapaz de contar un chisme o de imaginar una intriga. Vive hacia dentro. Me encanta estar en su concha, pero a veces me abruma. Cuando vi su colección privada, me encantó que respetara a artistas tan diferentes a él; es la manera en que socializa.

—¿De quién son los grabados que vi?

—De Andrea Verocchio.

—¡¿El maestro de Leonardo?! ¡No mames! ¡Están arrumbados atrás de un petate!

—Los va a llevar a la exposición de Nápoles, junto a su esqueleto de delfín.

—Me dijo que eran "pecados de juventud".

—¿Y le creíste?

No contesté.

—Puso a prueba tu ingenuidad.

Me sentí mal, pero ella agregó:

—Me gusta que seas así. Gracias por dedicarle tanto tiempo a mi marido. Le cuesta trabajo estar en calma; posar es un esfuerzo enorme pare él. Lo hace por mí.

—¿Por ti?

—Me gusta su cara y este es mi país: me lo estás devolviendo.

—¿Has visto el retrato?

—Me fascina, pero le faltan los ojos. Parece un héroe griego.

—¿Él lo ha visto?

—No le interesa, dice que las caras son para los demás; nadie existe de verdad viendo su propia cara. Llegamos —su linterna alumbró la entrada de Lo Sereno.

Al día siguiente, Julián me recibió en la reja con una noticia críptica:

—La señorita Odisea salió pitando.

No me llevó al estudio sino a la casa.

Cynthia llevaba un blusón color azafrán. Estaba descalza y parecía desvelada. Dennis Walker había tomado un taxi a Zihuatanejo. De ahí volaría a Houston y a Nueva York.

La compañía que aseguraba una de sus exposiciones había perdido una pieza en Abu Dabi.

Lo más cerca que yo había estado de Abu Badi era una discoteca que se llama así en Manzanillo y donde hubo una balacera. El mundo de Walker era distinto, incluía un Abu Dabi real.

Cynthia había puesto varios álbumes de fotografías sobre la mesa de centro:

—¿Puedes acabar el retrato con fotos?

—No es lo ideal —dije.

Sin embargo, en los álbumes el artista mostraba expresiones que me había negado. Las imágenes, algunas de ellas amarilleadas por el tiempo y el sol del Pacífico, parecían más genuinas que el rostro mismo. Cynthia pareció advertir lo que pensaba porque dijo:

—Den posó para ti como para una foto de pasaporte. Es notable lo que has logrado a pesar de su rigidez. Bueno, el pobre hizo un gran esfuerzo, supongo que ahora se siente liberado.

En las mejores fotos estaba solo, casi siempre a la intemperie. Un cazador furtivo, alguien que pesca en alta mar. Cynthia aparecía en imágenes recientes, siempre sonriendo. Si la dicha se juzgara por los álbumes de familia perteneceríamos a una especie feliz.

Dennis Walker tenía casas en distintos países al modo de un animal que tiene varias madrigueras para ocultarse. ¿Qué papel jugaba Cynthia en su vida? Era mucho más joven que él, soñaba en otro idioma, se dedicaba a una ciencia que él jamás comprendería. ¿Estar con alguien tan diferente permitía que el artista preservara su aislamiento incluso en compañía?

Lo vi fotografiado junto a Roberto Matta y pensé en la colección privada que tenía en Brooklyn. Esos cuadros eran su excepción, la forma en que un solitario convive con los otros. Tal vez también Cynthia fuera eso para él.

Hacia las dos de la tarde ella llegó a decirme:

—Ando en la loca, tengo que revisar unos datos que me mandaron del laboratorio; perdón por no invitarte a comer. Además, cocino pésimo, la señora de la casa es Den.

—No te preocupes.

Fui a mi hotel y aproveché para hablarle a Servando.

—¿También le escondes cosas a otras personas del Instituto? —le pregunté.

—No quería que Cynthia pensara que estoy obsesionado con ella. A veces le ayudo a las secretarias a encontrar sus cosas.

—¿Las cosas que tú les escondes?

—Sí.

—¿Y no le escondes nada a los hombres?

—¿Qué insinúas?

—¿Cuántos años tienes? Estás enfermo, Servando.

—Ibas a ayudarme con Cynthia y ahora ella de seguro me odia. ¡Pinche traidor!

Colgué antes de que sus insultos me parecieran más certeros. Conocer a Cynthia me había servido para entender lo molesto que podía ser Servando.

En eso estaba cuando el adorno de mesa que sostenía una orquídea cayó al piso. Escuché un batir de ramas; las palmeras oscilaban. El agua de la alberca se deslizó velozmente, derramándose en los tablones de teka. Los objetos de cristal vibraron. Oí gritos de pájaros y una voz a la distancia. La gente corrió hacia la playa, derribando sillas. Sentí el estómago vaciado por un pánico primigenio. Demasiado tarde, alguien dijo:

—Está temblando.

En la playa la gente veía alternamente el mar embravecido y las casas que se mecían durante segundos que parecían minutos. Un árbol se vino abajo y aplastó algo a la distancia. Hubo gritos dispersos, un estallido, un humo azulenco se alzó sobre una colina.

Cuando todo terminó, dos turistas gringas lloraban y otra meditaba en flor de loto. Los empleados reaccionaron como si no hubieran padecido el terremoto. A los pocos minutos regresaron a la playa con charolas en las que ofrecían agua de limón y copitas de mezcal.

No hubo daños, pero el susto hizo que por primera vez todos nos dirigiéramos la palabra. Una rara confianza se estableció entre nosotros. No retomamos la comida y nadie se preocupó por pedir la cuenta. Al día siguiente eso se solucionaría de algún modo. Lo importante era que la tierra se había movido y estábamos ilesos.

Recibí otra lluvia de pétalos por *whatsapp,* ahora acompañada de dos palabras: "¿Estás bien?", No pude contestar porque perdí la cobertura.

Fui a casa de Walker. La reja estaba abierta. Grité el nombre de Julián pero no hubo respuesta. Entré a la casa y no vi a nadie. Subí a los cuartos y no me sorprendió que la cama de la pareja fuera redonda. Desde ahí, la vista era imponente, cercana al vértigo. La recámara parecía flotar sobre el océano. Ninguna otra construcción entraba en el campo visual. Un horizonte abierto, visto por un náufrago, en una isla desierta.

Bajé al primer nivel y por primera vez abrí la puerta del jardín trasero. Las plantas crecían en un desorden selvático. Al fondo me pareció oír un gemido. Recordé que había un perro, pero seguí adelante.

El corazón me latía con fuerza. Los insectos zumbaban muy cerca de mi cara, atraídos por mi sudor. No me había puesto repelente.

Junto a un tronco inmenso, que me pareció una ceiba, encontré a Cynthia, abrazada a un perro labrador.

—¿Cómo estás? —me arrodillé junto a ella.

—Me asusté cañón —dijo.

Tenía los ojos enrojecidos. Jaguar parecía adormecido por su abrazo, algo inusual en un labrador.

—El único tranquilo es el perro —dije.

—Está viejo, ya no se da cuenta de nada.

—Vamos a la casa, hay que oír las noticias.

No había luz, pero Walker tenía un radio de baterías de onda corta. Lo encendí. Estaba sintonizado en una estación metereológica de Australia.

—Le gusta saber qué clima enfrentan los pescadores de Oceanía, eso lo distrae.

Cynthia fue por botellas de agua en lo que yo buscaba noticias del terremoto.

Minutos después sabíamos que la sacudida había sido de 8.1, con epicentro en la costa de Guerrero, a 75 kilómetros de donde estábamos.

Un puente se había caído y había daños en varias escuelas de gobierno.

Pasamos la tarde pasando de un noticiero a otro. Hacia

las ocho se restableció la telefonía celular. Cynthia recibió una llamada de Julián. La casa de uno de sus hijos se había desplomado, su nuera estaba herida de gravedad, iban a llevarla a una clínica del Seguro. Como siempre, la tragedia era agravada por la pobreza.

Recibí una llamada de Melanie. Odiaba lo que había hecho con Jacobo, pero no era el momento de pelearme con ella.

—¿Estás bien? —sonaba preocupada.

Melanie había usado la misma frase que Lorena, como si se relevaran en la guardia que hacían ante un enfermo.

Servando llamó tres veces pero no contesté.

Escribí y borré cinco mensajes para Lorena. Yo estaba cerca del epicentro. Extrañamente, eso nos unía a la distancia. Al final mi nerviosismo optó por algo escueto: "Gracias por tus palabras. Te busco al rato".

Cynthia recibió numerosos mensajes del Instituto. Le pregunté si tenía noticias de Servando.

—Para nada —contestó.

Era curioso tener conexión a los teléfonos celulares y no tener electricidad. Cynthia encendió unas velas que producían menos luz que las pantallas de nuestros teléfonos.

A las nueve habló Odisea.

—No sé nada de él —le dijo Cynthia—, no te preocupes, seguramente está mejor que nosotras; sí, yo estoy bien, soy una niña grande.

Colgó y me dijo:

—Odisea está en esa edad en la que aún vives para otra persona.

—¿Tiene pareja?

—¡Claro que tiene pareja!, ¿no la has visto? Vive para todos, y todos regresan a ella. Le pusieron bien el nombre.

Cuando volvió la luz, vimos en la televisión lo que ya habíamos visto en los celulares. Las imágenes, repetidas en otro formato, adquirían extraña contundencia. La televisión no decía nada nuevo; confirmaba las versiones digitales. La catástrofe se volvía oficial.

A las diez de la noche sentí hambre y me dio vergüenza. Había muertos y yo quería comer. A las once ya no me dio vergüenza tener hambre.

—¿Quieres que prepare algo? —le pregunté a Cynthia.

—Por favor.

El refrigerador estaba perfectamente abastecido. Preparé una ensalada y saqué quesos y embutidos para hacer sándwiches. Supuse que Cynthia tendría poco apetito. Comí jamón a escondidas para no verme muy avorazado en la mesa.

Ella había chateado con un sismólogo y llegó a la mesa con un preciso recuento de los daños. El terremoto no había sido tan grave como otros, pero había daños mayúsculos en las colonias populares.

Varias casas habían desaparecido en una hondonada. Bebimos vino. Todo era muy frágil y estábamos vivos.

—No recojas nada —dijo ella cuando intenté llevarme los platos (el suyo estaba casi intacto)—. Vamos al mar.

Salimos a la playa. Nos recibió un viento fuerte y fresco. El oleaje era intenso. La luna brillaba en forma poderosa.

—¿Crees que sobreviviríamos a un tsunami? —me preguntó.

—No.

Nos descalzamos y caminamos junto al mar, con los zapatos en las manos.

Me llegó un *whatsapp* de Servando y sólo entonces advertí que ella había dejado su celular en la casa.

Cynthia señaló una antena a la distancia, montada sobre un cerro: los focos rojos oscilaban en la oscuridad.

—Una réplica —dijo.

Nos alejamos maquinalmente del agua. Tropecé con un coco en la arena.

—¿Estás bien? —Cynthia se tendió junto a mí.

Oí la brutal caída de una ola y el agua llegó hasta mi cuerpo.

—Levántate, te está empapando —Cynthia me tomó del brazo.

En la oscuridad, la playa ya no parecía un sitio seguro. Nadie más llegó ahí durante la réplica del terremoto, más breve que la sacudida inicial.

—¿Has nadado acá? —le pregunté a Cynthia.

—Claro, hay que tener cuidado, pero la corriente siempre te saca. Es cosa de nervios. Estás temblando —tocó mi pecho empapado.

Me vio a los ojos y supe que podía besarla. También supe que ella no tomaría esa iniciativa.

Me tomó de la mano y sentí sus manos rasposas por la arena. En la noche, sus ojos brillaban de un modo definido. Me vio como ve alguien consciente de que la tierra se ha abierto a una profundidad infinita.

—¿Te atreverías a nadar ahora? —le pregunté.

—Es como si ya hubiéramos nadado. La marea nos trajo aquí. ¿No te parece raro estar vivo?

Lo que hiciéramos en ese momento sólo tendría una causa: estábamos vivos. La vida es un proceso de demolición y el océano lastimado rugía con fuerza. No existía nada más. No pensé en los otros, y algo aún más importante: no pensé que no pensaba en los otros. Estábamos lejos de nuestras redes. Habíamos caído en una grieta. Tenía ganas de besarla y acostarme con ella. Servando la amaba y era mi mejor amigo. Ella amaba a Walker, de un modo tenso y cierto. Yo no la amaba, pero estábamos juntos en la grieta. El mar golpeaba la tierra con furia. Los dedos arenosos de una mujer apretaban mi mano. La naturaleza me impulsaba a hacer algo, pero soy retratista.

—Te acompaño a casa —dije.

Al llegar a la reja, me dio un beso en la mejilla:

—Por algo pasan las cosas —así aludió a las cosas que no pasan.

La frase servía para resignarse ante los misterios del mundo, pero yo no me quería resignar, no del todo. Le pedí permiso para ir al estudio.

—Be my guest —contestó.

Encontré el espacio más revuelto que de costumbre. El cuadro había caído del caballete, boca abajo. Lo levanté y quizá a causa de la luz mortecina me pareció un poco cambiado.

Al fin pude pintar los ojos de Dennis Walker. Eran los ojos de alguien que mira el mundo con apremio, como si hubiera sido engañado. Un solitario que no desea ver a nadie. Con absoluta convicción, esa cara me decía: "¡lárgate!". Nunca supe lo que el artista contemporáneo pensó de mi pintura ni fui al homenaje en la Sociedad de las Américas. Cynthia mandó un amable correo electrónico felicitándome por el retrato que todos juzgaban "impactante". Servando le pidió disculpas y entendió que no valía la pena sacrificar el tedio tan minuciosamente creado con Esther. Melanie descubrió que podía perder al padre de su hijo y comenzó a participar en el chat de las mamás.

Todo eso sucedió después del día que me interesa. Terminé el retrato de Dennis Walker a las seis de la mañana. Justo entonces Lorena me mandó un *whatsapp*. Salí a la playa para contestarle.

El Pacífico es más imponente en el crepúsculo que en el amanecer; sin embargo, ese día el cielo tenía un estupendo resplandor rosáceo.

Llamé a Lorena. Dijo que no había dormido. La luna llena le daba insomnio, pero no estaba despierta por eso: pensaba en mí, tan cerca del epicentro del terremoto. Se sentía lejos, "así, de pronto", y no podía ser indiferente.

La naturaleza me impulsaba a hacer algo, pero soy retratista.

Sí, pero ya había terminado mi retrato.

Vi el mar que podía matarme y le dije a Lorena que la amaba.

Examen extraordinario. Antología de cuentos, de Juan Villoro, se terminó de imprimir y encuadernar en julio de 2020 en Talleres Gráficos de México, Canal del Norte, 80; 06280 Ciudad de México. En la composición, elaborada en el Departamento de Integración Digital del FCE, por Silvia Suárez Castillo, se utilizaron tipos New Aster. La edición consta de 7 000 ejemplares.